Gremlins

récit de George Gipe
d'après le scénario de Chris Columbus

STEVEN SPIELBERG
présente

Gremlins

traduit de l'américain par Jean-Paul MARTIN

Éditions J'ai Lu

Je voudrais remercier tout particulièrement, pour m'avoir préservé des Gremlins dans ma tâche :

Elaine MARKSON
Kathryn VOUGHT
Dan ROMANELLI
Mike FINNELL
Joe DANTE
Brad GLOBE
Geoffrey BRANDT
Judy GITENSTEIN
Ed SEDARBAUM

Ce roman a paru sous le titre original :

GREMLINS

1

Dans sa caisse, rangée dans un coin de l'arrière-boutique du Chinois, le Mogwai sommeillait par intermittence. Le vieil homme allait bientôt arriver, le caresser, lui dire quelques mots dans cette langue aux sonorités bizarres, lui permettre d'aller musarder un instant parmi les livres à l'odeur de renfermé et les divers objets et, surtout, lui donner à manger.

Comme tout Mogwai, il pouvait manger à tout instant, encore qu'il ait appris à maîtriser sa fringale. Ainsi avait-on programmé la faculté d'adaptation du Mogwai, une faculté telle que même confiné dans sa caisse et dans la petite pièce, il ne ressentait aucun désir de liberté. En fait, son esprit constituait pour lui une sorte de mécanisme d'évasion, un centre de distraction à l'activité permanente lui permettant de voyager dans le temps et l'espace. Mais surtout, et à la différence de l'esprit humain, le sien n'avait rien de l'instrument pervers qui, si souvent, refusait la manipulation mais vous jouait des tours ou vous conférait une immense duplicité. Bien au contraire, l'esprit du Mogwai constituait moins un tourment qu'une constante source de plaisir.

Mogturmen, le créateur de l'espèce Mogwai, y avait veillé. Bien des siècles plus tôt, sur une autre planète, il avait conçu et réalisé une créature susceptible de s'adapter à tous les climats et conditions de vie, une créature pouvant facilement se reproduire, une créature aimable, gentille et d'une grande intelligence. On ignore la raison exacte pour laquelle Mogturmen s'était lancé dans cette aventure, sauf qu'il avait connu son heure de gloire à une époque d'intense expérimentation dans le domaine de la création d'espèces – une époque, ajouterons-nous, qui suivit les désastreuses tentatives d'hybridation de certaines espèces de reptiles carnivores.

On avait d'abord considéré l'expérience de Mogturmen comme un grand succès et son auteur comme le héros de la génétique de trois galaxies. Les premiers exemplaires de Mogwais se révélèrent conformes aux prévisions bien que les gentilles petites bêtes présentassent des inconvénients non envisagés par leur créateur. Leur vaste intelligence semblait gêner leurs possibilités de communiquer (parce que, expliqua Mogturmen, ils pensaient beaucoup plus vite qu'ils ne pouvaient s'exprimer) et, pour quelque inexplicable raison, ils manifestaient une répulsion pour la lumière. Négligeant ces défauts, les autorités galactiques ordonnèrent que l'on expédie les Mogwais sur toutes les planètes habitables de l'univers, dans le dessein de communiquer aux étrangers leur intelligence et leur esprit pacifique et de leur apprendre à vivre sans violence et sans risque de s'éteindre. Se trouvèrent parmi les premières planètes choisies pour recevoir les Mogwais, Kelm-6 dans le rayon de Poraisti, Clinf-A de Pollux et le troisième satellite du Soleil Mineur 67672, une planète de petite taille mais fertile, appelée Terre par ses habitants.

On découvrit bientôt que moins d'une sur mille des créatures de Mogturmen présentait toutes les qualités souhaitées. Quant aux autres, eh bien, nous dirons qu'elles rencontrèrent quelques déboires, d'ailleurs connus du Mogwai lui-même, bien au fait des vicissitudes de son espèce. Les yeux clos, attendant son dîner, il se mit à songer aux guerres, tremblements de terre et famines qu'avaient connus Kelm-6, Clinf-A et même la Terre du fait des erreurs de calcul de son créateur. Rien d'étonnant que Mogturmen ait été puni pour...

Le Mogwai chassa cette pensée de son esprit. Certes, dans l'ensemble Mogturmen avait connu l'échec, mais lui – ce Mogwai – constituait l'exception, le un sur mille détenant toutes les vertus que son créateur avait souhaité lui donner. Malgré cela, il le savait, son existence n'apporterait rien de bon à la société. Tout gentil qu'il fût, il n'en constituait pas moins une menace. Quelques gouttes d'eau, une bouchée de nourriture au mauvais moment et...

Le Mogwai émit un petit bruit de gorge, s'en voulant de ruminer de telles pensées. Pourquoi envisager l'éventualité de quelque catastrophe? Le Chinois paraissait comprendre les règles (bien que le Mogwai ne puisse proposer à cela d'autre explication que le fait que les Orientaux semblent comprendre tout naturellement l'inexplicable). Il maintenait la pièce dans l'obscurité, évitait toute projection d'eau et nourrissait le Mogwai bien avant minuit. Il admettait peu d'étrangers et n'imposait jamais au Mogwai ces voyages que lui avaient fait subir ses précédents propriétaires, dont un colporteur médiéval et un trafiquant de pierres précieuses du XVIe siècle.

Aucun doute, le Chinois était bien le meilleur de tous. Pourquoi donc, dans ces conditions, se sentir envahi d'un sentiment de malaise – au mieux – ou de catastrophe imminente – au pire? Peut-être parce que tout se passait trop bien depuis trop longtemps. En y songeant, il se demanda s'il aurait la force de faire face à une nouvelle éruption... d'eux.

Pourquoi dire « eux »? se demanda-t-il soudain en

se rendant compte qu' « eux » et lui représentaient virtuellement la même chose. Sauf que les erreurs de calcul commises par Mogturmen, c'était en eux qu'elles se trouvaient.

Et en moi aussi, songea-t-il avec un certain sentiment de culpabilité. Il se trouve que moi, j'en ai réchappé. Mais les autres, que leur était-il arrivé? Combien de temps avaient-ils survécu? Combien d'ennuis avaient-ils causés?

Non, n'y pensons plus. Songeons plutôt aux torrents de feu de Catalésie. Il ferma les yeux et son esprit obéissant évoqua les vives couleurs engendrées par les rivières bouillantes de la sous-planète Catalésie, l'une de ses images favorites. Quant à ses images favorites de la Terre, on y trouvait le vol des pigeons voyageurs masquant le soleil (disparus depuis un siècle) et des scènes du tremblement de terre de San Francisco.

Le Chinois entra alors que, roulé en boule, le Mogwai se délectait du spectacle des rivières de feu de Catalésie. Une petite assiette dans ses doigts minces, le frêle bonhomme au visage parcheminé glissa doucement vers la table et se tint là, regardant son pelucheux ami. Dans l'assiette se trouvaient toutes sortes de délicatesses orientales, restes du restaurant voisin de Han Wu : un morceau de rouleau impérial, du riz, des brocolis et des petits morceaux de porc frits deux fois. Et une rondelle de caoutchouc.

Le Mogwai ouvrit les yeux puis se dressa, les narines chatouillées par l'odeur.

Avec un sourire plein de bonté, le Chinois ouvrit la caisse par le haut, saisit le Mogwai et le posa sur la table, à côté de l'assiette.

– Régale-toi, mon ami, dit-il d'une voix douce en tapotant le crâne du Mogwai avant de reculer d'un pas.

Le Mogwai regarda l'assiette. A coup sûr, il y avait

encore un objet bizarre. Hier un morceau de bois tendre, avant-hier deux morceaux de polystyrène qu'il avait vu l'homme détacher d'un emballage. Le Mogwai renifla la rondelle de caoutchouc, l'analysa instantanément et sut qu'il pouvait la manger sans risque. Au mieux, cela n'aurait aucun goût. Amer, peut-être, sans qualité nutritive et dur à mâcher. Mais cela amusait tant le Chinois de le voir mâcher des choses non comestibles qu'il lui parut peu charitable de le décevoir. Ça ne prendrait qu'une minute et il pourrait ensuite manger le reste pour le dessert.

Il happa la rondelle et l'attaqua, de ses grosses dents du fond d'abord, qui, comme un étau, serrèrent l'objet sec et le brisèrent en deux. Ainsi qu'il le pensait, c'était dur et ç'avait un goût de pétrole – pas son parfum favori – mais le Mogwai se réjouit de voir le visage ridé du Chinois se plisser de surprise et de plaisir. Moins d'une minute plus tard, la rondelle avalée, sinon digérée, il attaquait avec avidité le riz et le rouleau impérial. Un coup d'œil rapide lui révéla le sourire ravi du Chinois et le Mogwai fut heureux d'avoir pris la peine de manger la rondelle.

Après tout, ce n'était pas cher payer que de faire plaisir au vieil homme pour mener une vie aussi paisible.

2

Billy lutta longtemps contre la folle envie d'envoyer un solide coup de pied à sa perverse Volkswagen. Puis il succomba, frappant violemment de sa chaussure le coin de carrosserie attaqué par la rouille où se raccordait le pare-chocs arrière.

Il le regretta aussitôt. Pas seulement du fait de la douleur dans son orteil mais parce que la vieille VW, modèle 1969, lui offrait d'ordinaire un moyen de transport raisonnablement fiable. Le conduit de chauffage se montrait rebelle à tous les efforts tentés pour l'ouvrir – ou pour le fermer – quand Billy le souhaitait et il fallait donc le laisser ouvert – ou complètement fermé – pendant toute la durée du trajet. Elle émettait des vibrations et gémissements variés qui éprouvaient la patience de Billy mais seulement « par intermittence » (selon l'expression des garagistes incapables d'en déterminer l'origine), et Billy et sa voiture s'accommodaient l'un de l'autre, en quelque sorte.

Mais pourquoi semblait-elle toujours tomber en panne lorsqu'il était en retard au travail?

Il soupira, consulta sa montre, grimaça. Si, comme un boulet de canon, il se trouvait immédiatement projeté dans la banque, il n'aurait qu'une minute de retard. Il regarda autour de lui. Les rues de la pittoresque petite ville de Kingston Falls,

6122 habitants, étaient désertes, comme toujours lorsqu'on avait besoin d'être déposé quelque part.

D'aucuns auraient jugé la ville ennuyeuse mais Billy, qui y avait passé les vingt et un ans de sa vie, l'aimait bien. Kingston Falls et lui, partageant de solides qualités de réalisme, s'accordaient parfaitement. Lorsque sa mère disait cela, comme elle en avait l'habitude, le Billy Peltzer de quelques années plus tôt se mettait souvent à bouder, se montrait déprimé et parfois hostile. Maintenant, il avait parfaitement conscience de se situer *effectivement* dans la moyenne, valant entre B- et B+ selon les goûts des yeux féminins qui l'examinaient : cheveux bruns, portés aussi longs que permis par la direction de la banque et encadrant un visage long; des yeux marron au regard vif et une bouche assez grande mais expressive. Sa peau, grâce à Dieu, avait passé le stade de l'acné, à moins qu'il ne s'agisse que d'une simple rémission. Sans être costaud, il était trop étoffé pour qu'on le qualifie de mince. Le genre de gabarit que même un entraîneur de rugby avait du mal à placer au bon poste : trop petit pour la troisième ligne, un peu trop trapu pour l'ouverture et pas assez solide pour un trois-quarts. Aussi, comme pour Kingston Falls l'important était de participer, Billy Peltzer avait joué deux ans arrière dans l'équipe de l'école.

Après le bac, il n'alla pas à la fac tout simplement parce qu'il ne savait pas quoi faire dans la vie et qu'il lui semblait stupide que ses parents gaspillent leur bel et bon argent pendant qu'il chercherait sa voie. Suivre les traces de son père aurait constitué une entreprise aussi ardue que de poursuivre un écureuil dans la forêt. Mi-inventeur, mi-voyageur de commerce, Rand Peltzer, par son curriculum vitae, évoquait assez la liste des pièces détachées nécessaires à un porte-avions. Billy savait ne pas souhaiter une telle existence de nomade, mais on le pressa tant de préciser ce qu'il voulait que son ami Gene Grynkiewiez – qui, maintenant, en avait presque terminé avec ses études d'ingénieur – lui suggéra un jour de devenir gardien de jour dans un cinéma de plein air.

Billy préféra passer des tests d'aptitude dont il ressortit qu'il ferait un bon employé de banque. Les tests ne précisaient cependant pas la nature de sa carrière s'il persistait à arriver en retard.

– Encore en panne? demanda la voix familière de Murray Futterman, son intarissable bavard de voisin, assis en cet instant au volant de son chasse-neige rouge vif.

Lorsqu'il neigeait, Futterman sautait dans son engin et aidait à déblayer les rues, en partie pour rendre service mais en partie aussi, pensait Billy, parce que cela lui donnait l'occasion de bavarder.

– Tu veux que je te dépose, Billy?

– Non, merci. Ce n'est pas la batterie. Je viens de la changer. Je crois que c'est le contact. Ou peut-être qu'elle a décidé de jouer les entêtées.

Futterman tira sur son frein et descendit du siège fourré de son chasse-neige. Billy grogna en lui-même, conscient de ne pas avoir de temps à perdre. Futterman était bien gentil mais il lui fallait dix bonnes minutes pour raconter une histoire de trente secondes.

– Je vous remercie, monsieur Futterman, dit vivement Billy, s'éloignant de sa voiture et se dirigeant vers la rue dans l'espoir d'échapper au voisin plein de bonnes intentions. Je vais y aller à pied. Je suis déjà en retard.

Autant parler sanskrit ou gazouiller comme un oiseau. Futterman hocha la tête d'un air entendu et regarda attentivement la Volkswagen.

– Ça vaut rien, les voitures étrangères. Ça vous laisse tomber tout le temps.

Billy hésita, pas désespéré au point de partir en

courant vers la banque. Futterman était un brave homme et parfois même utile. Il demeura un long instant à contempler la voiture, ses cheveux noirs et raides lui tombant sur le front. Malgré sa cinquantaine bien sonnée, Futterman, physiquement, faisait plus jeune mais, de par sa nature volubile et sa maniaquerie vieux jeu, il paraissait parfois plus âgé.

– Ça n'arrive pas avec de la mécanique américaine, dit-il. Elle peut tout supporter.

Inutile de discuter, pensa Billy. Grimaçant un sourire – que Futterman, espéra-t-il, considérerait comme une excuse pour avoir acheté une telle camelote étrangère –, Billy ouvrit la bouche pour exposer de nouveau son dilemme, montrant le bout de la rue.

Mais les mots se tarirent sous le nouvel assaut verbal de Futterman.

– Tu vois ce chasse-neige? demanda-t-il en souriant. Cinquante ans. Et pas un ennui. Tu sais pourquoi?

Manifestement, la question n'était que pur effet de rhétorique. De nouveau, Billy ouvrit la bouche mais sans émettre un son.

– Parce que c'est pas de la camelote étrangère, se répondit Futterman. C'est un Kentucky Harvester. T'en trouveras pas de meilleur. La société a fait faillite parce que c'était trop bon. T'entends ça, gamin? Trop bon!

Billy tenta de prendre un air navré, ce qui ne se révéla pas trop difficile dans la mesure où il pensait qu'il allait perdre sa place dans quelques minutes.

– C'est vraiment chouette, monsieur Futterman. Je veux dire, c'est chouette que ce soit un si bon chasse-neige, et dommage, vraiment, qu'ils aient fait faillite. Mais il faut que j'y aille.

– Grimpe, je te dépose, proposa Futterman.

Billy examina la question. Rien ne bougeait dans

la rue et, comme la plupart des habitants n'avaient pas encore déblayé leur trottoir, il ne pourrait marcher vite. Au moins, le chasse-neige de Futterman l'amènerait-il à la banque plus vite qu'à pied. Si...

– On va tout droit à la banque, promit Futterman. C'est là que tu travailles?

– Oui, m'sieur.

– Grimpe. Je mets les gaz à fond et on y est en un rien de temps.

Billy s'installa à côté de Futterman et ils démarrèrent. Billy émit un grognement.

– Qu'est-ce qui se passe? demanda Futterman.

– M'man a laissé sortir Barney, répondit Billy. Maintenant, il va me suivre au travail.

Effectivement, en un instant, le cabot marron jaunâtre aux grandes oreilles – un compromis de beagle et de setter irlandais – avança par bonds dans la neige jusqu'à la hauteur du chasse-neige de Futterman, ses yeux chassieux fixant Billy d'un regard plein d'adoration.

– Tu veux que j'arrête pour que tu le ramènes? demanda Futterman, la main sur le frein.

– Non, ça va. Je l'attacherai sous le comptoir, à la banque. Ça ne plaira pas à M. Corben mais si Barney se tient tranquille, on pourra peut-être s'en tirer jusqu'à l'heure du déjeuner.

– Qu'est-ce qui cloche avec ta voiture? demanda Futterman après avoir hoché la tête et embrayé.

– Je ne sais pas exactement. C'est intermittent. Des fois elle tourne bien, même quand il gèle. D'autres fois elle ne veut pas démarrer, même par beau temps.

– Pour moi, c'est des Gremlins.

– Vous voulez dire que toutes ces voitures font cela?

– Je crois que tu es trop jeune pour comprendre

que le mot *gremlin*, c'est tout ce qu'on veut sauf une voiture American Motors, fit Futterman en riant.

– Quoi d'autre, alors?

– Un petit démon. Ils adorent faire des blagues dans les mécaniques. J'en ai vu des tas pendant la Seconde Guerre mondiale. J'étais mitrailleur arrière dans une Forteresse volante. Je parie que tu l'ignorais.

Billy hocha la tête tout en essayant de se souvenir si M. Futterman avait déjà mentionné ce détail au cours de ses interminables bavardages. Regardant Futterman tout en se livrant à un rapide calcul, il se retrouva tout surpris de constater que l'homme était assez âgé pour avoir pris part à un conflit terminé depuis près de quarante ans. Certes, il était vieux, mais pour Billy un ancien combattant de la Seconde Guerre mondiale évoquait automatiquement l'image d'un homme dans un rocking-chair ou une maison de retraite. En comparaison, Futterman paraissait en pleine forme.

– Vous deviez être tout jeune, s'exclama diplomatiquement Billy.

– Dix-huit ans quand j'y suis allé, dix-neuf à la sortie. Mais j'en ai vu des choses en douze mois!

– J'imagine.

– Ce que j'ai appris de plus important, c'est que les Gremlins existent vraiment. Faut s'en méfier.

Billy ne put s'empêcher de sourire.

– Tu crois que je me fiche de toi, dit Futterman, imperturbable. Mais c'est vrai. Comme je te l'ai dit, ils adorent mettre la pagaille dans les mécaniques. Avec tous ces avions, ils se sont régalés pendant la guerre. Je vais te dire : ils étaient partout, ces Gremlins. Je veux dire dans nos bateaux et nos avions. Je crois que c'est pour ça que notre mécanique est meilleure que celle des étrangers. Nous avons appris à compter avec les Gremlins et amélioré notre matériel. Pour une raison ou une autre, les Gremlins ne se sont pas attaqués aux Allemands et aux Japonais comme ils l'ont fait avec nous.

– Pourquoi donc? demanda Billy.

– Je n'en suis pas certain, mais je crois que c'est parce que nous avions davantage le sens de l'humour. Vois-tu, on ne fait des blagues qu'à ceux qui vont en rire. Avec ceux qui se vexent, ce n'est pas drôle. Nous, on riait souvent des blagues des Gremlins.

– Et qu'est-ce qu'ils faisaient?

– A toi de juger. J'étais mitrailleur arrière, d'ac? Ils déréglaient mes mires et je ratais la cible. Ou encore ils faisaient des petits trous dans le plexiglas de ma tourelle pour laisser passer l'air froid. Ils enrayaient même mes mitrailleuses. Ou ils me piquaient les fesses quand j'allais tirer.

– Vous les avez vraiment vus? demanda Billy en riant.

– Ma foi, oui et non. On pouvait les bigler du coin de l'œil mais ils disparaissaient quand on voulait les fixer bien en face.

– On dirait que vous les inventiez, monsieur Futterman, fit candidement observer Billy.

– Non. Ils étaient bien là. D'autres gars les ont vus et pourraient le jurer. Jackson – mon navigateur – les voyait toujours à l'extérieur de l'appareil, dansant dans les turbulences des ailes. Ils arrachaient des petits bouts de caoutchouc de la poche de dégivrage pour que la glace s'y amoncelle. Des fois, ils faisaient des bruits de crachotement dans l'oreille du pilote pour qu'il croie un moteur en panne. Ils savaient même imiter nos voix. Une fois, ils ont crié à notre pilote : « Tu voles à l'envers, idiot! » Alors, le pilote a retourné l'appareil et fallait voir valser le café, les cartes et les membres de l'équipage!

– Mais cela aurait pu être dangereux, observa

Billy. Je croyais qu'ils étaient simplement espiègles.

– Oh oui! qu'ils l'étaient! Ils ne voulaient pas nous mettre en danger, mais certains de leurs tours finissaient mal.

Au carrefour des rues Calver et Clark, Billy consulta sa montre et constata qu'il avait dix minutes de retard.

– Avant la fin de la guerre, on avait appris qu'il existait toutes sortes de Gremlins, poursuivit Futterman. Les pires, c'étaient les strato-Gremlins. Les spandules étaient d'âge mûr et les fifinellas des femelles. On avait aussi des jerps et des bijits, tous différents...

Après une violente secousse et une explosion accompagnée d'une grande étincelle rougeâtre, le moteur du chasse-neige cala.

– Ne t'inquiète pas, je sais ce que c'est. J'en ai pour une minute, s'excusa Futterman en coupant le contact.

Billy descendit, caressa Barney qui avait suivi et dit à M. Futterman :

– Je vais couper par chez Mme Deagle. Merci de m'avoir amené jusqu'ici.

– J'en ai pour une seconde, répéta Futterman. Ça n'arrive jamais. C'est parce que j'ai parlé des Gremlins.

– Ouais, dit Billy en riant. Merci encore.

Laissant Futterman la tête plongée dans son moteur, Billy traversa en trottant la vaste pelouse de Mme Deagle, tapis de neige immaculé, à l'exception de quelques traces de pattes d'écureuil. Barney suivait.

Billy remarqua que, cette année encore, la maison de Mme Deagle était la seule de Kingston Falls qui n'eût pas d'illuminations de Noël. Même *l'Union Savings and Trust Bank*, où travaillait Billy, arborait, malgré sa politique d'austérité, une double rangée de lumières qui clignotaient.

Un coup d'avertisseur et le bruit des chaînes de pneus d'une voiture sur la neige tassée tirèrent Billy de ses méditations.

– Tire-toi du chemin, idiot de chat!

Apparut à la vitre baissée de la voiture de police le visage de belette du shérif adjoint Brent. A ses côtés, le visage avenant et l'épaisse tignasse noire du solide shérif Frank Reilly.

– File de là, espèce de rat, brailla Brent.

Les quelques rares piétons s'arrêtèrent pour voir ce qui se passait, parmi eux : Billy, le Dr Molinaro qui se rendait à son cabinet, le Père Bartlett, un prêtre âgé aux cheveux blancs. Entre les roues avant de la voiture de police, un gros chat gris tigré, accroupi, refusait de bouger, par crainte ou entêtement. Au moment où un nouveau coup d'avertisseur tentait de chasser l'animal, Billy s'en saisit.

– Merci, dit le shérif Reilly avec un sourire.

– C'est un des chats de Mme Deagle, observa Billy.

– Si j'avais su, je ne me serais pas arrêté, râla Brent. J'aurais continué tout droit.

Reilly hocha la tête, remonta la vitre et fit signe à Brent de continuer tout droit. Après s'être assuré que Barney suivait, Billy traversa en diagonale le jardin en direction de la porte d'entrée de Mme Deagle, tenant fermement contre lui le chat qui se tortillait. La porte s'ouvrit avant que Billy y parvienne et apparut Mme Deagle, vêtue d'une robe d'intérieur singulièrement laide, et manifestement surprise à en juger par sa perruque – auburn métallique – de travers. Les lèvres pincées, le visage aussi aimable que celui qu'elle devait réserver au percepteur, elle apostropha Billy :

– Je t'ai dit de ne pas marcher sur le gazon.

– Je ne marche pas sur le gazon, mais dans la

neige, rétorqua Billy en regardant ses traces de pas.

– Ne fais pas le malin.

Billy lui tendit le chat et examina fugitivement la vieille femme. Contrairement au visage de la plupart des personnes âgées, rayonnant de sagesse, celui de Mme Deagle n'inspirait que tristesse et répulsion. De grosses boucles d'oreilles démodées pendaient de chaque côté de ce visage couvert d'une lourde couche de fantomatique poudre blanche et aux yeux soulignés d'un épais mascara. Ses dents jaunes offraient un contraste bizarre avec le rouge à lèvres presque violet étalé au-dessus et au-dessous des lèvres minces. Avec ses gestes nerveux, saccadés, Mme Deagle avait tout d'une méchante marionnette.

– Je vous ramène votre chat, dit Billy d'une voix douce. Il a failli se faire écraser par la voiture de la police.

Mme Deagle se saisit de l'animal et le laissa rapidement tomber en arrière.

– A ta façon de le tenir, c'est une chance qu'il puisse encore marcher, grinça Mme Deagle. Et j'espère que tu n'attends pas une récompense. Déguerpis.

– Non, madame Deagle, répondit Billy. Je crois qu'avec un simple « merci », j'espérais déjà trop.

En s'éloignant, il entendit Mme Deagle murmurer quelque chose à propos de Barney qui ne devait pas abîmer les plantes.

– Idiot, se dit-il à haute voix. Tu aurais dû te contenter de déposer le chat dans le jardin.

Et arriver au bureau quelques minutes plus tôt – ou moins tard –, songea-t-il. Il se mit à courir, imité par Barney; cette accélération soudaine lui fit frôler un bonhomme de neige en céramique, seul objet frivole que tolérait la vieille femme dans son jardin. Craquelée, marquée de fissures minuscules, la tête du bonhomme de céramique penchait à droite depuis plusieurs années. Au frôlement de Barney, la tête s'inclina davantage, hésita puis roula dans la neige.

Lorgnant la scène de derrière la fenêtre de sa salle à manger, Mme Deagle eut le souffle coupé à la vue de la tête de céramique qui s'enfonçait dans la neige.

– Ces sales petits casseurs! siffla-t-elle. Ils me le paieront l'un et l'autre.

Elle observa en silence le jeune Billy Peltzer qui pénétrait dans la banque avec son chien. Son regard reflétait maintenant une froide détermination. Redressant sa perruque devant son miroir, elle prit la décision qu'elle repoussait depuis le début de la matinée : convenait-il de braver les éléments et de sortir pour s'occuper de ses affaires?

– Au diable la neige, dit-elle. Je veux bien me mouiller les pieds pour donner une leçon à ce jeune voyou.

3

Il était vraiment toujours difficile de trouver pour la famille un cadeau original et intéressant, songeait Rand Peltzer. Et c'était pire à chaque Noël.

Plutôt que de se décourager, il accepta le défi. Une fois de plus. Rand se considérait, enfant, comme un survivant, un gamin du quartier le plus pauvre de la ville qui, devenu adulte et sans avoir fait d'études supérieures ou autres, avait réussi à épouser la femme la plus parfaite de Kingston Falls et à faire vivre assez correctement une famille. Certes, il lui fallait se battre pied à pied, mais n'était-ce pas là un des charmes de la vie? On se moquait de lui lorsque ses inventions ne rendaient pas ce qu'il espérait mais n'en était-ce pas encore plus agréable quand cela marchait?

Donc, bien qu'ennuyé de ne pas trouver le bon cadeau pour Billy, il se sentait heureux. Il adorait Noël et tout ce que cette fête représentait : faire quelque chose ensemble, dans le même esprit, les affaires qui marchaient mieux, une certaine douceur et surtout l'occasion de se montrer bon pour son prochain sans qu'on vous regarde bizarrement.

Comment se retrouvait-il là, dans le quartier chinois de San Francisco? il n'aurait pu le dire avec certitude. Il ne se souvenait pas d'avoir demandé à un taxi de le conduire à Chinatown. Sans doute, en flânant de vitrine en magasin à la recherche d'un cadeau original, y était-il arrivé par osmose. Jamais il n'avait fait d'emplettes dans ce quartier, bien qu'il l'eût visité en touriste. Mais pourquoi pas? Pourquoi ne trouverait-il pas ici ce qu'il cherchait? Quoi que ce puisse être.

Son visage rond arborant un air légèrement étonné, Rand ressemblait à n'importe quel homme d'un certain âge léchant les vitrines. Avec son visage affable, naguère très séduisant, il avait conservé une épaisse tignasse grise ébouriffée et des yeux verts au regard pénétrant. Au-dessous du cou, l'âge s'était montré moins clément, son torse puissant se continuant par une taille épaisse qui frisait le baril de bière (encore que ses amis les moins diplomates utilisent parfois cette expression). On aurait pu le prendre pour un ancien joueur de rugby professionnel, disons un deuxième-ligne, qui aurait pris sa retraite en 1965 et aurait perdu de mauvaise grâce sa lutte contre la brioche. Avec sa veste de tweed, son pantalon de velours et son pull gris, il sacrifiait manifestement l'élégance au confort.

Il doit bien exister quelque chose, se dit-il.

Il jeta un œil sur les différents bibelots et autres curiosités étalés sur le comptoir d'un magasin chinois, un ensemble de souvenirs plus clinquants qu'utiles : cendriers, épingles de cravate, stylos et crayons, papier-toilette de Chinatown, même; et au-dessus de lui, des mobiles d'où pendaient des acrobates, des gargouilles, des formes artistiques non figuratives. Et, sur les murs, des pendules, des jeux de fléchettes, des posters, des plaques, des peintures, des gravures, mais rien qui le séduisît. Rien, sentait-il, qui éveillerait dans l'œil de Billy cette étincelle qu'il aimait tant.

– Quelque chose pour Monsieur?

Avec cette allure furtive tout orientale (selon Rand Peltzer), une Chinoise au visage cireux apparut soudain de dessous le comptoir simplement en se levant. Rand en sursauta, manquant de laisser choir le cendrier de cuivre qu'il venait de prendre.

– Oui. J'aimerais quelque chose pour mon fils. Quelque chose d'original.

La femme montra une stéréo puis une montre mais Rand secoua la tête.

– Il aime choses mécaniques? demanda la femme.

– Non. C'est un artiste. Un dessinateur. Vous avez peut-être de ces trucs qu'un artiste aimerait utiliser.

– Des trucs?

– Oui. (Soudain inspiré, Rand ajouta :) Peut-être quelque chose comme un chevalet à combinaison et un porte-pinceaux, ou... (Ses yeux balayèrent le plafond tandis que l'inspiration se précisait.) Ou peut-être un chevalet pliant qu'on peut glisser dans sa poche. Voyez-vous, les artistes voyagent beaucoup...

– Un truc? répéta la femme en lui tendant une batterie rechargeable.

Il secoua la tête et commença à se diriger vers la porte, tout en évaluant le problème posé par la construction d'un chevalet portable.

– Une minute, dit la femme.

Rand hésita tandis qu'elle disparaissait par une petite porte donnant dans l'arrière-boutique. A peine s'était-elle éclipsée que Rand prit conscience d'une autre présence.

– Monsieur vouloir quelque chose différent? demanda une nouvelle voix.

C'était celle d'un petit garçon chinois de neuf ans environ, très mince, avec des cheveux d'un noir de jais et de longues jambes. Vêtu d'un vieux blouson de base-ball fané des Los Angeles Dodgers, d'un T-shirt en accordéon de Springsteen, de Levi's déchirés et délavés et de chaussures de tennis à semelles épaisses, il avait tout d'une pub ambulante pour de vieux stocks en solde. Mais quelque chose, en lui, plut à Rand qui lui fit confiance.

– Exact, répondit-il. (Son regard passa des grands yeux noirs du gosse à la porte par où avait disparu la femme.) Quelque chose d'insolite, quelque chose que personne ne possède. (Se rendant compte que sa description ne cadrait qu'avec quelques très rares objets, comme le diamant Hope, il rectifia :) Je veux dire que ça ne doit pas nécessairement être cher ou unique mais j'aimerais quelque chose de... eh bien, de différent...

– Suivez-moi, s'il vous plaît, dit le jeune garçon en acquiesçant de la tête.

– Tu ne peux pas simplement me dire de quoi il s'agit ?

– Non, monsieur. Cela défie toute description.

Oh! oh! songea Rand. Ainsi, cela « défie toute description », hein? Si le gosse avait retenu cette expression à son âge, il devait être un précoce artiste en escroquerie. Peut-être même un appât pour des agresseurs ou des ravisseurs. Le bon sens soufflait à Rand de renoncer à sa quête. Mais quand avait-il jamais cédé à son bon sens?

La vieille femme reparut, traînant un énorme dragon rouge gonflable – complètement dégonflé en cet instant – qui aurait comblé toutes les baignoires à l'exception des plus vastes.

– Un truc? demanda-t-elle.

– Non, répondit Rand avec un sourire, en reculant vers la porte. Mais merci, quand même.

Un instant plus tard, dans la rue, le jeune Chinois commenta, de façon peu flatteuse :

– Des bricoles! Vous voulez quelque chose d'original et elle vous offre des bricoles!

En sa qualité de vendeur, Rand avait appris à ne jamais débiner ce qu'offrait l'autre. Ce garçon devrait l'apprendre tôt ou tard et le moment paraissait bien choisi pour lui inculquer quelque sagesse.

– C'était un très joli dragon, dit Rand. Il plairait à bien des gens. Ce n'était pas pour moi, c'est tout.

– Une bricole, répéta le gamin. Une grosse bricole. Suivez-moi et vous verrez quelque chose de vraiment original.

C'est ce que fit Rand, tout en se disant qu'il lui fallait se montrer plus circonspect qu'à l'ordinaire. L'avenue grouillait de l'agitation d'avant Noël mais il scruta soigneusement les visages des passants, guettant un signe éventuel au gamin ou de celui-ci. Rien d'insolite. Des passants perdus dans leurs pensées, deux religieuses gloussant nerveusement dans un pousse-pousse, plusieurs adolescents à l'allure d'étudiants en conversation avec une jeune Orientale.

– Là, dit le gamin en lui indiquant un escalier menant à une cave.

Il ouvrit la porte et fit signe à Rand de le suivre; ce que fit Rand après une respiration profonde.

Rien qui ressemblât à un musée des horreurs, à l'intérieur, mais rien d'excitant non plus. La seule source de lumière semblait être des centaines de bougies, brûlant séparément ou en groupes et posées sur toutes les surfaces planes de la pièce. Au-dessus dansaient les habituels mobiles orientaux faisant entendre leur musique discordante lorsque leurs plaques de métal se touchaient. Rand examina un magnifique échiquier avec ses pièces sculptées, énormes, en guerriers et paysans japonais. Un instant, il songea que Billy en apprécierait la facture artistique et pourrait peut-être même l'utiliser comme modèle pour certains personnages de ses dessins. Puis il haussa les épaules. L'échiquier ne l'invitait tout simplement pas à l'acheter.

En se tournant pour repérer le gamin, il aperçut un vieux monsieur, un Chinois assis sur une sorte d'estrade, tirant doucement des bouffées d'une longue pipe, le menton orné de longs poils de barbe gris, le crâne coiffé d'une calotte. Avec sa longue tunique marron flottante, il faisait presque sacerdotal, assis là-haut. En fait, malgré son allure et son air de détachement éthéré, ce n'était qu'un vendeur comme lui. Seul différait l'environnement. L'homme demeurait sans doute assis dans sa boutique toute la journée tandis que Rand sillonnait le monde extérieur. Arrivé à cette conclusion, Rand pensa qu'il lui appartenait de faire le pas suivant. S'approchant de l'homme, il ouvrit sa mallette et en sortit un objet à l'aspect complexe, d'une trentaine de centimètres de long.

– Je vous prie de m'excuser, dit-il, j'ai suivi ici un jeune garçon qui m'a dit que je pourrais trouver quelque chose de vraiment original.

– Mon petit-fils, dit le Chinois avec un hochement de tête et d'une voix étonnamment profonde et sonore.

L'expression du visage du vieil homme, mélange de tendresse et de scepticisme, confirma Rand dans son idée première que le gamin était un escroc précoce.

N'étant pas homme à se décourager, Rand fit le tour de la boutique, un fouillis de masques orientaux effrayants, de symboles divers de sorcellerie antique, de crânes et de poussiéreux bouquins d'occultisme.

– Voyez-vous, monsieur, dit Rand avec un grand geste, vous avez là une jolie boutique. Mais si je puis me permettre, il vous faudrait aussi quelques objets modernes, comme celui-ci.

Il brandit l'objet informe sorti de sa mallette : un peu comme un gros diapason auquel étaient fixés toute une gamme des plus petits gadgets et appendices divers.

– Imaginez, commença Rand, que vous vous trouviez en train ou en bus, vous rendant à un important rendez-vous d'affaires. A peine assis, vous réalisez que vous avez oublié de vous brosser les dents et que vous avez un mauvais goût dans la bouche. Vous pourriez légitimement être inquiet, mais pas avec ceci : la Salle de Bains Portative. Une de mes inventions, un des nombreux produits des laboratoires Rand Peltzer, l'homme qui rend possible l'impossible et logique l'illogique.

Ignorant le manque total d'intérêt du vieux monsieur chinois, Rand éjecta une brosse à dents de l'objet. Puis il appuya sur un bouton qui fit jaillir une pâte blanchâtre avec une telle puissance qu'elle alla frapper le mur voisin avant de dégouliner sur le sol.

– Pas de problème, dit Rand en poussant le bouton ARRÊT.

L'engin continua à vomir sa pâte blanchâtre qui se répandit en gargouillant dans la main de Rand.

– Pas de problème, répéta-t-il. Ça part facilement. Et lorsque ça marche, c'est l'un des dix constituants particulièrement utiles de cette Salle de Bains Portative. Certes, j'ai un préjugé favorable, mais je crois que vous pourriez proposer quelques-uns de ces gadgets modernes dans votre magasin. Et si je vous en mettais une douzaine? Croyez-moi, même ici, où le magasin n'est pas exactement comparable à Sears Roebuck, ils partiront en huit jours.

Comme pour ponctuer cette dernière promesse de Rand, la Salle de Bains Portative émit un unique bruit sourd, à mi-chemin du rot et de l'éclatement d'une bulle de ciment frais, faisant jaillir un épais geyser de pâte gluante qui termina sa course sur le revers gauche de son inventeur.

– Encore quelques petits défauts, murmura Rand.

Alors, l'impénétrable Chinois craqua. Comme une

statue s'éveillant à la vie, ses lèvres s'ouvrirent, révélant une rangée d'énormes dents, et de grands éclats de rire le secouèrent. Latéralement d'abord, puis de haut en bas. Un doigt tremblant émergea de sous sa tunique, un doigt accusateur pointé vers Rand et secoué par le rire du vieil homme.

– Hi, hi, hi... Thomas Edison, gloussa-t-il. Thomas Edison.

Gêné mais accoutumé à de telles situations par ses mésaventures passées, Rand rit aussi de bon cœur, notamment lorsqu'il remarqua que le gamin, témoin de la démonstration, riait également. Et puis, Rand se rendit compte qu'une autre voix se mêlait au chœur des rires, plus haut perchée, quelque peu surnaturelle, mi-gazouillis enfantin et mi-cri perçant d'un perroquet.

– Ecoutez. Qu'est-ce que c'est? demanda-t-il.

Lorsque le vieil homme et l'enfant s'arrêtèrent, après un instant, le troisième rire se poursuivit, seul, étrange.

– Je n'ai jamais rien entendu de pareil, marmotta Rand, tandis que son regard passait d'un Chinois à l'autre.

Ils prirent un air évasif, le vieux paraissant soudain fasciné par un morceau de papier sur le bureau, le gamin – moins subtil – se contentant de tourner les talons. Et le rire bizarre continuait à arriver, en écho, d'une petite pièce située à l'arrière.

– Eh bien, c'est quelque chose! dit Rand sans s'adresser à quelqu'un en particulier.

Il se dirigea vers la porte et, arrivé sur le seuil, il se tourna vers le gamin :

– C'est ça? C'est pour cela que tu m'as amené ici? C'est la chose « originale »?

Devant le regard aigu de son grand-père, le gosse baissa le nez, contrit, et Rand répondit à sa propre question.

– Ouais, ça doit être ça. J'aimerais bien voir qui ou quoi rit de cette façon.

Il hésita, en arrêt sur le pas de la porte. Après tout, il s'agissait d'une pièce privée et, malgré sa curiosité, il attendit l'acquiescement du vieil homme. Le vieux Chinois haussa les épaules.

– Merci, dit Rand, pénétrant dans l'arrière-salle où il dut attendre un instant que ses yeux s'accoutument à l'obscurité.

Il distingua enfin une table où s'empilaient une douzaine de boîtes à chaussures contenant diverses babioles. Et, à côté, une caisse d'une trentaine de centimètres de côté recouverte d'une toile. De dessous la toile émanaient quelques bruits étouffés – non plus le rire haut perché de tout à l'heure mais des bruits tout de même bizarres.

Rand se baissa et doucement, avec révérence presque, souleva le rideau de toile.

– Ouah, dit-il à voix basse. Qu'est-ce que c'est?

– Mogwai, répondit le vieux Chinois.

– Mog – quoi?

– C'est comme cela qu'il s'appelle. Il m'a fallu du temps pour le découvrir. Je ne sais pas ce que cela signifie.

– Mogwai, répéta Rand. On dirait que ça vient d'une autre planète. Trop difficile à prononcer et impossible de s'en souvenir. Pour moi, tu es un truc, un Gizmo, quoi.

La créature regarda Rand d'un œil torve, émettant un bruit sourd de sa bouche close.

– Qu'est-ce qu'il fait? demanda Rand.

– Il chante, répondit le gosse, mais il ne chante que lorsque les gens lui plaisent.

– Qu'est-ce qu'il mange? demanda Rand en souriant.

– N'importe quoi, répondit le vieux, lui retournant son sourire. Tout ce qui se mâche. Hier, il a mangé une rondelle de caoutchouc. Il a aussi mangé du carton, des copeaux de polystyrène. Mais je crois qu'il aime surtout ce que nous mangeons.

– Des confiseries? demanda Rand en sortant de sa poche une barre de Milky Way qu'il retira de son emballage.

La créature renifla la barre de chocolat et de caramel et la dévora en trois ou quatre bouchées.

Ravi, Rand applaudit. Le Mogwai parut lui retourner un regard de remerciement.

– Combien en voulez-vous?

– Mogwai pas à vendre, répondit le vieil homme.

– Allons, insista Rand. Mon fils l'adorerait. Et nous lui offririons une bonne maison.

– Désolé.

– Ecoutez, il faut que je l'aie. C'est ça que votre petit-fils m'a amené voir, non?

– Non. Je l'envoie pour intéresser clients à autres objets de la boutique. Mais pas Mogwai.

– Mais c'est tout ce que vous avez d'original. Le reste n'est que souvenirs banals...

– Des bricoles, coupa le gamin.

– Pas exactement, ajouta Rand devant le regard peiné du vieux. Vous avez un beau magasin. Cet échiquier est magnifique. Mais mon fils ne joue pas aux échecs. Ce Gizmo, c'est parfait. Je vous en donne cent dollars.

– Non, merci.

Rand sortit son portefeuille, espérant que la vue des billets ferait changer d'avis le vieux Chinois ou lui prouverait au moins que l'offre était sérieuse. Tirant deux billets de cinquante dollars, Rand en ajouta un autre, puis un autre encore. Le vieux secouait toujours la tête.

– Deux cent cinquante, dit Rand, étalant les billets dans sa paume comme un joueur de poker abattant une quinte flush. Prenez-les, s'il vous plaît.

Le vieil homme détourna son regard de l'argent, un regard où se mêlaient répulsion et envie, le regard d'un homme au régime devant un appétissant repas qu'il désire et refuse.

– Deux cent soixante, insista Rand. C'est tout ce que j'ai.

– Prends-les, grand-père, fit le gamin. Nous en avons besoin. Le loyer...

– Non. Mogwai n'est pas animal ordinaire mais créature spéciale. Avec Mogwai, beaucoup responsabilités.

– Je suis un homme responsable, dit Rand. Je vais à l'église tous les dimanches. Enfin, presque tous les dimanches. Je paie mes impôts, je sors mes poubelles, qu'est-ce qui cloche?

– C'est pas vous. C'est l'humanité. Désolé mais je ne peux pas vendre Mogwai. N'importe quel prix.

Sur quoi, le vieil homme tourna les talons et sortit de la pièce.

Rand soupira et rangea lentement les billets, remarquant le coup d'œil de regret du gamin qui alla lentement rejoindre son grand-père assis près de la porte de la boutique. Puis il revint vers Rand et le regarda comme un patron regarde un candidat à un emploi.

– Ecoutez, monsieur, dit-il, mon grand-père a raison. C'est une créature tout à fait particulière. Son possesseur doit se montrer extraordinairement prudent... Faire des choses qui paraissent bizarres...

– C'est-à-dire?

– Eh bien, il y a des règles. Faut pas l'exposer à la lumière. Il déteste la lumière, surtout la lumière vive.

– D'accord, je crois pouvoir m'en accommoder. Nous avons un beau sous-sol et la chambre de Billy...

– Et faut pas le mouiller. Faut le tenir à l'abri de l'eau.

– Pas de lumière, pas d'eau. Donc, pas question de passer une journée à la plage.

– Je suis sérieux, monsieur, dit le gamin avec un regard de reproche.

– Oui, bien sûr. Mais les animaux ont besoin d'eau pour boire, non?

– Pas lui, répliqua sérieusement le gamin. La lumière peut le tuer, lui, et l'eau peut vous tuer, vous. C'est ce que dit mon grand-père. Ne me demandez pas comment il le sait. Mais ce sont deux règles très importantes. Si vous ne pouvez les respecter, dites-le. C'est parce qu'on a terriblement besoin d'argent que j'ose envisager de vendre Mogwai.

– Oui, je comprends, acquiesça Rand en sortant de nouveau son portefeuille.

– J'ai failli oublier le plus important, ajouta le gamin. Une chose à ne jamais oublier... même s'il pleure, même s'il supplie, ne jamais le nourrir après minuit, jamais, compris?

Rand refréna son envie de rire. Le vieux était peut-être sénile et le gosse complètement fou, mais Rand était décidé à ramener le petit animal à Billy. S'il fallait pour cela jouer le jeu avec le gamin, il le jouerait.

– Compris, dit-il sérieusement. Pas de lumière, pas d'eau, pas de nourriture passé minuit.

4

A huit heures cinquante-quatre, six minutes avant l'heure d'ouverture de la banque, Billy poussa la porte « Réservé au personnel » et tenta ridiculement de prendre un air détaché, alors qu'il arrivait un quart d'heure en retard avec un chien mouillé sur les talons.

La chance fut avec lui. Un instant, du moins. Tirant doucement Barney par le collier, il réussit à se glisser à son guichet, à trouver la laisse qu'il conservait dans son tiroir et à attacher Barney sans déclencher ses aboiements. Sortant précipitamment la plaque à son nom, il la posa – à l'envers – sur le comptoir, essuya une goutte de sueur au coin de son œil et poussa un soupir. Il vit alors celle que, d'ordinaire, il cherchait des yeux dès son arrivée.

Aujourd'hui, elle était de bleu vêtue. Une jolie robe mais classique qui mettait en valeur ses lumineux yeux verts et sa flamboyante chevelure rousse. Billy, comme tant d'autres jeunes – et moins jeunes aussi, d'ailleurs – était tombé totalement et follement amoureux de Kate Beringer dès le premier regard. Vingt ans, intensément féminine et un peu paumée, Kate convenait parfaitement à Billy – paumé lui aussi – mais elle semblait inaccessible. Peut-être sa vivacité, sa réplique facile lui faisaient-elles un peu peur. Analysant ses sentiments à son égard, il s'était dit qu'un jour sans doute, avant la fin du siècle, il lui demanderait de sortir avec lui.

Tandis qu'il rangeait son tiroir, il la vit s'avancer vers lui et, avec un petit sourire, remettre à l'endroit la plaque portant son nom.

– B'jour Kate, dit Billy, respirant sa fraîcheur et admirant son poignet délicat.

– Billy, lui demanda-t-elle d'une voix chaude, tu veux signer une pétition?

– Bien sûr, dit-il en prenant son stylo.

– Tu ne veux pas savoir de quoi il s'agit? s'enquit-elle avec une pointe d'irritation.

– Pas vraiment. Si tu penses que c'est une bonne idée, je suis d'accord.

Ce qu'il ne fallait pas dire.

– J'aimerais que tu conviennes avec moi que c'est une bonne idée, dit-elle malicieusement. Et tu ne peux pas le savoir sans avoir lu la pétition.

– Et alors, c'est pour quoi?

– Nous essayons d'obtenir qu'on déclare le bar de Dorry site protégé.

– Pourquoi?

– Mme Deagle menace de le faire fermer à l'expiration du bail, ce mois-ci.

– Elle menace de tout faire fermer à l'expiration du bail, commenta Billy. Elle a dit la même chose à mon père. Bien sûr, il oublie parfois de payer le loyer. Quel est le problème de Dorry?

– Encore une vendetta personnelle de Mme Deagle. Elle prétend que c'est un lieu de perdition, une horreur. Et qu'il a mauvaise influence sur le quartier.

– Mais c'est là que p'pa a demandé à m'man de l'épouser, déclara ingénument Billy.

– C'est là que tous les p'pas ont demandé à toutes les m'mans de les épouser. Ou le contraire, dit Kate.

Billy sourit, s'imaginant en train de poser à Kate

la même question au même endroit. Son courage quelque peu revigoré par cette idée, il ajouta :

– Tu... tu as une jolie robe. Tu es très en beauté aujourd'hui... Les autres jours aussi, d'ailleurs...

Kate sourit, flattée, mais surtout désireuse d'obtenir la signature de Billy avant que Gerald Hopkins arrive au guichet et se mette à poser des questions. Elle glissa la pétition sous la plume de Billy et le regarda y apposer son nom. Un instant plus tard apparaissait Gerald Hopkins.

– Qu'est-ce qui se passe? demanda-t-il.

A vingt-trois ans, Hopkins avançait à grands pas vers l'âge mûr. En fait, son esprit semblait y être parvenu, attendant que son corps suive. Sous-directeur adjoint de la banque, il était grand, mince et plutôt beau garçon dans le genre sournois. Peut-être souriait-il trop facilement et ses yeux se promenaient-ils un peu trop nerveusement de droite et de gauche; ce qui le trahissait, laissant éclater son ambition de devenir quelqu'un d'important dans un minimum de temps. Les jeunes – la plupart, tout au moins – se méfiaient de Gerald mais cela ne le gênait pas, du moment que M. Corben et les autres personnes d'âge mûr ne cessaient de le complimenter pour son efficacité, son dynamisme et son esprit d'initiative. Après tout, c'était à eux qu'appartenaient les décisions.

Kate, sans répondre à la question de Gerald, regagna son guichet. Un instant, il sembla que Gerald allait la suivre mais il se tourna soudain vers Billy.

– M. Corben et moi désirons vous voir, dit-il.

Billy haussa les épaules et suivit Gerald dans le somptueux mais austère bureau de Roland Corben. Sur les murs lambrissés se trouvaient les portraits de tous les présidents des Etats-Unis, des généraux George Patton, Omar Bradley, Tecumseh Sherman et John Pershing – et, semblant manquer de l'élégance de rigueur avec sa simple toge, l'air quelque peu gêné, Jules César. Au-dessous de cet étalage de la grandeur humaine, des rayonnages de livres, chacun dans la même reliure monotone, réglementaire, soporifique. Chaque fois qu'on le convoquait dans la « chambre forte » de M. Corben (comme l'appelait Kate), les yeux de Billy se posaient sur ces livres ennuyeux, et il se demandait si M. Corben les avait lus. Gerald Hopkins venait sans doute d'en terminer la lecture.

Derrière son bureau géant, tel un juge sur son estrade, une plaque en or posée devant lui, annonçant son identité, se tenait Roland Corben, vêtu d'un trois-pièces gris d'une coupe parfaite. La soixantaine, des cheveux blancs impeccablement coiffés, le visage légèrement hâlé et à peine ridé, il représentait la quintessence de la distinction. S'il avait souri, il aurait pu paraître presque séduisant. Mais, d'ordinaire, il fronçait les sourcils, ce qui durcissait ses traits. Quant à son habitude de former une sorte de clocher de ses pouces et index joints, elle constituait son label comme celui de son protégé, Gerald.

– Dix-sept minutes et trente-trois secondes, annonça M. Corben.

– Je suis désolé, bégaya Billy.

– L'exactitude est la politesse des rois, fit sottement observer Corben. Savez-vous qui a dit cela?

Billy hésita, tenté un instant d'attribuer ce sinistre aphorisme à Gerald Hopkins, mais il s'en garda. Inutile d'aggraver une situation déjà mauvaise. Il secoua la tête.

– Benjamin Franklin, lança Gerald.

– Louis XVIII, rectifia Corben. Et si Louis XVIII réussissait à être à l'heure, vous le pouvez aussi.

– Oui, m'sieur. Sauf que Louis XVIII ne possédait pas une Volkswagen capricieuse.

– Nous ne vous avons pas convoqué pour entendre vos excuses, Peltzer, dit Gerald. Votre travail implique un certain nombre de responsabilités dont la première est d'être ponctuel.

– Bien dit, Gerald, approuva Corben, manifestement impressionné par le ton didactique du jeune Hopkins.

– Je vous remercie, monsieur Corben, dit Gerald avec un sourire.

– Et resserrez votre nœud de cravate.

– Oui, monsieur le Directeur.

– Veillez à ce que cela ne se renouvelle pas, dit Corben s'adressant à Billy. Changez de voiture si la vôtre est capricieuse. Ou partez plus tôt.

Billy approuva d'un hochement de tête enthousiaste, comme si M. Corben venait de découvrir la solution miracle à son dilemme.

– Vos chaussures, William, grogna M. Corben au moment où Billy se retirait. Elles sont marron.

Billy, baissant les yeux, constata qu'indubitablement il portait des chaussures marron.

– On ne porte pas des chaussures marron avec un pantalon bleu, psalmodia Corben.

– Oh! merci, je m'en souviendrai, répondit Billy aussi respectueusement que possible.

Les ennuis de Billy ne faisaient que commencer. Pendant qu'on le jugeait et qu'on le condamnait, la banque avait ouvert ses portes au public et une douzaine de clients attendaient pour effectuer des retraits en vue de leurs achats de Noël. Parmi ceux-ci, Mme Deagle qui se trouva soudain à côté de Mme Harris, une dame d'un certain âge, à l'air affable, dont on savait qu'elle avait connu une mauvaise année. Outre des ennuis de santé, son mari et elle avaient perdu leur emploi. Aujourd'hui, cependant, elle paraissait presque gaie en tirant la manche de Mme Deagle.

– Madame Deagle, entendit Billy, mon mari a trouvé un autre emploi.

– Et alors? Que voulez-vous que cela me fasse? répondit Mme Deagle d'un ton aigre.

– Cela signifie que je pourrai régler quelques mensualités en retard, dès que Noël sera passé.

– Qu'est-ce que Noël a à voir là-dedans?

– Eh bien, il y a les cadeaux à acheter et...

– Et moi, j'attendrai, c'est bien cela?

– Non, pas exactement. Je pensais que puisque les choses semblent s'arranger pour nous, vous accepteriez d'attendre encore un peu.

– Madame Harris, le but de cette banque, comme le mien, est de gagner de l'argent. Pourquoi devrions-nous attendre?

– Mais nous ne disposons pas, en ce moment, de la somme nécessaire. C'est Noël.

– Eh bien, vous saurez quoi demander au Père Noël, répliqua Mme Deagle avec un geste de congédiement.

Elle se dirigea vers le guichet de Billy, les clients s'écartant devant elle comme la mer Rouge devant Moïse. Elle portait sous le bras la tête brisée du bonhomme de neige en céramique.

– Que puis-je faire pour vous, madame Deagle? bégaya Billy.

– Tu crois que tu n'en as pas déjà fait assez?

– Excusez-moi, je ne comprends pas.

– Voici ce qui reste de mon bonhomme de céramique, dit-elle, criant presque. Ton chien l'a cassé ce matin.

– Je suis vraiment désolé, dit Billy qui avait oublié l'incident mais ne se sentait pas en position de protester. Dites-moi ce que je vous dois et...

– Je ne veux pas d'argent, rétorqua-t-elle à la surprise de Billy.

– Ça, c'est nouveau, souffla Kate à Billy à voix basse.

– Je vous ai entendue, jeune fille, s'exclama Mme Deagle d'une voix grinçante. Mais méfiez-vous, je vous vois comploter derrière mon dos. (Son accusation semblait maintenant viser tout le monde.) Je sais ce qui se passe et ce que vous souhaiteriez. Mais ça ne marchera pas.

Kate, fixant Mme Deagle, attendit patiemment qu'elle s'en reprenne à Billy.

– Et maintenant que tu as reconnu ta faute devant témoins, que proposes-tu?

– Je ne vois pas, madame Deagle. Si vous ne voulez pas d'argent... voulez-vous que je nettoie votre cour ou...

– Je veux ton chien, dit-elle en l'interrompant avec un geste d'irritation.

– Barney?

– Quel nom stupide! Oui. Le vilain corniaud qui te suit partout. C'est une menace pour cette ville et je veillerai à ce qu'il soit puni, expliqua Mme Deagle avec un sourire mauvais qui révéla des dents singulièrement laides. Sais-tu que dans le temps on faisait un procès aux animaux méchants et qu'on les condamnait? Un jour, on a pendu un éléphant par le cou jusqu'à ce que mort s'ensuive.

– Tu devines qui était le témoin à charge, souffla Kate, à voix assez basse cette fois pour n'être entendue que de Billy.

– Je suis désolé que vous le considériez comme une menace, dit Billy, réprimant une envie de rire. Comment pouvez-vous dire cela?

– Il a tenté de mordre le fils Hagen. Et mon neveu Douglas.

– Ils essayaient de lui brûler la queue avec une lampe à souder, expliqua Billy, provoquant un déchaînement d'hilarité parmi les clients.

– Il aboie toujours après mes chats et il les terrorise, le contra Mme Deagle en balayant d'un geste l'argument défensif de Billy.

– Ma foi, vous savez... les chats et les chiens ne font pas bon ménage... voyez les dessins animés...

– Je déteste les dessins animés, affirma Mme Deagle d'une voix grinçante.

Billy se rendit soudain compte qu'il devait faire face à deux périls. Barney, qui avait entendu son nom, s'était levé et tentait de sauter sur les genoux de Billy, la laisse dangereusement près de libérer son cou. Le bruit de ses griffes sur le sol glissant de la banque provoqua chez Billy une sueur froide. Le fait de repousser doucement Barney n'arrangea rien mais attisa la colère de Mme Deagle qui crut qu'il s'amusait avec quelque chose sur ses genoux.

– Je veux ce chien, je te dis. Je le ferai disparaître. Ce sera rapide et indolore... en comparaison de ce que je souhaiterais lui faire.

Billy demanda, davantage pour la distraire des manœuvres de Barney sous sa chaise que pour savoir vraiment :

– Que... que souhaiteriez-vous lui faire, madame Deagle ?

– « Ici, Barney, j'aimerais lui dire... Viens mon petit Barney que je t'étrangle de mes propres mains... »

En une fraction de seconde, Barney, entendant son nom, se libéra et sauta sur le comptoir puis sur les épaules de Mme Deagle contre lesquelles il appuya deux pattes encore humides. Face à son ennemi, Mme Deagle poussa un cri aigu et laissa tomber la tête de céramique qui se brisa en mille morceaux. Barney en profita pour lui lécher le visage, partant du menton et remontant jusqu'à la perruque. Puis, à la suite d'une violente poussée, il culbuta sur le sol avec Mme Deagle dans un enchevêtrement de bras, de jambes et de pattes.

– Au secours ! Au secours ! hurla-t-elle.

Instantanément apparurent les silhouettes jumelles de Gerald Hopkins et de M. Corben qui se heurtèrent dans leur hâte d'aider la plus grande bienfaitrice de la banque à se remettre debout.

– William! dit M. Corben d'une voix accusatrice. Que fait ce chien ici?

– Il m'a suivi, monsieur Corben. Je n'ai rien pu faire et je n'ai pas voulu le ramener à la maison parce que j'étais déjà en retard...

– Peltzer, c'est une banque, ici, pas un chenil, fit observer Gerald.

Après avoir approuvé du chef, M. Corben reporta son attention sur une Mme Deagle qui tentait de rajuster sa perruque.

– Chère madame, murmura Corben plein de sollicitude. Est-ce que ça va?

Saisissant la perche tendue, Mme Deagle porta à sa poitrine une main agitée.

– Mon cœur, gémit-elle. Je ne peux supporter ce genre de choc. Il ne me faut pas d'émotions...

Billy regarda Kate dont l'expression, qu'il déchiffra parfaitement, semblait dire : « Dans ce cas, pourquoi chercher des ennuis à tout le monde? »

– Barney ne vous aurait pas fait de mal, madame Deagle...

– Mensonges et prétextes, rétorqua-t-elle. Tu es bien comme ton père. Voilà des mois que j'entends ses prétextes. Il « oublie » de payer le loyer. C'est un minus. Un cinglé et un minus... Tu entends?

Billy allait se mettre à protester mais M. Corben intervint :

– Je vous en prie, madame Deagle, vous venez de dire qu'il ne vous faut pas d'émotions.

– Je peux lui dire ce que je pense de son bon à rien de père et de son bon à rien de chien, jappa Mme Deagle. Il ne s'agit pas d'émotions mais de salubrité publique. Et j'aurai ce chien galeux, ajouta-t-elle, les veines bleues de son cou saillant sous la poudre. Un jour, quand tu t'y attendras le moins, je réglerai cela.

Barney, qui ne comprit pas la menace voilée, remua la queue.

Et, avec un dernier regard de haine, Mme Deagle sortit de la banque.

– Si jamais je revois ce chien ici, vous êtes viré, dit M. Corben en regagnant son bureau.

5

Le Mogwai, presque endormi quelques instants après avoir avalé la délicieuse confiserie au chocolat du mystérieux étranger, pensa d'abord rêver. Sa caisse se balançait si mollement, si légèrement, qu'il le remarqua à peine. Puis, des voix, un bruit de fond et un brusque changement de température. On le déménageait! Il poussa un cri de terreur.

Les voix, à l'extérieur, se firent plus fiévreuses, comme affolées. Et il sentit sa petite maison secouée, agitée de mouvements brusques. On renonçait à toute dissimulation de ce qu'on faisait. Il tenta d'appeler le Chinois, essayant de former et d'articuler les mots de cet étrange langage si souvent entendu mais, à cause d'une imperfection de son espèce, il ne parvint qu'à émettre un cri aigu :

– Woggluhgurklll!... cria-t-il. Mevvaffrummlldrd...

Et au moment même où il pensait que son corps allait céder sous le vertige et l'agitation, la caisse s'immobilisa. Le sol semblait pencher un peu, mais au moins le tremblement de terre avait-il pris fin. Suivirent deux chocs métalliques, un bruit de moulin à café et le rugissement d'un moteur, puis un doux bercement continu. Quelques minutes plus tard, il se mit à pleurer à l'idée qu'il pourrait ne jamais revoir son Chinois.

– Ne t'inquiète pas, Gizmo, lui susurra une voix douce. Tout se passera bien.

On souleva la toile et l'éclair d'une enseigne au néon pénétra dans la caisse. Le Mogwai poussa un cri et porta les mains à ses yeux.

– Désolé, mon vieux, dit la voix après que la toile fut retombée. Je ne m'étais pas rendu compte... je crois qu'il avait raison... mais ne t'inquiète pas, je ferai attention. Nous ferons tous attention.

Et voilà que ça recommençait. Il savait que cela se reproduirait, bien sûr, du fait que selon les normes terrestres il était virtuellement immortel. Les êtres de cette planète vivaient des vies si courtes! Pourquoi ne tenaient-ils pas le coup plus longtemps, de sorte que son existence en soit moins bouleversée? Voilà près de quarante ans qu'il vivait avec le Chinois. Il l'avait vu passer du vigoureux jeune homme au frêle fantôme qu'il était devenu. Heureusement, il avait conservé l'esprit vif; ils se comprenaient. Le Chinois connaissait les règles et même quelques mots du langage mogwai qu'il paraissait comprendre.

Ces bouleversements plongeaient toujours le Mogwai dans un état de dépression caractérisée. Il tenta de ne pas penser aux innombrables fois où il avait frôlé la mort parce que ses « propriétaires » ignoraient tout de ses besoins – ou, les connaissant, s'en souciaient peu. Bien pires encore étaient ceux qui découvraient ses pouvoirs et s'en amusaient. Que cet amusement fût éphémère et se changeât vite en terreur ne le consolait guère. Il souhaitait quelqu'un qui comprenne, qui se sente responsable, comme le vieux monsieur chinois.

Pour le Mogwai, ce gros homme qui le transportait maintenant ne paraissait pas pleinement conscient de ses responsabilités. D'abord, il l'appelait sans cesse « Gizmo », comme pour lui faire accepter ce nom. Cependant, l'homme savait qu'il s'appelait Mogwai puisque le Chinois le lui avait dit.

Il avait connu pire, bien sûr. La traversée de la mer de Chine, juste avant de rencontrer son ami de près de quarante ans. *Ils* s'étaient déchaînés, alors. Impossible de les en empêcher. Il frissonna. Que se serait-il passé si le Chinois ne l'avait pas secouru quelques minutes avant que le bateau soit torpillé? Avant cela, il y avait eu l'incident à la base de la Royal Air Force. Un incident? Une tragédie aux dimensions épiques, oui! Que faire si cela se reproduisait? Probablement pas grand-chose, comme les fois précédentes, car dès que le processus était en route, il devenait quasiment impuissant. C'est pour cela que le vieux Chinois s'était révélé un gardien si exemplaire; sans qu'on le lui dise, il semblait savoir prendre toutes les précautions. Mieux, il savait que Mogwai ne souffrait pas des entraves mises à sa liberté. Ainsi, depuis quelques décennies, avait-il échappé aux mésaventures.

– Gizmo, Gizmo, Gizmo mon ami, chantonnait le gros homme. Billy, toi et moi on va se payer du bon temps et être heureux.

Gizmo (oui, ses facultés d'adaptation lui avaient déjà fait accepter ce nom) soupira, rabattit sur son museau ses grandes oreilles et tenta de dormir. Une nouvelle vie commençait pour lui et il ne voulait pas y penser.

6

La journée de travail se termina enfin pour Billy, une journée dont les pires instants furent les coups d'œil mauvais et triomphants de Gerald Hopkins chaque fois que leurs chemins se croisaient. Barney, endormi sous le comptoir, se montra sage comme une image jusqu'à midi, heure à laquelle Billy le ramena à la maison. M. Corben, parti à un déjeuner d'affaires, ne rentra qu'à quatre heures, paraissant avoir oublié l'incident avec Barney et Mme Deagle.

Lorsqu'arriva l'heure de la fermeture, Billy se sentait mieux, encore qu'il ne fût pas emballé à l'idée de faire de la marche jusqu'à ce que sa voiture lui permette de rejoindre le commun des mortels. D'un autre côté, il n'était pas désagréable de marcher à l'époque de Noël car la ville était plaisamment décorée et les gens semblaient de bonne humeur. La place principale de Kingston Falls était tout éclairée de lumières multicolores lorsque Billy ferma derrière lui la porte de la banque pour rentrer chez lui, sans se presser, avec l'intention de lécher les vitrines dans l'espoir de trouver un cadeau original pour son père et sa mère. Tâche ardue : sa mère proclamait qu'elle « n'avait besoin de rien » mais se montrait ravie de trouver un paquet à ouvrir. Papa, bien sûr, avait tout ou se trouvait sur le point de l'inventer. Mais il appréciait l'attention que représentait un cadeau.

Traversant la place, Billy se promena parmi les rangées d'arbres de Noël, goûtant leur fraîche odeur de sapin. Perdu dans ses pensées, il constituait la cible parfaite pour une blague de la part de Pete Fountaine. Déguisé en sapin de Noël, avec ampoules clignotantes, objets divers de décoration et guirlandes argentées, Pete, treize ans, se tint parfaitement immobile parmi les autres arbres jusqu'à ce que Billy soit tout proche. Puis il bondit sur lui et lui saisit le bras. Billy sursauta.

– Hé! Billy, dit Pete en riant, je t'ai eu, hein?

– Ouais, dit Billy, riant aussi. Je crois que je pensais à autre chose. Comment marchent les affaires?

– M'en parle pas, répondit Pete en haussant les épaules. Papa vend des sapins de Noël et moi je joue le rôle d'un arbre.

Tandis qu'ils longeaient ensemble la place, Pete récitait consciencieusement son offre en passant devant chaque client potentiel :

– Arbres de Noël! Toutes tailles, toutes formes! Demandez un arbre de Noël comme moi!

Le père de Pete, l'exacte réplique de celui-ci avec trente ans de plus, fit signe à son fils et lui dit :

– Aide M. Anderson à charger cet arbre dans son break.

Billy saisit l'arbre et, aidé de Pete, alla le porter à la voiture. M. Anderson, un vieux monsieur, ouvrit le hayon et ils y glissèrent le sapin.

– Merci, Billy, dit Pete.

Un psychologue aurait instantanément décelé dans l'œil et la voix de Pete une gratitude qui allait bien au delà du simple remerciement pour un coup de main. Arrivé au stade de l'adolescent boutonneux, gauche et inquiet, et convaincu que personne ne l'aimait vraiment – ses aînés de quelques années encore moins que les autres –, Pete admirait Billy à un point qui frisait l'adoration. Seul parmi ses jeunes aînés, Billy traitait Pete en être humain. Non que son père ne fût pas gentil avec lui ni qu'il fût harcelé par les gens de sa génération. Mais on le traitait simplement comme quelqu'un qui se trouvait là, un point c'est tout. Billy, au contraire, paraissait lui manifester de l'intérêt. Pete sentait qu'avec lui il pourrait aborder un problème personnel, lui demander un conseil sans être considéré comme un pauvre môme ou un délinquant en puissance.

Le moment semblait bien choisi maintenant : les affaires étaient plus calmes et Billy paraissait disponible.

– Hé! Billy! dit-il, tu es vachement vieux...

– Exact, répondit Billy avec un sourire. Je dois toucher le premier trimestre de ma pension la semaine prochaine.

– Je veux dire que tu as pas mal d'expérience, non?

– Quel genre d'expérience?

– Ben, avec les filles.

– Bien sûr.

– Tu as déjà demandé à une fille de sortir avec toi?

– Bien sûr. En général, c'est le meilleur moyen pour sortir avec elles... leur demander.

– Ouais, murmura Pete. Et qu'est-ce que tu leur dis?

– Ça dépend de la fille et des circonstances, répondit Billy en haussant les épaules, essayant de prendre un air plein de sagesse mais non blasé. Faut être ferme. Plein d'assurance. Comme si tu lui accordais une grande faveur en lui demandant de sortir avec toi.

– Vrai? demanda Pete, les yeux agrandis et brillants de ce nouvel enrichissement de ses connaissances.

– Sûr. Faut pas avoir l'air tout excité et nerveux. Et jamais laisser voir que tu l'aimes bien.

– Compris, acquiesça Pete. Peut-être lui dire quelques mots offensants, d'abord?

– Là, c'est peut-être un peu trop, dit Billy en riant. Tu penses à quelqu'un de précis?

– Non, pas vraiment, répondit Pete, ne voulant pas avouer la vérité. (Puis, se reprenant :) Ben, y aurait peut-être quelqu'un.

Billy rit de nouveau, cherchant un coin de l'épaule de Pete où lui donner une tape sans se piquer aux aiguilles du sapin.

– Tu me diras comment ça s'est passé.

– Ouais, répondit Pete en saluant Billy de la main.

Billy sourit en songeant à cette conversation. Pourquoi la vie n'était-elle pas plus simple? Pour Pete, il apparaissait comme un jeune homme plein de sagesse et décontracté, capable d'affronter la vie en général et les femmes en particulier. Pour lui-même, il n'était guère plus compétent qu'à treize ans; les mots se bousculaient toujours dans sa bouche et les pensées s'embrouillaient dans son cerveau avant qu'il puisse les exprimer. Mais à la seule idée que Pete le considérait comme un sage, il décida de s'arrêter chez Dorry.

Kate n'y serait vraisemblablement pas encore; d'ordinaire, elle rentrait chez elle se changer avant de venir travailler. Mais, même si elle n'arrivait pas avant que Billy ait avalé son verre de bière, il était essentiel qu'il se lance, qu'il entre. Une ou deux fois déjà, il avait tenté l'aventure mais en était ressorti tout démoralisé par l'attention débordante que portaient à Kate des hommes plus âgés. Non pas qu'elle accueillît leurs avances. Elle se montrait amicale, plaisantait même avec eux, mais cela n'allait pas plus loin, ce qui aurait dû ravir Billy. Mais, au contraire, il en déduisait que si elle refusait les avances de tous ces hommes à la langue bien pendue, élégants et ayant du succès, il n'avait guère de chances, lui...

Ce soir, il était bien décidé à braver ses doutes. Il entra, demeura un instant là, à attendre que ses yeux s'accoutument à la pénombre. Conçu comme un vieux pub irlandais, « Chez Dorry », avec ses quelques tables de bois et sa sciure sur le sol, n'était que faiblement éclairé. Déjà, tout un tas de jeunes et de moins jeunes se pressaient au bar, ainsi que quelques femmes. Dans un coin, des jeux vidéo découpaient des envahisseurs de leurs rayons colorés et bruyants ou menaçaient le héros du joueur de désintégration instantanée.

Repérant une table libre, Billy s'assit et commanda une bière à Dorry Dougal lui-même, l'authentique Irlandais aux cheveux blond-roux qui faisait marcher le bar. Dix minutes plus tard, se sentant un peu plus détendu, il tira de sa poche le carnet de croquis qui ne le quittait pas et se mit à dessiner. Bientôt, on put reconnaître dans ses esquisses un guerrier musclé affrontant un horrible dragon géant qui ressemblait trop à Mme Deagle pour qu'on n'y voie que pure coïncidence. En outre, le guerrier défendait une jeune princesse ressemblant étrangement à Kate Beringer. Malgré la pauvreté de l'éclairage, Billy fut satisfait du résultat obtenu et en admirait l'effet quand il fut rappelé à la réalité par une ombre tombant sur le dessin.

– Fantastique! dit la voix moqueuse de Gerald Hopkins. Le monde a besoin de davantage de talents d'artistes au chômage.

N'étant plus en service, il s'était permis de déboutonner deux boutons de son gilet et de desserrer légèrement son nœud de cravate. Sans y être invité, il s'installa en face de Billy et lui adressa un sourire dédaigneux.

– A propos de chômage, dit-il, devinez qui a failli y aller pointer?

– Ma langue au chat, répondit fraîchement Billy.

– Vous. (Il marqua une longue pause pour que Billy assimile bien ses paroles et poursuivit :) Mais M. Corben a réfléchi. Il devient tout sentimental à l'approche des fêtes.

– Voyez-vous cela!

– Ouais, ricana Gerald. Moi, je vous aurais viré sur-le-champ.

– Eh bien, joyeux Noël à vous aussi, dit Billy, très pince-sans-rire.

– Vous pensez que ce n'est pas gentil de ma part d'envisager seulement de virer quelqu'un, hein? Mais, je vais vous dire, on vit dans un monde très dur. Il faut se montrer encore plus dur pour faire son chemin. C'est pour cela que je suis sous-directeur adjoint à vingt-trois ans. D'ici deux ou trois ans, j'aurai le poste de M. Corben. Je serai millionnaire à trente ans. Vous, à trente ans, vous n'en aurez probablement que vingt-huit.

– Tous mes vœux vous accompagnent, Ger, dit Billy en haussant les épaules.

– Ne m'appelez pas ainsi. Mon nom est Gerald.

– D'accord, Ger.

A cet instant passa Kate avec un plateau et des verres, portant un tablier qui annonçait, en grandes lettres vertes : CHEZ DORRY. Gerald tourna la tête et claqua des doigts à son intention. Elle arriva en souriant.

– Un café irlandais, commanda Gerald. Mais ne mettez pas le whisky irlandais dans le café. Apportez-le-moi dans un verre à part. Je m'en chargerai moi-même.

– Ça va? demanda Kate à Billy après avoir acquiescé de la tête.

– Très bien, répondit-il.

Jetant un coup d'œil sur le dessin posé sur les genoux de Billy, elle pencha la tête et sourit.

– Est-ce qu'on ne décèlerait pas une certaine hostilité là-dedans? demanda-t-elle, espiègle.

– De l'hostilité mais pas de talent, rétorqua Gerald.

– Moi, je crois que c'est bon, affirma Kate.

– Alors, vous en êtes encore aux bandes dessinées, ricana Gerald.

Billy, à la fois gêné par les louanges de Kate et intimidé par l'arrogance de Hopkins, tenta de changer de sujet. Il ne réussit qu'à énoncer une banalité manifeste sur laquelle sauta allégrement Gerald.

– Je crois que tu travailles, ce soir.

– Mais non, coupa Gerald, elle présente des tabliers.

– Tous les soirs, en semaine, dit Kate qui ne lui prêta guère attention. Comme cela, Dorry n'a pas à payer d'extra.

– Pas de salaire? dit Gerald. Vous travaillez pour rien? Et si tout le monde en faisait autant? C'est ridicule. Peut-être une jeune mère aurait-elle besoin de cet argent.

– Il faut que Dorry fasse toutes les économies possibles sans quoi Mme Deagle va bientôt fermer le pub. Alors, tout le monde s'y met pour donner un coup de main. Il ne s'agit pas de prendre un emploi à quelqu'un d'autre. Si le pub ferme, des tas d'emplois disparaîtront.

– Je pense que c'est formidable, dit Billy.

– C'est une hérésie économique, grommela Gerald. Si un commerce ne peut tourner sans charité, il mérite de faire le plongeon.

– Je vous apporte votre café irlandais, dit Kate.

– Une minute, fit Gerald d'une voix plus aimable. Inutile de vous mettre dans cet état parce que je fais montre de bon sens. En fait, c'est très gentil ce que vous faites.

– Merci.

– Kate, dit Gerald en tendant la main vers son bras, vous n'avez pas vu mon nouvel appartement.

– L'ancien non plus, répliqua-t-elle.

– Exact. Il faisait noir. (Devant son regard, Gerald eut un rire forcé et se hâta d'ajouter :) Je plaisantais, bien sûr. Mais pourquoi ne viendriez-vous pas dîner avec moi demain soir? Rien que nous deux.

– J'en serais ravie, mais j'ai du travail.

– Dites à Dorry que vous êtes malade. Il ne pourra rien retenir sur votre salaire.

Kate eut un sourire triste, fit non de la tête et partit sous le regard intéressé de Gerald. Puis celui-ci se tourna vers Billy et lui demanda, avec un air de conspirateur :

– Vous croyez qu'il y a quelque chose entre elle et Dorry?

– Dorry? Il a la quarantaine bien sonnée, il pourrait être son grand-père.

– Sans cela, pourquoi travaillerait-elle pour rien?

– L'esprit de Noël, vous ne savez pas ce que c'est? Je vous plains.

– Il n'y a pas de quoi.

Billy termina sa bière, jeta un dollar sur la table et se leva.

– Ça, c'est pour Kate. Et merci pour le verre, Ger.

– Je vous ai déjà dit...

Mais Billy n'en entendit pas plus. Il était déjà à mi-chemin de la porte. Il aperçut Kate qui revenait dans le bar. Elle lui adressa un chaud sourire et un clin d'œil.

Il faisait frisquet dehors, mais Billy ne s'en rendit guère compte.

7

Lynn Peltzer se sentait à présent toujours un peu nerveuse à l'époque de Noël. Tel n'avait pas toujours été le cas. Elevée dans un faubourg de Pittsburgh, elle avait vécu une enfance tout à fait normale dans une famille de la petite bourgeoisie. Noël était alors excitant car, d'ordinaire, elle recevait quelque vêtement utile et d'autres petits cadeaux en plus. En outre, elle adorait faire les paquets pour le reste de la famille, anticipant leur joie lorsqu'ils les ouvriraient. Encore que peu pratiquante, elle aimait bien cette fête parce qu'elle symbolisait aussi l'espoir, la gentillesse, la générosité.

Elle n'associa Noël à une idée de danger qu'après qu'elle eut rencontré Rand Peltzer.

Ni l'un ni l'autre n'avaient souhaité qu'il en fût ainsi. Près d'un quart de siècle plus tôt, lorsqu'ils s'étaient mariés, l'un et l'autre espéraient ardemment voir le portrait de Rand faire la une du *Time*. Il n'avait pas fréquenté l'université mais après avoir fait breveter un système tout simple qui permettait aux blanchisseries de mieux étiqueter le linge de leurs clients, il parut sur la bonne voie. Sur le conseil d'un ami, il quitta son emploi de vendeur au rayon d'articles de sport d'un grand magasin et il s'« investit », ainsi qu'il le dit. Le rêve de toute sa vie était de devenir un second Thomas Edison et il s'y ppliqua aussitôt. Les économies fondirent, la plupart des inventions ne rapportèrent rien et, en fin de compte, il dut trouver un autre emploi, où il vendit les inventions des autres. Mais Rand ne renonça jamais, continuant pendant ses loisirs à concevoir et à réaliser appareils et ustensiles pour le bien de la société.

Le hic était que les essais de prototypes se faisaient sur Lynn, et presque toujours comme cadeaux de Noël.

Le premier cadeau offert à Lynn – un perce-oreilles automatique et indolore – la conduisit en salle des urgences à l'hôpital le soir de Noël et elle ne put retirer les pansements de ses lobes blessés que bien après le Premier de l'an. Le suivant, un dissolvant amélioré de vernis à ongles, provoqua des allergies bizarres qui persistèrent plusieurs semaines. A l'occasion d'autres Noëls arrivèrent, dans de jolis paquets cadeaux, un éplucheur d'ananas, un cire-chaussures automatique, un appareil de nettoyage qui, au bout d'une perche, ne devait laisser nul endroit inaccessible et un écailleur pour le poisson. Le tout, dûment essayé, se traduisit par des échecs. Il fallait « améliorer » ces objets. La plupart, fort heureusement, ne revirent jamais le jour. Beau joueur, Rand hochait la tête et subissait les plaisanteries que provoquaient ses échecs, sans que se tarisse son imagination.

Lynn se demandait ce que ce serait cette année, moins par crainte que par incertitude. Si seulement elle pouvait s'y préparer!

Le vrai problème, c'est qu'elle ne pouvait pas tout simplement demander à Rand de renoncer à ses inventions et de cesser de les essayer sur elle. Elle l'aimait, ce gros lourdaud, et s'il abandonnait, il en mourrait.

– Tout se passera bien, se dit-elle à haute voix, ajoutant, pleine d'optimisme : L'an dernier, ça n'a pas été trop éprouvant avec le coupe-tomates. En quelques minutes, le plafond était nettoyé, nous étions débarbouillés et tout était fini.

En sortant le pain du four, elle se regarda dans la vitre. Avec ses cheveux gris coupés court et son visage marqué par quelques « traits d'expression » (pourquoi les appeler déjà des rides?), elle apparaissait remarquablement bien conservée pour ses quarante-sept ans. Et assez satisfaite de la vie.

Billy était en retard pour dîner, même compte tenu du fait qu'il rentrait à pied. Quant à Rand, on ne savait pas à quelle heure il arriverait.

Un instant plus tard, elle entendit la porte d'entrée et – une fraction de seconde plus tard – le bruit d'un objet lourd tombant sur le sol. Encore les épées, se dit Lynn avec un soupir, en se dirigeant vers le hall.

Billy ramassait les épées et les replaçait sur leur support mural branlant, conçu par Rand un jour d'inspiration. (« Le premier venu peut enfoncer un clou dans le mur pour fixer des épées, avait-il déclaré. Mais il faut un génie pour fabriquer un présentoir décoratif qui n'abîme pas le plâtre. ») Aucun doute, songea Lynn en regardant Billy rétablir délicatement les équilibres sur le mur, ce présentoir est magnifique et n'abîme pas la cloison. Mais quel raffut lorsque l'une de ces épées – ou les deux – dégringole, notamment au milieu de la nuit.

– Salut, m'man, dit Billy en souriant.

– Le dîner est prêt.

– D'ac, j'arrive dans une minute.

– Avant de...

Il attendit. A l'expression de sa mère, il devinait quelque chose – rien de tragique, mais sûrement de désagréable.

– J'ai eu un coup de fil de Mme Deagle cet après-midi, commença Lynn.

– Oh! dit Billy en se dirigeant vers la cuisine.

– Je sais qu'elle n'est pas drôle, Billy, mais on dirait que tu fais tout pour la faire enrager.

– Non, m'man. Elle est méchante, c'est tout. Avec tout le monde.

– Elle dit que tu lui as cassé son bonhomme de céramique.

– Il l'était déjà. Barney l'a heurté, sans plus. Elle t'a dit que je lui ai ramené un de ses chats?

– Non.

– Tu vois? Elle ne t'annonce que les nouvelles désagréables.

– Quoi qu'il en soit...

Elle fut interrompue par la porte qu'on ouvrait et par la voix tonitruante de Rand.

– O dou-ce nuit! O sain-te nuit! chantait-il un ton trop haut.

– N'en parlons plus, dit doucement Lynn. Pas devant ton père.

– Il nous reste quelques minutes. Le temps qu'il remette les épées en place.

A cet instant, on entendit le bruit de la porte d'entrée qui se refermait et, quelques secondes plus tard, un fracas de métal.

Souriant et plein d'exubérance, Rand entra dans la cuisine, les bras chargés de paquets qu'il déposa avec précaution sur la table avant d'embrasser Lynn, de serrer Billy contre lui et de caresser la tête de Barney.

– Bon voyage? demanda Lynn.

– Pas mauvais. *Miracle,* la firme qui fabrique le robot de cuisine, est peut-être intéressée par la Salle de Bains Portative. Mais il me reste un ou deux petits problèmes à résoudre.

Pas une seule vente, se dit Lynn. Ils s'en sortiraient quand même et, à Noël, le moment était mal choisi pour parler d'affaires. Inutile de se faire du souci. L'important était que Rand soit à la maison.

Il prit un paquet sur la table et le lui colla dans les mains. Automatiquement, Lynn tressaillit, puis le prit.

– C'est simplement un poinsettia, dit Rand, pas un vrai cadeau. Ce sera pour plus tard.

– Oh! merci, murmura-t-elle en mettant le pot de fleurs dans l'évier. Il est magnifique.

– Qu'est-ce qu'il y a dans les autres paquets? demanda Billy.

– Ça, ce sont des cadeaux pour ta mère et toi, à ne pas ouvrir avant Noël. Celui-ci, toutefois, ne peut attendre.

Il souleva doucement la caisse recouverte de sa toile.

– Qu'est-ce que c'est? demanda Billy. C'est vivant?

– Eteins les lumières. Non, allons plutôt dans la salle de séjour.

– Ça doit être une chauve-souris, dit Billy en riant.

Déposant la caisse sur la table basse, Rand regarda les lumières.

– Trop vif, dit-il. Où est ce tamiseur de lumière que j'ai fabriqué?

– Dans le tiroir, expliqua Lynn en déglutissant nerveusement. Ça faisait des drôles de bruits et, même lorsqu'il était débranché, les lumières clignotaient.

– Tu ne sais pas le faire marcher, dit Rand, farfouillant dans le tiroir.

– Laisse, je vais baisser les lumières, dit Billy.

– Ecoute, annonça Rand d'une voix douce mais ferme, je me donne la peine de fabriquer tous ces appareils pour nous éviter du travail. A quoi ça sert de les avoir si on continue à employer des méthodes surannées?

Sur quoi, il pointa l'appareil qu'il venait de trouver vers la lampe la plus proche qui éclata instantanément, comme brisée par la balle d'un tireur invisible, ses débris tombant sur la table, soudain plongée dans l'obscurité.

– Pas de problème, murmura Rand, l'ampoule était morte, de toute façon.

– C'est la première fois que j'aurai un cadeau qui luit dans l'obscurité, dit Billy.

S'agenouillant près de la table, il souleva doucement la toile.

La créature, à fourrure marron et blanc, haute d'une vingtaine de centimètres, avait de longues oreilles pointues et de grands yeux expressifs. Se tenant debout, comme un être humain, l'animal avait le corps recouvert d'une fourrure semblable à de la peluche, sauf au bout des oreilles, sur ses mains à quatre doigts, sur son nez carré, humide et retroussé, et sa grande bouche évoquant celle d'un vieux monsieur qui vient, avec volupté, de retirer son dentier.

– Qu'est-ce que c'est? demanda Billy, surpris.

– Ton nouvel animal de compagnie.

– On dirait un de ces animaux d'Australie, observa Lynn, s'approchant de la caisse. Ou de Chine communiste. Ils ont des tas d'animaux qui ne peuvent obtenir de visas.

Barney jeta un regard en coin à son nouveau compagnon et recula de quelques pas. Il paraissait bien doux et bien gentil mais la fréquentation des écureuils lui avait appris que les plus mignons peuvent vous jouer des tours diaboliques. Involontairement, il grogna.

– Allons, Barney, sois gentil, dit Billy en riant. Il ne va pas te manger.

Reportant son attention sur l'étrange animal, Billy passa le doigt à travers l'un des trous de la caisse pour le toucher. L'animal ne broncha pas, ne recula pas. Sa fourrure, tiède et douce, ressemblait à celle d'un chat persan.

– Où l'as-tu trouvé? demanda Billy.

– Dans une vieille boutique de Chinatown. Il m'a coûté cher.

– Est-ce qu'il a des certificats? demanda Lynn en regardant la créature de plus près.

Rand secoua la tête.

– Et s'il avait la rage, ou quelque chose? Il n'a pas besoin d'être vacciné? Il a l'habitude de vivre dans une maison?

– On le saura vite. Chérie, je n'ai pas eu le temps de voir tout cela. Je craignais qu'on ne l'accepte pas dans l'avion et j'ai dû le passer dans mon sac de vêtements. Ne t'inquiète pas, tout ira bien.

– Et si c'est une sorte de rat ou je ne sais quoi? demanda Lynn, pas très rassurée.

– Non, il est trop mignon pour un rat, dit Billy en caressant le menton de Gizmo.

– D'accord, il est mignon, mais j'espère qu'il n'apporte pas de maladies. Et, à propos, comment savons-nous qu'« il » est un mâle?

– C'est ce que m'a dit le Chinois.

– Un mâle quoi? Il ne t'a pas dit quel genre d'animal c'était?

– Si. C'est un Mogwai.

– Qu'est-ce que c'est?

– Je n'en sais rien. Du chinois, je crois. Mais on l'appelle Gizmo, d'accord?

– Pourquoi pas? dit Billy. Et comme on ne sait pas de quoi il s'agit, ça colle parfaitement.

Gizmo, plus à l'aise maintenant dans sa nouvelle famille, s'était mis à fredonner de sa voix de fausset assez irréelle. Toute la famille se montra ravie et amusée, et Billy applaudit. Seul le compagnon à quatre pattes gardait ses distances.

– Eh bien, joyeux Noël, dit Rand.

– Merci, p'pa, dit Billy en le serrant dans ses bras. C'est vraiment un merveilleux cadeau.

– Heureux qu'il te plaise.

Lorsqu'elle vit Billy sortir la créature de sa boîte et la prendre contre lui, Lynn ne put résister à l'envie de fixer la scène sur la pellicule. Elle sortit du tiroir son Instamatic, recula de quelques pas pour cadrer Billy et Gizmo puis demanda :

– Souriez!

Lynn appuya sur le déclencheur au moment où Gizmo levait le museau pour lécher la joue de Billy. Il poussa un cri aigu lorsqu'éclata l'éclair du flash, sauta de l'épaule de Billy et, gémissant piteusement, alla se cacher sous le canapé.

– Qu'est-ce qui s'est passé? demanda Lynn.

– J'ai oublié de vous dire, fit Rand, la petite bestiole a peur de la lumière vive. C'est pour cela que j'avais baissé l'éclairage, mais je n'ai pas pensé au flash.

Tout en parlant, il essayait de trouver Gizmo sous le canapé, et finit par saisir une patte.

– Allons, viens, dit-il d'une voix douce. On ne le fera plus. Promis.

Gizmo finit par se calmer et sortit de sous le canapé. Mais il ne fredonnait plus et tremblait un peu.

– Je crois qu'il a encore peur, dit Billy en lui caressant doucement la tête.

– J'aurais dû t'en parler, dit Rand. Il faut également se souvenir de deux autres règles, si j'en crois le Chinois. La seconde est de le tenir à l'abri de l'eau et la troisième de ne jamais lui donner à manger passé minuit.

– Je n'ai jamais rien entendu de plus dingue, s'exclama Lynn en éclatant de rire. Qu'est-ce que ça change, l'heure à laquelle il mange?

– Moi, je n'en sais rien. Je te répète ce qu'on m'a dit.

– D'accord, dit Lynn en souriant, je m'en accommoderai. J'espère seulement qu'il ne lui faut pas du filet mignon tous les soirs.

– Non, il mange n'importe quoi, sans restriction, dit Rand. En fait, le grand-père du gamin m'a dit qu'il a même mangé ce truc blanc qui sert pour les emballages et aussi une rondelle de caoutchouc.

Billy fouilla dans le porte-revues près du canapé et y trouva un morceau de carton froissé qu'il roula en boule et offrit à l'animal.

– Tiens, Gizmo, voilà pour ton casse-croûte.

Gizmo renifla la boule de carton. Quelques années plus tôt, par pure fantaisie et pour faire plaisir au Chinois, il avait décidé de manger un objet insipide. Il avait été heureux de voir la joie du vieil homme mais, fort heureusement, cela ne se renouvelait pas trop souvent. Le vieux monsieur avait le sens des responsabilités. Saisissant rapidement sa situation nouvelle, Gizmo nourrit de sérieux doutes quant à la possibilité, pour ces gens, de se montrer aussi raisonnables. S'il leur cédait maintenant, il lui faudrait bientôt avaler toutes les saletés insipides qui leur tomberaient sous la main, simplement pour les amuser. Non, il était manifestement temps de mettre au pas ces nouveaux propriétaires. Il refusa le carton.

– Je crois qu'il n'a pas faim, dit Billy. A moins que le Chinois se soit moqué de toi.

– Voyons s'il préfère cela, proposa Lynn en ramenant de la cuisine une petite tranche de viande.

Gizmo renifla, frissonna de joie et prit le morceau de viande qu'il s'appliqua à mâcher lentement pour mieux le savourer.

La famille semblait ravie et Gizmo aussi. Au moins, avec eux, n'avalerait-il plus de dérivés du pétrole.

8

Les quelques jours précédant Noël passèrent rapidement, sauf pour les élèves du lycée de Kingston Falls. A la suite des fortes chutes de neige en novembre, on avait fermé le lycée pendant près d'une semaine et, en conséquence, réduit de deux jours les vacances de Noël. Les derniers cours paraissaient donc interminables pour les élèves, ce qui gênait Roy Hanson. Il n'était pas facile, en effet, dans ces conditions, de fixer l'attention des enfants.

Mais il fallait bien essayer. C'était cela l'enseignement, un défi permanent. Et Roy Hanson adorait relever les défis. Premier professeur noir d'une école privée huppée du comté, il l'avait quittée trois ans plus tôt pour devenir le second à Kingston Falls. Maintenant, à trente-quatre ans, on le considérait comme l'un des meilleurs professeurs de sciences naturelles et de biologie de la région. Grand, solidement bâti, on ne le chahutait pas. Il impressionnait même les mauvaises têtes et ses cours se déroulaient dans le calme.

Mais, s'il obtenait l'attention de ses élèves, il ne pouvait pas pour autant forcer leur intérêt. Cela admis, il décida d'abandonner provisoirement l'étude de la circulation chez la grenouille au profit d'une discussion sur les « nouvelles » espèces animales, sujet auquel il avait consacré de longues études et recherches. Et peut-être cela tirerait-il les élèves de leur léthargie.

– On parle beaucoup d'espèces en voie d'extinction, commença-t-il. On parle moins des animaux nouveaux récemment découverts. En 1812, Georges Cuvier déclarait qu'on connaissait toutes les espèces vivant sur la Terre, mais il se trompait.

Appuyant sur le bouton de son projecteur, il projeta une diapositive d'un animal ressemblant à un cerf, avec de longues cornes ondulées, puis une autre.

– Quelqu'un connaît-il le nom de cet animal?

Pas de réponse.

– Il s'agit d'un okapi, animal proche de la girafe, que l'homme n'a découvert qu'au début du siècle. (Il changea de diapo et demanda de nouveau :) Et celui-ci?

Pas de réponse.

Il leur parla du nyala des montagnes, de l'hippopotame nain, du dragon de Komodo, du loup des Andes, du paon du Congo, du cœlacanthe, du pécari à long nez, tous découverts – ou redécouverts – au XXe siècle. Nul n'en savait quoi que ce soit et nul ne souhaitait poser de questions.

Sauf Pete Fountaine.

– Monsieur Hanson, est-ce que ça rapporte quelque chose de découvrir un nouvel animal?

Bonne question, pensa Roy Hanson. Mais il ignorait la réponse.

– Je crois que ça dépend des circonstances. Si tu découvrais un animal très recherché, par un zoo par exemple, tu pourrais le vendre un bon prix. Mais la plupart des savants attachent davantage de prix à la gloire de la découverte.

– Mais ça signifie de l'argent, non? insista Pete. Je veux dire, s'ils passaient à la télé pour de la pub pour aliments destinés aux animaux...

La classe gloussa, Roy Hanson sourit et Pete

rayonna d'avoir pu plaisanter sans encourir les foudres du professeur.

La question de Pete provoqua une réaction en chaîne. Un élève demanda où trouver une nouvelle espèce; un autre voulut savoir si l'on pouvait parler d'espèce « nouvelle » plutôt que d'un animal étrange, encore jamais vu. Pures spéculations, bien sûr, car il existait peu de chances que quelqu'un tombe fortuitement sur une nouvelle espèce, mais Roy Hanson laissa le débat se poursuivre. Ce genre de discussion étant rare, autant l'encourager.

– Demain, nous reviendrons à la grenouille, dit-il à la fin de l'heure.

Il sourit en entendant la classe grogner.

Pete, tout fier de la discussion qu'il avait provoquée, se sentait très à l'aise. Tellement à l'aise qu'il décida d'aller rendre visite à Billy Peltzer après avoir joué les arbres de Noël pendant deux petites heures.

Depuis quelques jours, Billy se levait tôt et rentrait chez lui dès la fin de sa journée de travail à la banque. Du fait de Gizmo, bien sûr, créature si fascinante que Billy souhaitait passer tout son temps avec lui. Fascinante et vulnérable. Un matin, tandis qu'il se rasait (sous l'œil amusé de Gizmo), Billy, tournant accidentellement le miroir, avait projeté sur l'animal le reflet de la lampe du couloir. Avec un cri aigu, Gizmo avait sauté de la table de Billy dans la corbeille, tombant sur la tête.

Le temps que Billy le récupère, la petite bête était contusionnée, saignait et tremblait de peur. Elle se trouvait dans un tel état que même Barney, toujours un peu jaloux, en gémit de sympathie. Billy pansa sa blessure, lui dit des mots apaisants et le berça jusqu'à ce qu'il finisse par s'endormir.

Le lendemain, Gizmo allait nettement mieux. Billy en fut heureux car il ne souhaitait pas amener

Gizmo chez un vétérinaire qui n'aurait pas su de quelle sorte d'animal il s'agissait.

Il demanda à sa mère de veiller sur Gizmo et partit pour la banque où il arriva en avance, habitude prise depuis l'incident avec Mme Deagle. La porte du bureau de Roland Corben était ouverte mais il semblait n'y avoir personne d'autre dans la banque. Entendant un bruit de papiers qu'on feuilletait, Billy pendit son manteau et en chercha la source.

– Billy? demanda la voix de Kate dans un murmure.

Elle se trouvait dans le bureau de Corben, devant une grande carte de Kingston Falls, une carte assez détaillée pour qu'on y distingue chaque rue, maison ou commerce. Certains immeubles, tous dans une zone délimitée par des pointillés noirs, étaient dessinés en rouge. Kate regardait la carte, les yeux étincelants, les lèvres pincées.

– Tu as vu ça? demanda-t-elle.

– Kingston Falls, dit Billy en haussant les épaules. Je connais le patelin.

– Regarde les endroits marqués en rouge, suggéra-t-elle, ne goûtant guère sa désinvolture. Ce sont les maisons des locataires de Mme Deagle, la plupart au chômage ou dans l'impossibilité de payer leur loyer. Et Mme Deagle veut profiter de la situation.

– Comment? Elle ne peut pas les faire tous expulser à la fois.

– Des clous, oui! Sûr qu'elle peut!

– Et qui lui paierait les loyers?

– Ce n'est pas cela qui l'intéresse. Elle veut tout rafler. Tiens! (Elle posa le doigt sur l'un des carrés.) Ta maison est en rouge, et la mienne aussi.

– Ouais, mais p'pa n'a qu'une ou deux mensualités de retard.

– Chez nous également. En fait, nous sommes à

jour. Mais le rouge indique les immeubles qu'elle peut vendre en vitesse, si elle le veut.

– Et qu'est-ce qu'elle veut?

– Elle veut tout. Je l'ai entendue parler dans le bureau il y a quelques jours. Mme Deagle y rencontrait le président de la *Hitox Chemical.* Elle veut tout leur vendre.

– Pour qu'ils construisent une usine, hein? murmura Billy, atterré. Pour elle, c'est une grosse partie de Monopoly et nous ne sommes que des cartons qu'on achète et qu'on vend.

– Tu as pigé. Mais il faut que nous l'en empêchions.

– Qui? Toi et moi?

– Pour commencer. Il faut que quelqu'un fasse quelque chose.

– Oui, mais quoi?

– C'est ce que je me demande : quoi? demanda la voix familière de Gerald Hopkins, entré alors que les deux jeunes gens se trouvaient penchés sur la carte.

En voyant leur mine déconfite et leur surprise, il rayonna. Pour l'instant, au moins, il les tenait.

– On fouine, hein? dit-il avec un sourire.

Kate et Billy, ne pouvant nier, se contentèrent de le regarder, muets.

– M. Corben n'aime pas les fouineurs, dit Gerald en retirant son manteau, en le pendant dans le placard et en se délectant de ce jeu du chat et de la souris. (Jetant à Kate un regard lourd de sens, il ajouta :) Mais il n'est peut-être pas indispensable que je le lui dise.

Kate ne répondit pas.

– Vous faites quelque chose, ce soir?

– Je fais quelque chose tous les soirs, répondit-elle, relevant le menton et sortant vivement du bureau.

– Je l'aime bien, dit Gerald à Billy en la regardant s'éloigner. C'est une dure. Tout comme moi.

– Tout comme vous, Ger, répéta ironiquement Billy.

– Je vous ai dit de ne pas m'appeler ainsi.

– Excusez-moi, Ger, j'oublie tout le temps, dit Billy avec un sourire en sortant du bureau.

Il n'eut guère l'occasion de discuter de l'affaire avec Kate pendant le reste de la journée, mais il y réfléchit beaucoup. Allait-on les jeter à la rue, lui et sa famille ? Déprimé, Billy rentra chez lui, espérant trouver quelque réconfort auprès de Gizmo ou dans la nouvelle bande dessinée à laquelle il travaillait.

Gizmo, endormi, souriait paisiblement. Rassuré, Billy redescendit dans la cuisine, jeta un coup d'œil dans le réfrigérateur et n'y trouva rien à son goût.

– Prends une orange, suggéra sa mère.

Billy haussa les épaules, prit une orange et se dirigea vers un appareil bizarre.

– Je crois que tu peux t'en servir, dit Lynn, se rendant compte de sa nervosité. Ton père l'a trifouillé hier soir et l'appareil a parfaitement épluché une orange.

– *Une* orange, fit observer Billy en grimaçant un sourire. Sur combien ?

Il ouvrit l'appareil qui portait sur le flanc une plaque annonçant : « Pèle oranges-centrifugeur Peltzer », tourna le bouton sur EPLUCHAGE et plaça l'orange dans le bol en inox prévu à cet effet. Il le referma et appuya sur MARCHE.

L'engin se mit aussitôt en branle, tremblant et émettant des gargouillis. Billy se recula, sachant d'expérience qu'on prenait souvent des douches inattendues avec les inventions de papa. Pas cette fois. Sous l'appareil apparut une peau d'orange enroulée sur elle-même.

– Hé, m'man, ça marche parfaitement !

La machine s'arrêta, Billy l'ouvrit : l'orange avait disparu.

– Elle devrait être au-dessus, dit Lynn.

– Non. Elle a épluché l'orange et l'a avalée!

Ils riaient encore quand on frappa à la porte. C'était Pete, tirant derrière lui un arbre de Noël.

Après avoir remis en place les épées qui, une fois de plus, venaient de tomber, ils examinèrent l'arbre.

– Je ferais mieux de le décorer avant le retour de ton père, dit Lynn. Je crois qu'il cherche quelque chose qui installe automatiquement les guirlandes et j'aime autant ne pas essayer sa nouvelle invention.

– Voulez-vous un coup de main? demanda Pete poliment.

– Non, merci. Pourquoi ne vas-tu pas voir Gizmo?

– Ouáis, j'ai un nouvel animal, dit Billy en claquant les doigts.

– Qu'est-ce que c'est? demanda Pete.

– Je ne sais pas. Personne ne sait.

– Allons donc, dit Pete, sceptique.

– Sans blague. Viens voir.

Tandis qu'ils montaient, Pete confia à Billy, à voix basse :

– J'ai appelé Ann Fabrizio hier soir, pour lui demander un rendez-vous.

– Et alors? Comment ça s'est passé?

– Ben, j'étais tout prêt à me montrer décontracté et plein de confiance, comme tu m'as dit. Mais quand elle a décroché, j'avais oublié mon nom. Alors j'ai dit : « Faux numéro, excusez-moi » et j'ai raccroché. J'essaierai peut-être encore dans deux ou trois jours. Le temps qu'elle oublie ma voix.

– Eh bien, bonne chance. Et n'oublie pas que tu lui fais une faveur.

– Ouais, si je n'oublie pas mon nom.

Entrant dans la pièce obscure, ils se dirigèrent vers la caisse de Gizmo. Pete, qui partageait sa chambre avec ses deux frères, fut impressionné par le confort de celle de Billy : un lit à deux places pour lui tout seul et la possibilité d'arranger la pièce à sa guise. Il fut fasciné par les murs, couverts de bandes dessinées, de dessins à l'aspect médiéval, de peintures de guerriers par Frazetta. Et, sur la coiffeuse, une armure en modèle réduit. Plus loin, une table à dessin jonchée de plumes, de crayons, de gommes, d'un gros coupe-papier vert, de pinceaux qui trempaient et d'une pile de dessins dont la page de titre annonçait : *Le Repaire du Dragon*, avec la signature de Billy.

– Terrible ! dit Pete.

Billy remercia, gêné, et heureux que Gizmo fasse entendre une sorte de gazouillis dans l'aigu, attirant leur attention. La télé, à côté du lit, était allumée et donnait un vieux film où Clark Gable jouait le rôle d'un coureur automobile. Gizmo regardait le film, manifestant autant d'intérêt qu'un être humain.

– Ben ça alors ! s'exclama Pete. Qu'est-ce que c'est ? Où l'as-tu eu ?

– C'est Gizmo. Mon père l'a ramené de Chinatown.

– Tu le gardes tout le temps dans sa cage ?

– Non. Quand je suis au travail seulement. Il est très délicat, il ne supporte pas la lumière et...

Le téléphone sonna. Billy, ravi, reconnut la voix de Kate. Tandis qu'elle lui faisait part des tuyaux glanés chez Dorry concernant les projets de Mme Deagle, il sortit doucement Gizmo de sa caisse et le posa sur ses genoux. Pete s'approcha pour le caresser et l'écouter exprimer son contentement par des bruits divers.

Il tendit Gizmo à Pete et s'adossa confortablement à son coussin, prenant plaisir à écouter Kate, heureux d'être son allié secret contre Mme Deagle, même s'il ne savait comment faire avorter le plan de celle-ci. Mais Kate avait des tas d'idées : faire circuler des pétitions, raconter l'histoire aux journaux et à la télé. Du coin de l'œil, Billy surveillait Pete et Gizmo, près de la table à dessin.

– Passe donc me prendre au pub et on en parlera, proposa Kate.

– Eh bien, bégaya Billy, se rendant soudain compte qu'elle lui proposait un rendez-vous, à quelle heure ?

– Je finis à onze heures.

– Oui, d'accord, murmura-t-il.

– Si c'est trop tard, ça attendra. L'idée ne paraît pas t'enthousiasmer.

– Si, si. J'étais surpris, c'est tout. C'est...

Il vit la situation se dégrader, comme lorsqu'on repasse à la télé une phase de match au ralenti : Gizmo sur la table à dessin... Pete qui le caressait... la manche de Pete accrochant la boîte où trempaient les pinceaux... la boîte qui penchait... de l'eau qui tombait sur le sol... de l'eau qui débordait de la boîte...

Sur le dos de Gizmo !

– Non ! s'entendit-il crier.

Trop tard. « Accident ! » hurla Billy dans l'appareil en raccrochant et en se précipitant pour tenter d'essuyer l'eau sur le dos de Gizmo.

Un cri aigu lui apprit qu'il arrivait trop tard. Les yeux exorbités, courbé, bouche ouverte, haletant, Gizmo se roulait sur la planche à dessin.

On entendit un bruit de grésillement, pareil à un feu de forêt; un bruit qui semblait émaner du corps même de Gizmo, en contrepoint de ses cris pitoyables.

– Qu'est-ce que j'ai fait ? cria Pete, en larmes.

– C'est l'eau. Ce n'est pas de ta faute. Il ne peut supporter l'eau.

En fait, Gizmo paraissait tout près d'éclater. Cinq

énormes cloques s'étaient formées sur son dos, là où l'eau était tombée, et elles se faisaient plus grosses, rouge sang et jaune. S'étendant et éclatant, tels des volcans en miniature, leurs membranes se resserrèrent, se tendirent, jusqu'à ce que l'une d'elles finisse par éclater. Une petite boule de fourrure en jaillit, tombant sur la table. Pete et Billy reculèrent, fascinés et horrifiés. Une autre boule éclata d'une deuxième cloque, puis une troisième, une quatrième, une cinquième. Les craquements s'estompèrent alors, tout comme les cris de douleur de Gizmo. Billy se demanda s'il n'était pas en train de mourir.

L'instant suivant, tout était terminé. Gizmo, dont la respiration redevenait lentement normale, demeurait étendu tranquillement tandis que disparaissaient progressivement les cloques sur son dos.

– Dieu merci, souffla Billy, je crois que ça va.

– Mais qu'est-ce que c'est que ces choses? demanda Pete.

Déjà, les cinq boules se mettaient à grossir et prenaient la forme, l'aspect d'autres Gizmos. Il apparut manifeste, bientôt, que l'on venait d'assister à la création de nouveaux Mogwais. Différents de Gizmo, cependant, remarqua Billy. Pas tant par la couleur que par leur expression et leur regard. Bien que plus jeunes que Gizmo, ils paraissaient moins innocents, pleins d'une ruse que Billy n'avait jamais vue dans les grands yeux marron de Gizmo.

Les deux garçons regardaient grandir les créatures.

– C'est encore plus fort que dans *La Quatrième Dimension*, murmura Pete.

– Je me demande ce que vont dire mes parents, grommela sombrement Billy.

– C'est peut-être bon à manger? dit Pete.

Les cinq nouveaux venus faisaient maintenant la

moitié de la taille de Gizmo qui les regardait, de ses grands yeux pleins de larmes. Une ou deux fois, il lança à Billy un regard de reproche puis détourna tristement les yeux. Billy se demanda s'il était surpris de l'incident ou s'il pressentait qu'il pouvait se produire. Peut-être était-ce déjà arrivé?

– Je peux en avoir un? demanda Pete, tirant Billy de ses pensées.

Il fut d'abord tenté de dire oui. Pourquoi pas? Un Gizmo, c'était parfait, mais six, cela faisait beaucoup trop. Cependant, Billy ne souhaitait pas, après une première imprudence, que la même erreur se reproduise. Saisissant le godet de peinture, il en épongea la dernière goutte d'eau tandis que les cinq nouveaux Mogwais continuaient à grossir jusqu'à atteindre une taille voisine de celle de Gizmo.

– Je crois qu'il vaut mieux pas, dit-il enfin. C'est peut-être un cauchemar, tu sais. Jusqu'à ce qu'on sache, il vaut mieux les laisser tous ici.

Pete hocha la tête, pensivement.

– On devrait peut-être en apporter un à M. Hanson pour voir si c'est une nouvelle espèce, dit-il.

– Bonne idée, approuva Billy.

– On deviendra peut-être riches et célèbres.

Billy n'en était pas convaincu. Tout cela s'était déroulé trop vite.

Et si ça se reproduisait? se dit-il, se souvenant du passage de *Star Trek* dans lequel les petites créatures envahissent pratiquement tout le vaisseau spatial. Un instant, il eut la vision d'une foule de Mogwais bouchant les canalisations de sa maison, des Mogwais partout, dans toutes les pièces, un tapis d'animaux braillant pour demander à manger tout en continuant à se multiplier. Et si le nombre les rendait dangereux? S'ils gagnaient les maisons voisines, la police arrêterait-elle Billy, le tenant pour responsable? Et, tout d'abord, quelle explication donner à ses parents? Il s'était montré imprudent, n'avait pas respecté les mises en garde du Chinois. Pour Pete, ces nouveaux arrivants signifiaient richesse et célébrité. Pour Billy, ils n'annonçaient que des ennuis.

9

Après le départ de Pete, Billy, assis sur le bord de son lit, demeura un long moment à réfléchir tout en regardant les cinq Mogwais atteindre leur taille adulte. En toute logique, il lui faudrait immédiatement aviser ses parents. Après tout, il n'avait rien fait de bien terrible, simplement relâcher un peu sa vigilance. Le Chinois avait dit de garder le Mogwai à l'abri de l'eau. Mais il avait aussi prétendu que Gizmo mangeait du carton et des rondelles de caoutchouc, ce qui s'était révélé faux. Comment aurait-il pu supposer qu'une aussi banale négligence pourrait provoquer la création de cinq nouvelles bestioles?

Il fallait que Billy réfléchisse, bien que la logique fût avec lui. Pour débuter, au moins, il voulait voir s'il pouvait résoudre le problème tout seul. La suggestion de Pete n'était pas mauvaise. Dès que possible, il fallait porter l'un des Mogwais à M. Hanson pour une étude scientifique. Peut-être quelque laboratoire ou zoo serait-il également intéressé? Dans un monde plein de chiens et de chats perdus, il serait certainement possible de trouver un endroit où déposer les nouveaux Mogwais.

Une chose paraissait déjà acquise : il n'aimait guère ces nouveaux venus qui paraissaient combatifs, incontrôlables et, comparés à Gizmo, agressifs. Lorsqu'ils eurent fini de grossir, Billy alla chercher une grande caisse en carton et les y fourra, mais ils manifestèrent leur mécontentement de se voir enfermer en gesticulant avec colère, montrant les dents et lui tirant la langue. Le chef du nouveau groupe paraissait un peu plus gros que les autres et portait sur la tête une épaisse bande de fourrure grossière.

– Je vais t'appeler Le Rayé, d'accord? murmura Billy, essayant de faire ami-ami avec le nouveau Mogwai.

Pour toute réponse, Le Rayé, d'un rapide mouvement de la patte, renversa un flacon d'encre.

L'encre dégoulinant sur la planche à dessin, Billy remarqua que quelques gouttes étaient tombées sur Le Rayé, Gizmo et un autre Mogwai. Silencieux, nerveux, il surveilla les taches pour voir si quelque chose se produisait, mais apparemment seule l'eau provoquait la reproduction.

– C'est déjà ça, murmura-t-il.

Quelques instants plus tard, lorsqu'il devint manifeste que les nouveaux avaient faim, Billy descendit à la cuisine et en rapporta du poulet froid. Contrairement à Gizmo qui mangeait lentement et de manière fort civile, les nouveaux Mogwais avalaient à grand bruit, déchiraient leur nourriture, rejetant les morceaux de cartilage, la salive leur dégoulinant au coin de la bouche. Repus, ils rotèrent grossièrement puis se mirent à se cracher l'un sur l'autre des morceaux de nourriture.

– Hé! Gizmo, dit Billy. Tu ne peux pas m'aider à apprendre la politesse à ces individus?

Le regard de Gizmo en exprimait bien plus qu'on n'aurait pu le croire.

Heureusement, les parents de Billy étaient allés dîner dehors. Il avait donc le temps avant d'avoir à s'expliquer et de se faire une idée des difficultés que créeraient les nouveaux venus. Il apprit déjà qu'ils s'assoupissaient après avoir mangé et joué un instant. En effet, les cinq Mogwais se blottirent dans leur boîte et s'endormirent.

Gizmo, à l'instar de Billy, demeura éveillé, les observant, arborant une expression d'appréhension mêlée de tristesse, tout comme lors de sa première demi-heure passée chez les Peltzer. Billy se demanda ce qu'il pouvait bien savoir. Etait-ce le fait qu'il savait ou la simple jalousie qui donnait à sa bouche ce pli amer? Il aurait bien donné une semaine de son salaire pour avoir une conversation sérieuse avec son ami à fourrure, mais bien entendu cela était impossible.

Tout en pesant le problème, Billy s'endormit. Mais il ne se reposa guère car son esprit nageait en pleine angoisse. Dans un de ses cauchemars, les Mogwais continuaient à grossir jusqu'à devenir aussi énormes que sa maison; dans un autre, qui suivit immédiatement le premier, ils crachaient du feu et projetaient des débris enflammés, pas plus gros que des noisettes de gelée, qui collaient à la peau des victimes comme du napalm.

Billy s'éveilla en sursaut, se sentit un instant soulagé puis il fut saisi d'une terreur nouvelle. Il faisait sombre maintenant, mais pas du fait de l'heure. Sa petite lampe de chevet et une autre lampe éclairant sa planche à dessin, l'une et l'autre allumées lorsqu'il s'était endormi, étaient éteintes. Aucune lumière dans la pièce autre qu'un petit rai rectangulaire venant de l'extérieur. Les deux ampoules avaient-elles pu claquer simultanément? Bien que souhaitant s'en persuader, Billy n'était pas convaincu de cette éventuelle coïncidence.

En arrière-plan, au delà de la première flaque d'obscurité, il entendait une sorte de frou-frou, un bruit de voix étouffées, comme dans un jeu de colin-maillard lorsque chacun, dans un coin, tente de ne pas rire, de ne pas bouger. Un bruit à vous donner le frisson. Un long moment, il demeura immobile sur son lit, essayant de saisir quelque chose de plus précis, tout en jetant des regards à droite et à gauche dans l'espoir de mieux voir ce qui se passait, une fois habitué à l'obscurité.

Une minute passa; il se détendit. Il était éveillé, se dit-il, et encore influencé par ses cauchemars. En outre, il était vivant, là, dans sa chambre. Respirant profondément, il se redressa, essayant d'atteindre sa lampe de chevet.

Et il se retrouva affalé, le visage contre la carpette, les jambes paralysées, sa chute saluée par un concert de gloussements hystériques. C'étaient *eux* les responsables!

Se traînant jusqu'à sa table, Billy se leva et pressa l'interrupteur. Soulagé, il vit la lumière s'allumer. Il s'assit, adossé au mur, regarda à l'autre bout de la pièce puis son regard tomba sur ses jambes... attachées avec du ruban adhésif.

Il n'en crut pas ses yeux mais dut se rendre à l'évidence : trois bandes de ruban adhésif, bien nettes, l'une aux chevilles, l'autre juste au-dessous des genoux, la troisième au-dessus, lui entravaient les jambes. Il avait donc dormi si profondément? Ou pire, songea-t-il, les sournoises petites bêtes s'étaient-elles montrées adroites au point de pouvoir le ligoter sans qu'il sente rien?

Il arracha le ruban adhésif, se libéra, se leva et regarda autour de lui. Quelque chose avait changé dans la chambre, mais quoi exactement? Avançant avec précaution, il fit un bond lorsque quelque chose effleura son bras.

L'objet, une simple bande dessinée découpée dans le journal, tomba sur le sol. Mais qu'est-ce que...?

Billy leva les yeux et en eut le souffle coupé.

Tout le plafond était couvert de bandes dessinées, de dessins médiévaux, de peintures de Frazetta qu'il avait épinglés sur l'un des murs de sa chambre. Et, tandis qu'il contemplait les papiers qui pendaient, ressemblant – dans la pénombre – à de la tapisserie déchirée, il entendit de nouveau ces gloussements irréels.

– D'accord, c'était marrant. Vous pouvez sortir maintenant, appela-t-il.

Il alla allumer le commutateur principal et les gloussements se changèrent en cris de douleur. En un réflexe, il éteignit et se dirigea vers sa planche à dessin.

La petite lampe de la planche diffusait assez de lumière pour lui permettre de scruter toute la pièce. Dans un coin, deux des nouveaux Mogwais se tenaient de part et d'autre de Gizmo, comme pour le surveiller afin qu'il ne risque pas de gâcher leurs petites blagues. Un rapide regard circulaire, y compris sous le lit et dans le placard, ne lui permit pas de découvrir les trois autres. Billy fixa les nouveaux d'un regard qui se voulait intimidant.

– Bon, où sont vos copains? demanda-t-il.

Ils se regardèrent, tordirent leur nez retroussé et se mirent à jacasser en langage mogwai, ignorant délibérément Billy. Gizmo indiqua la porte du regard, ce qui lui valut quelques tapes pas tellement amicales de ses frères. Ou de ses fils?

Billy n'avait pas le temps de réfléchir à la question. A grandes enjambées, il alla à la porte, tourna la poignée et tira.

La porte refusa de s'ouvrir.

En baissant les yeux, Billy en comprit la raison : on avait enfoncé sous la porte de petits morceaux de gomme pris sur sa planche à dessin et des boules de ruban adhésif. Billy se sentit envahi d'une certaine inquiétude. Le ligotage, les lumières éteintes, les dessins au plafond, constituaient d'habiles niches, mais s'ils avaient désigné deux d'entre eux pour le boucler dans sa chambre, les autres devaient se livrer à quelque chose de plus sérieux!

Il dégagea la porte de ses morceaux de gomme et de ruban et se précipita dans le hall. Se méfiant des facéties des nouveaux Mogwais, il avançait prudemment, le regard en éveil, cherchant des fils cachés ou autres pièges qui auraient pu le faire tomber.

Le reste de la maison, bien sûr, se trouvait plongé dans une obscurité quasi totale. Progressant lentement, il alluma de petites lampes tout en descendant les escaliers. La première surprise ne tarda pas. Il marcha sur une tasse de plastique placée sur l'une des marches avec plusieurs douzaines de pièces de porcelaine. La tasse dégringola dans l'escalier, déclenchant une réaction en chaîne de gloussements émanant du rez-de-chaussée.

Tournant à droite dans la salle de séjour, Billy repéra sous le canapé le premier Mogwai qui mettait allègrement en pièces le journal du soir, tellement absorbé dans son travail que Billy arriva tout près de lui sans qu'il s'en rende compte. Un autre Mogwai, dans la cuisine, empilait délicatement sur le buffet toutes sortes d'objets, de telle manière que le moindre effleurement fasse tout dégringoler. Le troisième, blotti sur le canapé, regardait une rediffusion de *L'Ile fantastique*.

Billy poussa un soupir de soulagement : pas de gros dégâts. Il ne restait plus qu'à les attraper et à mettre de l'ordre. Mais comment? Si les Mogwais, du fait de leurs petites pattes et de leur taille, n'étaient pas très rapides, cinq bestioles, cela faisait beaucoup.

– La caisse dans laquelle on transporte Barney, murmura Billy, claquant les doigts.

Elle se trouvait toujours dans la cave, la grosse caisse de contre-plaqué munie de poignées et d'un couvercle qui fermait, achetée à une époque où il fallait conduire Barney de force chez le vétérinaire.

Jetant un coup d'œil à l'intérieur, Billy la jugea assez vaste pour cinq Mogwais. Le couvercle de la caisse ouvert, Billy revint au rez-de-chaussée sur la pointe des pieds.

La capture du premier, endormi devant la télé, se révéla facile. Le saisissant solidement sous le ventre, Billy le laissa tomber dans la caisse, referma le couvercle et se rendit dans la cuisine. Celui-là, que Billy appelait Le Rayé, se défendit davantage mais il se retrouva bientôt en sécurité dans la caisse. Après avoir déniché sous le canapé le déchiqueteur de journal, il remonta dans la chambre où, surpris, il constata que rien n'avait changé.

Un instant plus tard, les cinq Mogwais étaient enfermés dans la caisse. Ils jacassaient bruyamment mais Billy n'en fut guère intimidé.

– Vous pouvez raconter tout ce que vous voudrez, personne ne vous entendra car je descends nettoyer le chantier que vous avez fait.

Après avoir fait tout le tour de la maison et tout remis en ordre, Billy jeta un coup d'œil sur la pendule : minuit! Il avait raté son rendez-vous avec Kate.

– Bon sang! murmura-t-il.

Il se demanda si elle pourrait seulement envisager de croire son excuse s'il se bornait à lui raconter la pure et simple vérité : à savoir que cinq étranges créatures l'avaient ligoté avec du ruban adhésif et s'étaient livrées à d'autres facéties, cinq créatures nées le jour même par projection d'eau sur le dos de Gizmo.

Elle n'avalera sûrement pas une histoire pareille, songea-t-il.

Rentrant chez eux peu après une heure du matin, Lynn et Rand se sentaient fatigués. Ils trouvèrent l'entrée allumée mais aucune lumière ne filtrait sous la porte de Billy.

– Je parie qu'il dort depuis des heures, dit Rand en bâillant.

Il se brossa les dents rapidement et se déshabilla, avide de retrouver la douceur de son lit. Lynn, qui avait déjà découvert le lit, embrassa son mari et se rendit dans la salle de bains. Rand s'étira, s'assit sur le lit, souleva ses pieds chroniquement douloureux et les glissa dans les draps.

Soudain, ses pieds rencontrèrent quelque chose de dur et de froid, le faisant sursauter si violemment qu'il faillit en choir du lit.

Billy se leva tôt, le lendemain, bien que n'ayant dormi que par intermittence. A peine bouclés dans la caisse, les Mogwais avaient tenté pendant près d'une heure de l'intimider par leur baragouin qui se voulait menaçant, mais ils se lassèrent les premiers. Le Rayé, le dernier à renoncer, avait tout de même abandonné après un ultime grognement et tous s'étaient endormis.

Lorsque Billy se leva, ils se montrèrent quelque peu agités, mais il s'habilla et descendit.

Sa mère, déjà dans la cuisine, avait préparé le café et mis la table pour le petit déjeuner. Elle accueillit Billy d'un sourire puis lui demanda, penchant légèrement la tête :

– Pourquoi as-tu fait cela, hier soir?

– Fait quoi?

– Glissé la plaque du four dans notre lit.

Billy parut un instant déconcerté.

– Il n'y a que toi qui aies pu faire ça, dit Lynn. Ce n'est pas moi et ton père a eu l'air si surpris que je suis certaine que ce n'est pas lui.

– Oh!

– Qu'est-ce que ça veut dire?

– Ça veut dire qu'il faut que je vous parle à toi et à papa.

– Il est dans son atelier.

Rand se trouvait installé dans un coin de la cave particulièrement en désordre. Des années auparavant, il l'avait aménagé et lambrissé lui-même, le décorant bientôt des portraits de Thomas Edison, Elias Howe, Alexander Graham Bell, Samuel Morse, Guglielmo Marconi et de celui qui était sans doute son héros favori : Whitcomb L. Judson. Billy lui ayant demandé, un jour, qui il était, Rand se montra d'une rare éloquence.

– Ces inventeurs, les autres, ont apporté d'importantes contributions et en ont retiré la gloire. Sans doute, le phonographe, la machine à coudre, le télégraphe et la radio ont-ils été bénéfiques à notre société. Mais qu'aurions-nous fait sans la fermeture à glissière ? C'est cela que Judson nous a légué, mon garçon. On l'appelait alors fermeture universelle dans les années 1890, lorsqu'il l'a inventée.

Maintenant, penché sur un gigantesque schéma de la Salle de Bains Portative épinglé au mur au-dessus du bureau, Rand bricolait sur l'étrange appareil destiné à résoudre tous les problèmes de nettoyage et d'entretien du petit matin, à condition cependant de sortir d'une école d'ingénieurs et d'être doté d'une patience angélique.

Billy frappa et entra.

– Je viens juste d'ajouter un nouveau gadget à la Salle de Bains Portative, dit Rand sans lever la tête. Tu vois, imagine que tu sois en retard avant une importante conférence. Tu te passes la main sur le menton et... Oh, non ! Tu as oublié de te raser. Et alors ?

– Tu crois que beaucoup de gens oublient de se raser avant une importante conférence ? demanda ingénument Billy.

– Bien sûr. Ça arrive.

– Mais alors, il faudrait aussi que tu aies oublié de te doucher ou de prendre un bain, non ?

– Pas forcément. Des tas de gens se douchent ou

se baignent la veille au soir pour gagner du temps.

Rand, l'air aussi content de lui que s'il venait de remporter une importante victoire sur l'ignorance, appuya sur un bouton. Apparut un minuscule rasoir à double lame, jailli comme par enchantement de l'appareil.

Billy saisit le rasoir, le tenant dans la bonne position. Remarquant un autre bouton, sur le côté, il demanda :

– Et ça, c'est pour le savon?

– Non... ne touche pas...

Trop tard. Sous la pression de Billy, un jet de crème blanche avait jailli au plafond.

– C'est bien la crème à raser, dit Rand, seulement je n'ai pas encore réussi à faire baisser la pression. Mais j'y arriverai.

– Bien sûr, p'pa.

Durant le bref instant où Rand nettoyait l'excès de mousse, ils se rappelèrent l'un et l'autre une chose importante.

– Oh! p'pa...

– Fiston...

– Il faut que je te dise, annoncèrent-ils en chœur.

– Vas-y. A toi, dit Billy.

– Je voulais simplement savoir pourquoi tu as fourré ce truc dans notre lit, demanda Rand.

– C'est ce que je voulais t'expliquer.

Billy s'assit sur l'unique chaise et, lentement, exposa ce qui s'était passé la veille. Son père écoutait, souriant d'abord, puis de plus en plus horrifié.

– Tu veux dire que le Chinois avait raison? Que l'eau provoque leur multiplication? Et qu'il y en a six, maintenant?

Billy hocha la tête.

– C'est fou! Les animaux ne se reproduisent pas ainsi.

– Je sais.

– Où sont-ils?

– Dans ma chambre. Je les ai bouclés dans la caisse de Barney. Mais ils semblent très pressés d'en sortir. Si on les garde tout le temps là-dedans, ils vont nous rendre fous avec leur vacarme.

– Je ferais peut-être bien d'aller jeter un coup d'œil.

Un instant plus tard, les parents de Billy le regardaient ouvrir la caisse dans laquelle apparurent les cinq Mogwais, Le Rayé en tête, l'air innocent et ingénu. A l'exception d'une petite lueur dans le regard, ils paraissaient tout aussi gentils que Gizmo, tout aussi amicaux que Barney.

– Ils sont mignons, dit Lynn avec un sourire.

– Oui, m'man, mais ils ne sont pas comme Gizmo. Ils sont beaucoup plus espiègles.

Il raconta ce qu'ils avaient fait la veille, en plus de la plaque du four dans le lit. Mais même Billy dut admettre qu'il s'agissait davantage de facéties innocentes que de plaisanteries malveillantes ou dangereuses.

– Ils sont peut-être un peu nerveux et excités, dit Lynn. Après tout, c'était leur première nuit sur Terre.

– Non, m'man, il y avait en eux quelque chose qui m'a mis mal à l'aise.

– Est-ce que tu le perçois toujours?

– Pas exactement. Oui et non. Tu vois, ils ont dû se rendre compte qu'ils n'aimaient pas se trouver bouclés dans la caisse, alors ils se montrent tout doux devant papa et toi.

– Ce sont des animaux ou des profs de fac? demanda Lynn qui, tout comme Rand, se mit à rire.

– Ils ne sont pas idiots, m'man. C'est pourquoi je

pense que nous aurons des tas d'ennuis s'ils restent ici.

– Qu'est-ce que tu proposes?

– Je ne sais pas. Pete va demander à M. Hanson s'il veut bien les étudier. Il va peut-être en prendre un et nous dire de quoi il retourne.

– Pourquoi ne pas simplement les donner à la S.P.A.? demanda Rand.

– Parce que s'il s'agit d'une espèce rare, ils ont peut-être de la valeur.

– Même s'ils ne doivent rester ici que quelques jours, dit Lynn, je ne vais pas les laisser tout le temps enfermés là-dedans.

– Mais tu ne peux pas non plus les laisser en liberté, dit Rand. Avec la douche, le lave-vaisselle, l'évier, le lavabo... Il y a de l'eau. S'ils ouvrent un robinet, nous allons nous retrouver plongés dans les Gizmos jusqu'au cou.

– D'accord, dit Lynn, haussant les épaules. Pour l'instant, on peut les laisser dans la chambre de Billy, mais pas dans la caisse. Et je vais fermer la salle de bains et les surveiller, pour le cas où ils s'échapperaient. D'accord?

Billy acquiesça, Lynn ouvrit le couvercle et prit Le Rayé qu'elle souleva au-dessus de sa tête, l'animal souriant de sa grande bouche et émettant un doux gloussement. La parfaite image de l'animal de compagnie.

– Il est mignon, dit Lynn.

Effectivement, pensa Billy. Mais pendant le bref instant où Lynn regarda Rand, Le Rayé jeta un bizarre coup d'œil à Billy.

Un coup d'œil sarcastique? Un clignement amical? Billy n'aurait su le dire mais il ne pouvait qu'envisager avec une certaine appréhension la journée à venir.

10

Gizmo réfléchissait tristement : Quelle ironie! Voilà que de nouveau il devenait un paria, sinon un objet de répugnance. Ce processus d'aliénation, qu'il connaissait bien, lui avait été épargné pendant près de quarante ans – depuis la traversée de la mer de Chine, en fait. Bizarre, qu'une créature aussi gentille que lui, qui s'adaptait si facilement, se trouve en butte à cette injustice du fait de sa propre espèce.

Dans des instants comme celui-ci, il en arrivait presque à détester Mogturmen, son créateur. Les erreurs génétiques faisaient que les Mogwais minoritaires, dont il était, lui, Gizmo, se trouvaient instantanément reconnus et haïs par ceux de la majorité. Physiquement, ils se ressemblaient beaucoup; les énormes différences étaient internes et concernaient le caractère, l'ambition, le désir de paix. Ces différences se trouvaient si profondément gravées dans la personnalité de chaque Mogwai qu'on ne pouvait ni les cacher ni les déguiser. A peine Le Rayé était-il né depuis une heure qu'il savait que Gizmo était l'un d'*eux*.

– Ainsi, lui dit-il avec froideur, nous sommes tombés sur l'un de ces éternels. Tu en es bien un, n'est-ce pas?

Inutile de répondre. Le Rayé connaissait la réponse, bien qu'il la demandât et qu'elle le rendît furieux.

– Ce n'est pas juste qu'on t'accorde une vie aussi longue alors que la nôtre est si brève, siffla-t-il en langage mogwai.

– C'est consécutif à un accident dans le processus de création de Mogturmen, répondit Gizmo d'une voix douce.

– Tu sais bien plus de choses que nous, également, accusa Le Rayé. Tu détiens plus de connaissances, tu vis plus longtemps. Pourquoi ne pas partager avec nous?

– Impossible.

– Et tu en es satisfait.

Gizmo haussa les épaules.

– Quel est le processus de reproduction? demanda Le Rayé. Tu nous as vus arriver. Tu dois en être au fait.

– Pourquoi veux-tu savoir?

– Nous voulons être plus nombreux. Si nous sommes condamnés à une vie éphémère, au moins pourrons-nous répandre l'espèce, nous réjouir de la compagnie de millions de congénères.

– Ce n'est pas une bonne idée, murmura Gizmo.

– Nous découvrirons le secret tôt ou tard, siffla Le Rayé.

– Je ne te le dirai pas, dit fermement Gizmo.

Le Rayé referma ses doigts en une sorte de poing et lui annonça froidement :

– Je voudrais te tuer, mais je ne peux pas. Quelque chose me retient.

– C'est l'un des sentiments que Mogturmen a pu mettre en nous, expliqua Gizmo. Nous sommes incapables de nous entre-tuer.

– Tu possèdes d'autres renseignements qu'il nous faut, poursuivit Le Rayé. Il existe quelque chose qui, à forte dose, peut nous tuer et, à faible dose, nous faire mal. Qu'est-ce que c'est?

– Tu le découvriras bien assez tôt.

– Chetz-wubba, grinça Le Rayé en mogwai. Pourquoi être si cachottier?

– C'est ma seule arme.

– Il y a autre chose que nous devons découvrir, insista Le Rayé. Nous pouvons devenir plus gros et plus puissants. Grâce à quoi?

– Je ne te le dirai pas.

– C'est idiot de conserver ce secret. Pourquoi ne pas l'utiliser au moins pour toi?

– Parce que je deviendrais alors un de ces Mogwais de la majorité, avec une vie brève et violente.

– Nous trouverons, répliqua Le Rayé. Intuitivement, nous savons qu'il s'agit de quelque chose de simple. Cela ne nous échappera pas longtemps.

– Peut-être plus longtemps que tu ne le crois. Toute ta vie, peut-être.

– Dis-le-nous et nous ne ferons pas de mal à tes amis, grinça Le Rayé.

– Non. En changeant, vous oublierez. J'ai déjà vu cela.

– Parfait. Montre-toi peu coopératif. Mais nous allons découvrir ce que nous avons besoin de savoir pour sortir de ces corps malingres et nous multiplier. Et alors...

Gizmo fit face au Rayé, furieux, lui retournant un regard bien décidé.

– Je crois que vous allez passer le reste de votre vie dans cette pièce, sous une surveillance attentive, dit-il calmement. Mon nouveau maître est un jeune homme possédant le sens des responsabilités. Il a assimilé la sagesse du Chinois et je doute fort qu'il vous laisse l'occasion de vous amuser lors de votre pernicieuse existence.

Gizmo ne croyait pas pleinement ce qu'il disait, mais cela lui parut assez convaincant.

– Oui, mais les autres, répliqua Le Rayé. Ils seront plus négligents, surtout maintenant que j'ai

appris à mes com
dans le choix de le
nouveau maître a mis
d'hier soir, ce qui aura
leurs gardes. Maintena
libres.

Gizmo soupira. Le Rayé a
son. Le temps jouait pour
Peut-être ces nouveaux Mogwa
en captivité avant d'avoir comm

Quelques heures plus tard, Le Ra nt,
se glissa dans la chambre de B veilla
Gizmo.

– Clorr est mort, dit-il simplement.

– Eh bien, vous n'êtes plus que quatre. Pourquoi cela paraît-il te rendre joyeux?

– C'est la façon dont il est mort. Depuis que nous sommes arrivés ici, j'ai ressenti une aversion instinctive pour la lumière occasionnelle à laquelle nous avons été exposés. Cet après-midi, quand la dame nous a laissés explorer la maison, Clorr est sorti dans la véranda de derrière et la porte s'est refermée sur lui. Avant qu'il puisse rentrer, la lumière du jour l'avait détruit. Nous connaissons donc maintenant un important secret pour conserver la vie, ce qui explique pourquoi cette pièce est si sombre.

– C'est vrai, soupira Gizmo.

– Mon intuition me souffle qu'il existe trois mystères. J'en ai déjà résolu un. Ensuite, il faut trouver comment nous reproduire. Et, troisièmement, comment devenir plus puissants. Tu es sûr de ne pas vouloir tout me dire, ce qui nous éviterait bien des ennuis à tous?

– J'en suis sûr, répliqua Gizmo.

– D'accord, dit Le Rayé, les yeux plissés. Nous trouverons tout seuls. Ce sera encore plus drôle. Et tu ne pourras que rester là, impuissant.

il se roula en boule et
ot, il dormait, mais Gizmo,
souvenirs et plein de craintes
ne trouva pas le repos pendant le
après-midi.

Vous êtes vraiment une pauvre cloche, dit Gerald à Billy avec un sourire, tandis que celui-ci préparait son tiroir de monnaie pour la journée.

Il ne se soucia guère de demander ce qu'il avait fait pour mériter cette épithète puisque, manifestement, Gerald allait le lui dire. Mais pourquoi Gerald avait-il attendu que Kate sorte pour commencer à le harceler? Curieux. D'ordinaire, il aimait bien se produire devant un public.

– Annoncez la fin de l'histoire, Ger, ça suffira, dit Billy, remarquant avec satisfaction que son tourmenteur sursautait toujours, furieux, lorsqu'il utilisait ce diminutif.

– D'accord. La fin de l'histoire c'est que vous êtes une cloche d'avoir posé un lapin à Kate.

– C'est ce qu'elle vous a dit?

– Pas exactement. J'étais chez Dorry hier soir sur le coup de onze heures. Kate s'y trouvait aussi et je lui ai demandé si elle voulait que je la raccompagne. Elle m'a dit qu'elle vous attendait. Heureusement, je suis un client entêté. Sans quoi, je me serais contenté de son « non merci » et je serais rentré chez moi. Mais pas Gerald Hopkins. Je suis resté à traîner et elle attendait... elle attendait... Et plus sa colère montait, plus gentiment je lui parlais. Finalement, elle m'a laissé la raccompagner.

– Eh bien, elle devait vraiment se trouver en rade, répliqua Billy.

– Quoi qu'il en soit, poursuivit Gerald, ignorant l'ironie, maintenant que nous avons rompu la glace, tout peut arriver. Et je vais m'y employer.

– Lorsque Kate reviendra, dit Billy tout souriant,

je pourrais peut-être lui dire que vous avez déjà commencé.

La réplique alluma un éclair de panique dans le regard de Gerald. Expression que suivit une lueur de ruse.

– Non, vous ne lui direz pas cela. Cela la blesserait et vous êtes trop cloche pour le faire.

– Méfiez-vous des animaux blessés, Ger, répliqua calmement Billy.

Kate revint peu après, mais du fait de la ruée des premiers clients, ils ne purent parler. (Non qu'elle parût d'ailleurs désireuse de le faire, se bornant à regarder les clients.) Puis, dans la matinée, le moral de Billy, déjà atteint, tomba encore plus bas à l'arrivée de Mme Deagle qui se fraya un passage jusqu'aux guichets pour atteindre, tout droit, celui de Billy. Après avoir silencieusement déposé son chèque et regardé Billy remplir un bordereau, elle lui adressa un sourire mauvais.

– J'ai pensé que tu serais intéressé d'apprendre que j'ai conçu un petit piège pour ton affreux chien, dit-elle.

– Un piège, madame Deagle?

– Rien d'aussi cruel qu'un piège à ours, dit-elle ironiquement. C'est illégal et je respecte la loi, même si ce n'est pas votre cas à toi et ton corniaud. Non, mon piège est bien plus subtil. Je crois qu'il ne se rendra même pas compte de ce qu'il lui arrive. Mais ne sois pas surpris s'il se met à agir comme... comme s'il était devenu fou, disons.

– Qu'est-ce que vous avez fait? demanda Billy.

– Tu le verras bien. Et je sais que ça va marcher parce que je me suis donné beaucoup de mal. Il n'a pas été si facile de trouver quelqu'un qui détestait les chiens autant que moi, notamment quelqu'un ayant inventé un aussi merveilleux moyen de les détruire – de l'intérieur.

– Je pourrais vous faire arrêter, dit Billy, furieux. En fait, madame Deagle...

Elle l'interrompit d'une exclamation de surprise assez puissante pour appeler l'attention de Gerald Hopkins et de M. Corben.

– Oh! mon Dieu, ajouta-t-elle, réprimant un sourire lorsqu'elle les vit prêts à voler à son secours.

– Qu'est-ce qui se passe? demanda Gerald.

– Ce jeune homme m'a accusée de vouloir encaisser un chèque sans provision, bégaya Mme Deagle, son mauvais cabotinage semblant manifestement prendre avec Gerald Hopkins. Il a menacé de me faire arrêter.

– C'est ce que vous avez dit, Peltzer? demanda Gerald d'un ton glacial.

Sans lui laisser l'occasion de répondre, Mme Deagle se retourna, s'adressant à un homme derrière elle :

– Ne l'avez-vous pas entendu dire qu'il aimerait me faire arrêter? lui souffla-t-elle.

L'homme, un habitant relativement récent de Kingston Falls, ne se montra guère impressionné par son ton impérieux.

– Il n'a pas dit qu'il aimerait, corrigea l'homme, mais qu'il pourrait.

– C'est déjà assez grave, intervint Gerald.

– Qu'a dit Mme Deagle? demanda M. Corben.

– Je ne sais pas, répondit l'homme, elle me tournait le dos et je n'ai entendu que la réponse de l'employé.

– J'exige des excuses, cracha Mme Deagle. En fait, j'exige que vous renvoyiez cet impudent voyou. D'ailleurs, il ne vaut rien pour votre banque.

M. Corben hésita. A en juger par son expression, on pouvait croire que même si Billy n'était pas coupable d'avoir injurié une cliente, ce serait peut-être là une bonne occasion de le congédier. Depuis plusieurs jours, le jeune Hopkins le harcelait, déni-

– Tu crois que c'est bien raisonnable? demanda-
elle. S'il s'enfuyait...
– Nous ne le laisserons pas s'échapper, lui assura
illy. Et puis, comment savoir ce que c'est si nous
s gardons bouclés tout le temps?
Un instant plus tard, ils se retrouvaient tous les
uatre dans la chambre de Billy où dans un coin,
oulés en boule, dormaient les quatre bestioles. Et,
deux mètres d'elles, bien éveillé, Gizmo.
– Tiens, Kate, dit Billy. Ça, c'est Gizmo, le plus
gentil. Tu veux le prendre?
– Euh!... dit-elle, hésitante. Oui, bien sûr.
Kate, tenant dans ses bras la douce créature qui
paraissait lui sourire, semblait tout à la fois enchantée et toute surprise. L'animal ne ressemblait à rien qu'elle ait jamais vu, dans la réalité ou dans un livre. Si l'on ajoutait à cela la fantastique histoire de leur reproduction, on s'expliquait son pincement au cœur.
– On devrait peut-être apporter Gizmo à M. Hanson, suggéra Pete.
Billy secoua la tête.
– Mais suppose que les autres soient différents, dit Pete, non sans logique. Tu ne les as pas vus se reproduire, non?
– Non.
– Eh bien, imagine qu'ils ne puissent pas.
– Alors, tant pis, répondit Billy. M. Hanson pourra examiner celui que nous lui apporterons et il nous dira s'il s'agit ou non d'une nouvelle espèce. Plus tard, s'il veut étudier la question de l'eau, nous lui amènerons Gizmo. Mais c'est mon préféré. Je ne veux pas risquer de lui faire du mal.
Cela dit, il tira doucement l'un des autres Mogwais de la masse des dormeurs, le déposa dans la boîte à chaussures qu'ils avaient décidé d'utiliser et referma le couvercle.
Sur le chemin du lycée, Billy regarda Kate qui

grant Peltzer et son travail chaque fois qu'il le pouvait.
– Elle l'a menacé de poser un piège à ours pour son chien, intervint Kate depuis le guichet voisin. J'ai tout entendu.
– Je n'ai rien dit de tel, répliqua Mme Deagle, horrifiée.
– Pourquoi aurais-je accepté le chèque, alors? demanda Billy, reprenant confiance. Est-ce que j'aurais fait cela si j'avais pensé que le chèque n'était pas bon?
M. Corben hocha la tête silencieusement et regarda Mme Deagle. Manifestement, le poids de la preuve pesait maintenant sur elle et non plus sur Billy.
– Je n'ai pas dit que je poserais un piège à ours, bégaya Mme Deagle, mais une autre sorte de piège. Je veux dire... (Suivit un long instant de silence. Puis Mme Deagle ramassa son reçu.) Peu importe, ajouta-t-elle. Si vous voulez conserver parmi votre personnel des employés impolis et stupides, c'est votre affaire.
La tête bien droite, elle sortit dignement de la banque.
Après que Gerald l'eut gratifié d'un regard courroucé et fut parti, Billy jeta un coup d'œil de remerciement vers Kate. Il lui sembla lire dans son regard : « A ton service, mais je l'ai fait dans le seul intérêt de la justice, pas pour toi. »
Néanmoins, à la fin de la journée, elle ne paraissait plus particulièrement hostile quand Billy la rejoignit alors qu'elle sortait de la banque. Du moins n'appela-t-elle pas un agent.
– Je voudrais t'expliquer ce qui s'est passé hier soir.
– C'est inutile, répondit-elle. Comme on me l'a beaucoup répété ces temps-ci, je m'inquiète un peu trop des projets immobiliers de Mme Deagle. C'est

idiot de ma part de penser que tout le monde s'en soucie autant que moi, notamment à une heure tardive, lorsqu'il fait bon chez soi.

– Mais je voulais venir te retrouver, protesta Billy. J'étais tout prêt. Et puis il s'est produit quelque chose de terrible.

– Tes parents vont bien, j'espère? demanda-t-elle, soudain plus inquiète que sceptique.

Il acquiesça de la tête et tenta d'expliquer, doucement :

– Tu vas penser que c'est l'excuse la plus idiote que tu aies jamais entendue, mais je te jure que tout est vrai.

– Vas-y, je t'écoute.

Aussi rapidement que possible, il lui raconta l'histoire des Mogwais, depuis l'arrivée de Gizmo chez lui jusqu'à la dernière farce des cinq nouveaux animaux. Elle l'écouta sans l'interrompre, intéressée mais impassible.

– Et voilà, finit-il. Ces Mogwais m'ont tellement empoisonné la vie que j'en ai perdu la notion du temps.

– Tu as raison, dit-elle avec un petit sourire. C'est *bien* l'excuse la plus idiote que j'aie jamais entendue.

– Mais c'est vrai! Je te jure!

– Ecoute, dit-elle, il n'y a pas de honte à s'endormir. Ça m'arrive tout le temps. Mais je dois avouer que lorsque j'ai un rendez-vous, j'y vais.

Tandis qu'il tentait désespérément de trouver un moyen de rendre son histoire plus plausible, Billy entendit une voix familière qui résolut le problème : Pete. Sans prêter attention à Kate, le gamin tira Billy par la manche et lui dit, quelque peu haletant :

– Viens. M. Hanson nous attend. Il va examiner un de ces animaux.

– Tu ne dois pas jouer les arbres de Noël?

– Ouais, mais papa m'a dit que ça pou dre.

– Veux-tu une preuve que je te dis demanda Billy à Kate.

– Si on était le 1er avril, je te répondrais n c'est d'accord, allons-y.

Ils sautèrent dans la Coccinelle de Billy, à la vie, et arrivèrent chez lui cinq minut tard. Lynn, qui les attendait à la porte, ac Billy avec une certaine tristesse au lieu habituel sourire.

– L'un d'eux est mort, annonça-t-elle.

– Pas Gizmo...

– Non, l'un des nouveaux.

Elle les conduisit dans la véranda, derriè maison, où ne demeurait du Mogwai mort q petit tas de fourrure rond et tout plat. On aurai un ballon de football dégonflé.

– Je suis sortie dans la véranda et j'ai dû referr la porte en le laissant dehors où il sera mort faim.

– Non, corrigea Billy. Le Chinois a dit que plein soleil les tuait.

– Je ne sais pas quoi en faire. Que fait-on de cadavres de Mogwais?

Billy haussa les épaules. Pete, accroupi près du minuscule cadavre, le poussa doucement avec l'extrémité d'un stylo à bille.

– On dirait qu'il se dessèche très vite, dit-il. Je parie que si on le laisse ici, il n'en restera qu'une petite boule de poils dans deux jours.

– Ne le touche pas, m'man, dit Billy. Du moins pas avant qu'on soit revenus de l'école. M. Hanson, mon ancien prof de sciences, va en examiner un. Nous en saurons peut-être davantage après.

Lynn n'en fut que trop heureuse. Elle se montra moins ravie de la décision de son fils d'en emporter un.

tenait la boîte sur ses genoux, les deux mains fermement posées dessus.

– Et alors? lui demanda-t-il. Tu crois toujours que je mentais à propos d'hier soir?

Elle secoua la tête et lui sourit, disant :

– Même si le passage concernant l'eau est de ton invention, c'est quand même une sacrée histoire.

Il y avait près de trois ans que Billy n'avait pas passé l'entrée principale de son ancien lycée. Maintenant, presque désert à l'exception de quelques profs et du personnel de service, il paraissait plus petit que dans son souvenir. Effectivement, les couloirs semblaient plus courts, les murs plus rapprochés. Une école tout entière pouvait-elle rétrécir? Il sourit, conscient que l'esprit pouvait facilement vous jouer de tels tours. Jetant un coup d'œil dans les classes qui auraient dû lui paraître familières mais ne l'étaient plus, Billy en ressentit une sorte de vide, comme si l'on avait gommé toute trace de son passage. Et on a probablement dû effacer les initiales que j'avais gravées sur ma table, dans toutes les salles d'étude, songea-t-il tristement.

Ils entrèrent dans la salle de sciences et Billy serra la main de son ancien professeur. Quelques instants plus tard, consultant sa montre et voyant que l'heure du dîner approchait, Roy Hanson décida de répondre aux questions des enfants aussi rapidement mais poliment que possible. Bien que d'accord pour examiner l'animal quand Pete lui en avait parlé, il n'avait pas vraiment écouté son histoire qui paraissait bizarre et décousue. Il s'agissait probablement d'un rat musqué, d'une musaraigne ou de quelque autre animal que Pete n'avait jamais vu autour de chez lui et, inspiré par le cours sur les « nouvelles espèces », peut-être avait-il cru découvrir quelque maillon manquant. Du moins Pete s'y intéressait-il et il ne fallait donc ni le décourager ni le rendre ridicule.

– D'accord, dit Roy. Voyons cela.

– Un instant, monsieur, l'interrompit Billy en levant la main alors que Hanson allait ouvrir la boîte. Il y a trop de lumière. Peut-être même assez pour le tuer en quelques minutes.

– Ça va comme cela? demanda le professeur en éteignant les plafonniers.

– Il vaudrait peut-être mieux tirer les rideaux pour plus de sûreté, insista Billy.

Ce que fit Hanson, se demandant s'il avait affaire à un monstre. Mais l'examen de la créature ne prendrait que quelques minutes, probablement moins de temps que celui qu'il consacrerait à voiler la lumière.

– Parfait, dit enfin Billy.

Hanson sourit, ouvrit la boîte et regarda à l'intérieur.

– Seigneur Dieu! dit-il doucement.

Jamais il n'avait vu pareil animal. Le saisissant doucement, il lui prit le pouls, incroyablement lent pour ce qui paraissait être un mammifère, et il caressa sa douce fourrure, légèrement différente de celle des autres animaux sauvages et domestiques qu'il connaissait.

– Je ne sais pas ce que c'est, avoua-t-il.

– C'est une nouvelle espèce, annonça Pete avec un grand sourire. Nous allons être riches, non? Dites-moi que nous allons être riches.

– Je ne peux te l'affirmer, répondit Hanson en souriant. Peut-être ne suis-je pas assez compétent. Je croyais connaître tous les animaux de cette planète, mais celui-ci est nouveau pour moi, c'est sûr. (Il se tourna vers Billy et demanda :) Où l'as-tu trouvé?

– Mon père... l'a ramené de Chinatown.

– Pas de certificats ou autres documents?

Billy fit non de la tête.
– Faites le truc avec l'eau! dit Pete.
– Quoi donc? demanda Hanson.
– Je vous l'ai raconté, rappela Pete. Ce machin fabrique un autre animal quand on le mouille avec de l'eau.
Roy se souvint vaguement du processus de reproduction de l'animal tel que Pete l'avait décrit, une histoire de gouttes d'eau. Mais cela lui avait paru, sur l'instant, une autre divagation du garçon. Désormais, il tendait à se montrer plus circonspect.
– Juste une goutte, dit Pete. Pas la peine d'en faire plus que nécessaire.
Hanson acquiesça, prit une pipette et la remplit à l'évier.
– Et une goutte d'eau qui roule, dit-il.
– Sur le dos, expliqua Billy, comprenant son hésitation.
Tenant le Mogwai d'une main, Roy laissa tomber une seule goutte d'eau sur le dos de l'animal. Un long moment s'écoula sans que rien se passe. Puis des crépitements se firent entendre tandis que la créature poussait des cris aigus. Kate, se couvrant le visage de ses mains, recula puis écarta doucement les doigts pour regarder le Mogwai se tordre. Un instant plus tard, tandis que le bruit de friture allait crescendo, apparut une énorme cloque, pareille à un abcès, sur la peau du Mogwai. Elle s'ouvrit progressivement et il en sortit une boule de fourrure qui tomba sur la table du labo.
Tous les quatre, ils entendirent le bruit diminuer d'intensité tandis que le Mogwai paraissait moins souffrir.
– Incroyable, murmura Roy.
La boule de fourrure grossissait, se transformant peu à peu en un modèle réduit de son géniteur.
– Incroyable! répéta Roy. On dirait que nous venons de nous fabriquer un miracle de Noël.

Une autre minute s'écoula tandis que tous les yeux demeuraient fixés sur le nouveau Mogwai qui grossissait toujours.

– Il va continuer à grossir jusqu'à devenir comme l'autre, dit Billy. Dans un instant.

– Ne t'inquiète pas, dit Roy en souriant. J'allais partir dîner quand vous êtes arrivés, mais je ne pense pas être près de manger, ce soir.

– Et ensuite? demanda Billy.

– J'aimerais faire quelques examens de sang. J'en tirerai peut-être des tas de renseignements. Pourquoi ne pas ramener l'ancien chez vous et me laisser le nouveau?

– D'accord, répondit Billy. Mais je vous en prie, n'en fabriquez pas d'autres.

– Tu peux y compter. Pas avant d'être sacrément sûr de ce que sont ces bébés.

Les trois jeunes gens prirent congé, discutant avec animation du phénomène jusqu'à leur arrivée près de chez Pete. Et soudain, Billy grimaça et se frappa le front.

– J'ai oublié de lui dire de ne pas lui donner à manger après minuit, dit-il, furieux contre lui-même.

– Ne t'inquiète pas, dit Pete. Je passerai après avoir terminé de jouer les arbres de Noël. Il ne sera que huit heures.

– Tu n'oublieras pas?

– Parole d'honneur, jura Pete, la main sur le cœur. Que je sois changé à jamais en arbre de Noël si j'oublie!

11

Et Pete oublia.

12

Pour Gizmo, la plus grande frustration de sa vie était de ne pouvoir communiquer avec les autres espèces. Forme de vie d'une haute intelligence, il comprenait souvent par intuition le sens général de ce que disaient les étrangers mais se faire comprendre d'eux, c'était une autre histoire.

Maintenant, alors que Billy et la jeune femme rentraient avec la boîte à chaussures, Gizmo eut le sentiment que les choses ne se passaient pas très bien. Une seule raison pouvait les avoir poussés à emporter le nouveau Mogwai : l'étudier. Il s'ensuivait qu'ils avaient procédé à sa reproduction au moyen de l'eau; en conséquence, logiquement, à l'instant où le spécimen de Mogwai aurait retrouvé ses amis, tous seraient au courant. Le Rayé saurait. Et désormais, une seule des connaissances dangereuses séparerait Gizmo, Billy et le reste de l'humanité d'une éventuelle catastrophe.

Voyant s'enfuir les instants de tranquillité tandis que Billy s'approchait du tas de boules de fourrure endormies, Gizmo voulut crier :

« Attends! Arrête! »

Mais oui, c'était bien cela! Si seulement il pouvait dire à Billy qu'à moins de tenir ces quatre Mogwais séparés les uns des autres et loin de l'eau, il risquait de devenir l'un des plus grands idiots de l'histoire du monde! Mais lorsque Gizmo ouvrit la bouche pour émettre un avertissement clair et direct, il n'en sortit qu'un baragouin.

– Ecoute, Kate, dit Billy en souriant et en ouvrant la boîte, Gizmo doit être jaloux.

D'une main, il alla caresser la tête de Gizmo tandis que de l'autre il laissait tomber le Mogwai au milieu de ses frères.

– Là, dit-il. Tu vois, Giz? Ils ne sont rien pour moi. C'est toi mon préféré.

– Il a l'air... triste, non? observa Kate.

– Ouais, un peu. Je crois qu'on ne peut lui en vouloir. Ces deux derniers jours ont été plutôt agités.

Ils sortirent quelques instants plus tard, laissant Gizmo observer la sombre conspiration qui se tramait. Cela commença par un rassemblement des quatre Mogwais, les uns contre les autres, leurs murmures constants ponctués de temps à autre par un grognement ou un cri de triomphe du Rayé. Ils se séparèrent enfin et, comme un seul homme, fixèrent Gizmo. A leur expression, il devina qu'ils se trouvaient sur le point d'acquérir de nouveaux pouvoirs et qu'il aurait intérêt à se tenir à l'écart quand cela se produirait.

Incontestablement, ils n'en étaient pas loin; et cependant, même le pessimiste Gizmo savait que cela ne se produirait pas automatiquement. Au cours de son existence, il avait vu avorter plusieurs dizaines d'explosions potentielles, par chance plus que par calcul, la plupart du temps. Mais ces échecs illustraient parfaitement le fait que tant que demeurait inconnu le dernier mystère, on pouvait contenir la catastrophe. Le Rayé, l'un des Mogwais majoritaires parmi les plus futés que Gizmo ait connus jusqu'alors, savait que la dernière étape était la plus importante.

Se plaçant face à ses congénères, il leur dit, en mogwai :

– Nous avons résolu deux problèmes. Nous savons que la lumière nous est nocive et il ne faut donc pas nous laisser piéger à son exposition. Nous savons que l'eau provoque notre reproduction. Il nous reste à savoir comment devenir puissants.

Gizmo regarda Le Rayé droit dans les yeux et lui demanda :

– Et alors? Pourquoi ne pas vous reproduire? Ces gens peuvent vous garder bouclés dans la maison mais il est stupide de croire qu'ils peuvent vous garder à l'abri de l'eau.

– Tu voudrais bien voir ça, hein? dit Le Rayé avec un sourire mauvais. En nous reproduisant maintenant, nous ne réussirions qu'à créer une armée de faibles créatures qu'on pourrait aisément éliminer. Tu as vu l'échec causé par une telle impatience dans le passé, n'est-ce pas?

Gizmo se permit un petit sourire. En fait, il avait toujours détesté voir une reproduction en nombre illimité pour la simple raison que cela accroissait mathématiquement les chances qu'ils puissent tomber sur la solution du dernier mystère. Il espérait, en conséquence, que Le Rayé et ses acolytes ne pourraient franchir ce pas tout de suite. Et le meilleur moyen pour cela était, bien sûr, de laisser croire au Rayé qu'il était favorable à la reproduction.

Et, songeait Gizmo, quel était le meilleur moyen de faire croire au Rayé qu'il n'était pas opposé à la reproduction? En lui disant le contraire? Non. (Car Le Rayé en rejetterait immédiatement l'idée, pensant qu'on voulait le tromper.) En fait, le meilleur moyen de convaincre son ennemi qu'il était en faveur de la reproduction était de feindre de l'en persuader.

Raisonnement alambiqué, mais avec l'esprit tortueux du Rayé, il fallait se montrer roublard.

– Selon un vieil adage, dit Gizmo, il faut saisir

l'occasion lorsqu'elle se présente, sans quoi on ne la retrouve pas.

– Tu crois donc que nous devrions nous multiplier maintenant? demanda Le Rayé, les yeux mi-clos.

– Je ne suis pas votre conseiller. Seulement, il me semble...

– Menteur! lança Le Rayé. Tu me prends pour un idiot? Tu crois vraiment que je vais me laisser avoir par une manœuvre psychologique aussi manifeste?

Gizmo, faisant appel à tous ses talents d'acteur, tenta de son mieux de jouer les innocents.

Le Rayé, furieux, arbora enfin un sourire de triomphe.

– Si toi, mon cher ennemi, tu nous conseilles de nous reproduire maintenant, cela ne peut signifier qu'une chose : c'est là ce que *tu* souhaites. Tu *sais* que je suis tenté de croire le *contraire* de ce que tu dis. Donc, si tu dis que tu es en faveur de la reproduction, c'est que tu le souhaites vraiment. (Le front plissé tandis qu'il suivait son raisonnement élaboré, il s'arrêta un instant puis se hâta de conclure :) Donc, puisque tu es en faveur de la reproduction, nous ne ferons pas cela.

Gizmo détourna le regard, se roula en boule et goûta un bref instant de victoire. Il savait, cependant, que ce n'était que provisoire, subordonné à l'humeur capricieuse du Rayé. Mais du moins cela lui laissait-il le temps de réfléchir.

Roy Hanson n'avait pas dormi depuis vingt-quatre heures, du fait de Pete Fountaine et de Billy Peltzer. Il avait des projets pour son premier Noël sensé depuis des années et voilà que *cela* arrivait. Une découverte biologique si renversante qu'il craignait de s'arrêter une minute de peur de perdre le fil de ses pensées. Le simple fait d'analyser le sang de la créature, chose ordinairement banale, lui avait pris un temps fou. Après avoir prélevé du sang deux bonnes douzaines de fois (ce qui lui avait valu une telle faveur auprès du Mogwai que l'animal se mettait à crier dès que Roy approchait), il en avait conclu que la composition du sang changeait avec la température ambiante et le degré d'humidité. Cela signifiait que la créature était théoriquement capable de vivre pratiquement sous tous les climats, et donnait à l'analyse de sang une importance monumentale. Et encore n'était-ce qu'une plaisanterie à côté de la découverte des conditions de reproduction de l'animal par l'intermédiaire d'une simple goutte d'eau.

– Ne t'inquiète pas, l'ami, dit-il en regardant le Mogwai hostile. Une fois résolu le problème de ton identité, tu vas m'adorer.

A quatre heures de l'après-midi, le lycée était pratiquement désert. Le lendemain devait être le dernier jour de classe et Roy disposerait donc de toutes les vacances de Noël pour étudier l'animal.

– Il me tardait de pouvoir consacrer mon temps à ma petite amie, dit-il au Mogwai. Mais je préfère rester avec toi pendant que tu es tout chaud.

Hanté par l'idée que les gosses pourraient parler du Mogwai à un reporter de la télé ou d'un journal et qu'il perdrait alors son avantage, Roy plancha sans relâche. Heureusement, il en avait l'habitude pour avoir à la fois travaillé et poursuivi ses études alors qu'il était à l'université. Il avait appris à dormir sur le tas, à penser sur le tas et à manger sur le tas. Conscient qu'il allait passer de longues heures au labo ce soir, il avait demandé à l'un de ses élèves d'aller lui chercher des sandwiches. Tandis qu'il en attaquait un, il remarqua que le Mogwai le regardait, paraissant affamé.

– Pourquoi pas? dit-il en souriant. Nous sommes

dans le coup tous les deux. Tiens, avale une bouchée.

Glissant un morceau de sandwich à travers les barreaux, il rit en voyant le Mogwai s'en saisir et l'avaler comme un vieil habitué de la restauration rapide.

– Bon, dit-il. L'heure est maintenant venue d'un nouveau coup d'aiguille dans l'intérêt de la science.

– Je sais bien que vous voilà tous absorbés dans l'intérêt de la science, mais ça ne m'aide pas à recueillir des signatures pour ma pétition.

Kate ne paraissait pas particulièrement perturbée, mais affectée cependant que Billy ne semble pas disposer de temps pour l'aider à contacter les habitants. Si elle comprenait son souci à propos des Mogwais, elle ne voulait pas renoncer pour autant à son but actuel : contrarier les projets immobiliers de Mme Deagle.

L'après-midi tirait à sa fin. Ils venaient de quitter la banque et, au bar de Dorry presque désert, seul Murray Futterman buvait un verre dans un coin. Billy et Kate l'avaient salué, en entrant, mais il ne paraissait pas d'humeur à faire la conversation et ils l'avaient laissé seul. Prenant une table aussi éloignée que possible des jeux vidéo, où des adolescents taillaient en pièces des envahisseurs, ils commandèrent des cafés et commencèrent à se détendre d'une rude journée à la banque.

– Je suis désolé, vraiment, expliqua Billy. Je n'aime pas beaucoup quitter la maison trop longtemps, c'est tout. Il se peut que m'man ne sache pas quoi faire si les Mogwais se sauvent. Sans cela, j'aurais fait du porte à porte avec ta pétition.

– Tu les gardes toujours dans ta chambre? demanda Kate.

– Oui, mais m'man les fait sortir de temps en

temps. Pas à l'extérieur de la maison, mais au rez-de-chaussée. Elle pense que ce n'est pas gentil de les garder tout le temps bouclés.

– Tu n'as pas peur qu'ils s'éclaboussent d'eau?

– Non. Il n'y a de fuite nulle part et nous gardons fermées la cuisine et les salles de bains. Oh, je crois que s'ils *savaient* qu'ils peuvent se reproduire ainsi et s'ils le voulaient, ils trouveraient bien un moyen. Mais ils sont très dociles et Barney les suit partout. S'il pense qu'ils vont faire quelque chose de mal, il aboiera pour prévenir.

– D'autres menaces de Mme Deagle? demanda Kate en souriant.

– Ouais. Elle a marmonné quelque chose dans sa barbe aujourd'hui – assez fort pour que je l'entende –, disant que Barney n'en avait plus pour longtemps.

– Qu'est-ce qu'elle a voulu dire? Tu crois qu'elle bluffe?

– Je ne sais pas. Ça ne m'étonnerait pas de sa part qu'elle paie quelqu'un pour empoisonner la pâtée de Barney.

Ils demeurèrent un instant silencieux, buvant leur café. Puis, sans lever les yeux, Kate murmura :

– Attention, le voilà. Avec un verre de trop dans le nez. Disons deux, ajouta Kate tandis que M. Futterman arrivait en titubant.

– Salut, les mômes, dit Futterman en tirant une chaise. (Posant sa main rude et calleuse sur le bras de Kate, il lui dit en souriant :) Je vais vous en dire une bien bonne. La plupart des gens vous demandent à quelle heure vous finissez le boulot. Moi, je veux savoir à quelle heure vous commencez.

– Pas dans le quart d'heure qui vient. Pourquoi?

– Pour m'écouter, répondit Futterman d'une voix épaisse. Dorry s'en fiche. Vous, vous écoutez. Un type vous fait part de ses problèmes et vous compatissez. Mais je peux pas attendre un quart d'heure.

– C'est bon, dit Kate en souriant. Je ne suis pas encore de service mais vous pouvez quand même raconter.

– C'est cet acariâtre... quoi que je fasse, ça marche pas.

– Il ne s'agit pas de votre femme? demanda Kate.

– Non, c'est ce sacré chasse-neige.

– Mais vous disiez qu'il marchait parfaitement, monsieur Futterman, observa Billy.

– Ouais, avant que je l'amène à la révision. Et là ils lui ont collé des pièces détachées étrangères. Tous les joints, les bougies... étrangers! Pas étonnant qu'il marche plus. C'est comme si on servait du chop suey à un repas de noces. Z'avez déjà vu quelqu'un servir du chop suey à un repas de noces?

Billy secoua la tête.

– Sûr que non! reprit Futterman. On sert de la bonne vieille cuisine américaine. Servez du chop suey aux invités et ils sont cuits pour le reste de la nuit. Pareil avec les voitures et les camions. Les pièces étrangères, c'est du chop suey. Du riz bouilli. Epais, gluant.

– On ne m'avait jamais présenté la chose comme ça, plaisanta Kate. Mais vous avez peut-être raison.

– Ils nous rendent la monnaie de notre pièce parce qu'on a gagné la guerre, dit Futterman, bredouillant un peu, mais catégorique. Ils mettent des Gremlins dans leur mécanique, les mêmes Gremlins qui descendaient nos appareils dans la grande dernière.

– La grande dernière? demanda Kate, perplexe.

– La Seconde Guerre mondiale, grinça Futterman. Vous savez, la suite de la Première?

Kate, tout comme Billy, se mit à rire.

– Peu importe, poursuivit Futterman. Ils nous expédient leurs Gremlins... dans leurs voitures, et leur stéréo, et maintenant dans les bougies de mon chasse-neige.

– Où se trouve le chasse-neige? demanda Kate.

– Au coin de la rue. Tombé en rade alors que je déblayais un parking. C'est ma seule panne aujourd'hui.

– Vous voulez que je vous dépose? proposa Kate.

– Non, merci, répondit Futterman en se levant laborieusement. Ma femme arrive. Elle doit être là-dehors maintenant. Merci de m'avoir écouté. J'en avais besoin.

– A votre service, lui répondit Kate en souriant. Pourquoi ne pas vous arrêter pour acheter du chop suey, en rentrant? Ça vous ferait du bien.

– Des clous, oui, dit Futterman, leur faisant un signe de la main.

– Tu t'en es gentiment tirée avec M. Futterman, remarqua Billy.

– J'ai l'habitude. Les gens sont presque tous les mêmes. Ils souhaitent seulement qu'on les écoute. Surtout à l'époque des fêtes.

– Pourquoi cela?

– Parce que beaucoup plongent dans la dépression, sous toute cette joie.

– Je pensais que tout le monde était heureux à l'époque de Noël, observa Billy, songeur.

– La plupart des gens, oui. Pas tous. Certains s'ouvrent les veines alors que d'autres ouvrent des paquets cadeaux.

– Quelle réjouissante pensée! grimaça Billy.

– C'est vrai. La courbe des suicides grimpe toujours pour les fêtes.

– Arrête, tu me déprimes.

– Désolée, mais c'est comme ça.

– Tu te sens déprimée pour Noël? demanda Billy, notant une certaine amertume dans sa voix.

– Je ne fête pas Noël, répondit-elle. En ce qui me concerne, ça n'existe pas.

– Pourquoi, tu es hindoue ou un truc comme ça?

– Non, je n'aime pas, c'est tout. Tu veux vraiment savoir pourquoi? demanda-t-elle d'un air de défi.

– Bien sûr, je crois que tout ce qui te concerne m'intéresse.

– Je ne sais pas pourquoi Noël est toujours si affreux pour moi, commença-t-elle, évitant son regard, l'air lointain. Ma grand-mère est morte à Noël... Je l'aimais beaucoup... J'ai été opérée de l'appendicite à Noël... Même mon chien, Snappy, s'est fait écraser un jour de Noël... mais le pire... mon Dieu! c'était horrible...

– Quoi? demanda Billy, impatient de savoir.

– C'était la veille de Noël, poursuivit lentement Kate, perdue dans ses pensées, j'avais six ans. M'man et moi nous décorions l'arbre... nous chantions des chants de Noël, heureuses, tout excitées, attendant le retour de papa. (Elle s'arrêta un instant et soupira.) Deux heures passèrent, puis d'autres encore. Papa ne rentrait pas. M'man a appelé son bureau... pas de réponse... Et puis l'heure de fermeture des magasins est passée. Alors, nous avons commencé à nous inquiéter...

Billy attendait, craignant la suite mais impatient de savoir.

– Nous sommes restées debout toute la nuit... il n'est pas rentré... Le jour de Noël nous a paru une éternité, et toujours rien... La police a commencé ses recherches. Une semaine, deux semaines s'écoulèrent. M'man frisait la dépression nerveuse, nous ne dormions pas, nous ne mangions pas... Et puis, en janvier, il s'est mis à neiger, un soir. J'ai allumé la cheminée... et j'ai remarqué l'odeur...

– Quelle odeur? murmura Billy.
– L'odeur... Les pompiers sont arrivés, ont cassé la cheminée sur le toit. Nous pensions qu'ils allaient en retirer un oiseau mort ou un chat... Ils en ont retiré mon père... habillé en père Noël. Il avait voulu descendre par la cheminée la veille de Noël, les bras chargés de cadeaux. Il voulait nous faire une surprise... mais il a glissé et s'est rompu le cou... il a dû mourir instantanément... Et son corps est resté là, dans la cheminée. C'est comme cela que j'ai appris que le père Noël n'existait pas et que j'ai désormais détesté cette fête.

Billy se sentit tout remué en remarquant ses yeux embués.

– C'est terrible, dit-il en lui prenant la main.

Kate renifla, sourit et pressa la main de Billy.

– C'est cela mon conte de Noël, dit-elle. Tu es l'une des rares personnes à qui je l'aie raconté et qui n'ont pas paru sceptiques. La plupart me regardent bizarrement et semblent même avoir envie de rire.

Apprenant qu'il était plus sensible que la moyenne, Billy se sentit revigoré. Et tout ému, aussi, d'en savoir davantage sur Kate qui ne se montrait pas prolixe de détails sur elle-même et sa famille.

– Je suis sincèrement désolé, dit-il. J'ai l'impression d'être vraiment le paumé falot dont parle sans cesse Gerald.

– Non, pas du tout, dit Kate en riant. Tu t'intéresses à ce que ressentent les autres, c'est tout. Si c'est cela, être un paumé, j'en veux bien un tous les jours.

– Et un paumé qui marche, un! dit Billy.

Le Rayé réfléchissait. Suivi partout dans la maison par le gros chien à l'air triste, il décida d'y porter remède par des mesures radicales. Il fallait se débarrasser de ce balourd. Voilà pour l'aspect pratique. Le côté amusant de l'affaire serait de se liguer contre Barney et d'affûter en même temps l'habileté de tous.

Rassemblant les autres Mogwais, il dressa les grandes lignes d'un plan d'action, immédiatement exécutoire. Comme prévu, les autres se montrèrent joyeusement enthousiastes.

– Dès que la femme sortira pour prendre le café chez la voisine, nous attaquerons ensemble, dit Le Rayé. Jusque-là, nous attaquerons individuellement avec ça. (Il fit circuler de longues aiguilles découvertes dans le panier à couture de Mme Peltzer.) Vous trouverez aussi, dans la poubelle sous l'évier, de la nourriture que le chien n'a pas mangée. Vous deux, vous mâcherez cela pour en faire une pâte et vous en collerez partout, pour qu'on croie qu'il a vomi.

A peine le repas terminé, Lynn commença à observer, chez Barney, un comportement bizarre. Il faisait entendre de temps à autre un cri plaintif sans cause logique. Elle avait lâché les Mogwais mais il ne semblait pas que l'un d'eux fît du mal à Barney.

L'incident le plus grave se produisit vers deux heures. Barney se mit à pousser plusieurs jappements puis arriva en courant dans la salle de séjour, le museau barbouillé des restes de son repas du matin.

– Qu'est-ce que tu as fait? lui demanda Lynn, d'un ton accusateur.

En suivant les traces dans le couloir, elle n'eut aucun mal à découvrir l'énorme flaque de vomissure dégoulinant sur la tapisserie. Sa tapisserie toute neuve.

– Qu'est-ce qui se passe? cria-t-elle à Barney. Tu ne peux pas vomir par terre comme tous les chiens? Pourquoi ai-je, moi, un chien qui vomit sur les murs?

Chassant Barney, elle se mit à nettoyer. Le Rayé en profita pour féliciter sa horde. Les Mogwais, se tenant par les épaules, complotèrent un nouveau plan sous la direction du Rayé.

En observant les quatre Mogwais, on aurait pu croire à un ballet tant était parfaite la coordination des mouvements. Tandis que deux d'entre eux occupaient Barney, à bonne distance, un troisième grimpait sur une chaise et, d'un large mouvement, taillait dans le gâteau que Mme Peltzer était en train de glacer. Puis, s'approchant de Barney, Le Rayé fit bruyamment choir une chaise à côté de lui. A ce signal, les deux Mogwais flanquant Barney le feintèrent, le chien ne pouvant que déraper dans un bruit de griffes sur le sol carrelé.

– Qu'est-ce qui se passe ici? demanda Lynn.

Au moment où Barney se tournait vers la voix de Lynn, le Mogwai qui tenait le morceau de gâteau glacé le laissa tomber en plein sur le museau du chien. Gloussant en silence, les quatre bestioles sortirent de la cuisine de toute la vitesse de leurs pattes.

Lorsque Lynn entra dans la cuisine, le tableau lui parut éloquent : son gâteau abîmé, Barney les babines encore pleines de pâte et de glaçage et personne d'autre dans les environs.

– Qu'est-ce qui te prend? cria-t-elle.

Jetant le gâteau à la poubelle, elle chassa Barney au sous-sol mais prit soin de ne pas l'enfermer. Ainsi, il méditerait une heure ou deux sur sa faute. Peut-être, après tout, ce comportement bizarre était-il imputable à un virus ou à quelque aberration passagère. Les chiens, et même les Mogwais, n'étaient sans doute pas tellement différents des humains.

Une heure plus tard, alors que Lynn se trouvait chez sa voisine, Le Rayé amena ses troupes jusqu'à l'arbre de Noël gaiement décoré, dans la salle de séjour. Promptement, trois d'entre eux se mirent à dérouler plusieurs rangées d'ampoules tandis que le quatrième empoignait des bouts de guirlande et autres objets de décoration plus petits. Puis, poussant tous en chœur, ils renversèrent l'arbre et le traînèrent çà et là à travers la pièce, laissant dans leur sillage des débris de verre et des rameaux brisés.

– Vite, maintenant, ordonna Le Rayé, les conduisant à la porte du sous-sol, légèrement entrebâillée.

Les quatre Mogwais dégringolèrent les escaliers, traînant toujours leurs ampoules et guirlandes. Barney, blotti dans un coin près de la chaudière, bondit sur ses pattes, ses yeux lançant des éclairs. Se déployant, les Mogwais, pareils à des gladiateurs romains armés de filets et de tridents, s'approchèrent du chien qui grondait et montrait les dents. Barney, craignant de leur faire mal, ne pouvait que tenter de les éviter. Un bref instant, tournant comme une toupie ou un chien fou après sa queue, il parvint à se débarrasser des cordons d'ampoules presque aussi vite qu'on les lui posait sur le dos. Puis, se produisit un accroc; l'une des guirlandes lumineuses se prit sous son oreille tandis qu'une autre lui entourait les pattes. Et les Mogwais, pendant ce temps, faisaient un barrage de leurs coups d'épingle. Bientôt, Barney se débattait sur le sol, complètement et désespérément empêtré dans les fils électriques. Le Rayé, par une double boucle, s'assura que jamais le chien ne pourrait se dépêtrer sans assistance extérieure.

– Maintenant, allons-y, gloussa Le Rayé. On grimpe dans la chambre de Billy et on dort.

Rand Peltzer, qui avait cessé de travailler plus tôt cet après-midi pour dormir quelques heures avant une tournée, rentra chez lui dans le même temps que Lynn y revenait par la porte de derrière.

Elle entendit, simultanément, le cri de son mari et le bruit des efforts de Barney au sous-sol. Par la porte ouverte, elle aperçut le chien sur l'avant-dernière marche, les pattes de devant jointes comme en une prière, les yeux fous, les dents découvertes pour tenter de se libérer du fil électrique des guirlandes qui l'entravait.

– Qu'est-ce qui s'est passé, bon sang? demanda Rand.

Tandis que son mari se précipitait dans la cuisine, Lynn vit l'arbre de Noël qui gisait dans la salle de séjour. Rassemblant les pièces du sinistre puzzle, chacun de son côté, Rand et Lynn hochèrent la tête en même temps.

Lynn aida à tirer dans la cuisine le chien qui se débattait toujours et le libéra de ses liens. Rand ôta du corps de Barney divers débris de guirlande argentée, tout en marmonnant dans sa barbe.

– Comment as-tu réussi à te ficeler ainsi? demanda Lynn en hochant la tête.

– Il a dû devenir fou, dit Rand.

Lynn lui décrivait le comportement fantasque de Barney au cours de toute la journée quand Billy entra. Lorsqu'il entendit parler de jappements, de vomissements, de vol de gâteau et d'attaque de kamikaze contre l'arbre de Noël, l'inquiétude, dans ses yeux, se changea en quelque chose de voisin de la panique.

Rand, cherchant une explication sensée, dit :

– Il veut peut-être tout simplement que nous nous occupions moins des Mogwais. La jalousie, quoi. En fait, je ne serais pas surpris que ces petits diables l'aient excité.

– Non, murmura Lynn. Ils ne l'embêteraient pas. Ils ont dormi là-haut la plus grande partie de la journée.

– Alors, c'est Mme Deagle, trancha Billy. Ce ne peut être qu'elle.

– Mme Deagle? demanda Lynn.

– C'est idiot, murmura Rand. Pourquoi ferait-elle ça?

– Parce que Barney, en passant près de son bonhomme de neige en céramique, en a fait tomber la tête. Elle ne tenait plus, mais peu importe à Mme Deagle. Il faut qu'elle haïsse les gens et les animaux.

– Allons, Billy, nous ne pouvons accuser personne, pas même Mme Deagle, dit Lynn.

– Mais elle a menacé Barney. Kate l'a entendue.

– Ce n'est pas une preuve suffisante, fiston, dit Rand. Il n'y a même pas d'autres traces de pas dans la neige autour de la maison.

– Peu importe, répondit Billy. Elle possède assez d'argent pour payer un vrai professionnel. Il paraît qu'il existe des gens pour ça – qu'on paie pour qu'ils droguent ou empoisonnent les animaux.

– Je ferais peut-être bien d'emmener Barney chez ta mère, dit Rand en regardant Lynn. C'est sur la route du centre commercial de Millersville où je dois passer. Je pourrais le laisser et le ramener pour Noël.

– Oui, je me sentirais plus rassuré, p'pa, approuva Billy.

Rand caressa la tête de Barney, s'étira, commença à déboutonner son tricot et sortit de la cuisine, Barney sur ses talons.

– Ne t'inquiète pas, dit Lynn, en posant la main sur le bras de Billy. Je suis sûre que ce n'est qu'une crise passagère. Ça arrive aux gens, également, et ils redeviennent parfaitement normaux ensuite. Pourquoi pas aux animaux?

Billy hocha la tête. Sa mère avait probablement raison, mais il se sentait tout de même plus rassuré de savoir Barney hors de la maison.

– D'où sortent-ils? Comment sont-ils arrivés ici?

Sur l'écran, un groupe d'acteurs contemplaient le mystérieux objet en forme de cosse, leurs visages reflétant la crainte et l'incrédulité alors que se déroulait un classique des films d'horreur remontant à 1956, *La nuit des profanateurs*. Le film étant l'un des favoris de Billy dans le genre – il l'avait vu quatre fois –, il ne regardait l'écran que par intermittence, notamment lorsqu'apparaissait la splendide et svelte Dana Wynter. Le reste du temps, il se contentait d'écouter, plongé dans ses travaux artistiques.

Le film, qui avait débuté à onze heures du soir, commençait à peine que les quatre Mogwais sortirent de leur long sommeil et se mirent à grogner, réclamant à manger. Billy leur lança une poignée de bonbons au chocolat qu'ils avalèrent en quelques secondes, papier compris. Un instant plus tard, ils recommençaient à quémander bruyamment.

Billy regarda la pendule : 23 h 30. Il avait le temps de leur donner à manger avant minuit mais il avait la flemme de se lever.

– Laissez tomber, les gars. Vous avez eu un bon dîner, il y a à peine quelques heures. Retournez dormir et je m'occuperai de vous demain matin.

Sa répugnance à se lever provoqua un nouveau concert de protestations, mais quelques instants plus tard les Mogwais se calmèrent, apparemment convaincus.

Roy Hanson regarda sa montre et soupira. Il était près de minuit et il ne parvenait toujours pas à identifier un certain nombre de composants du sang du Mogwai. Et, tout comme son sujet, il se sentait d'humeur maussade et épuisé. Hanson par la frustration et le Mogwai par les ennuyeuses prises de sang.

– Aucun doute, murmura Hanson à la créature qui le regardait, blottie dans un coin de sa cage. On se tape mutuellement sur les nerfs. Il est peut-être l'heure de s'arrêter.

Il relut ses notes encore une fois et en conclut que le matériel de labo à sa disposition n'était pas suffisant. Demain ou après-demain – ou quand le permettraient les fêtes de Noël –, il emmènerait le Mogwai dans un laboratoire plus important pour d'autres examens. En l'état actuel des choses, tout autre prélèvement de sang ne servait à rien.

Il sentit son estomac tiraillé par la faim.

– Ouais. Voilà encore une bonne raison pour s'arrêter, murmura-t-il. Je meurs de faim.

Pendant quatre ou cinq heures d'affilée, pensant être sur le point de faire une découverte, il n'avait rien mangé après avoir déballé un sandwich à la viande et au fromage. Son estomac réclamant toujours, il regarda le sandwich, partagé entre la faim et le dégoût. Le pain avait commencé à rassir et la tranche de fromage à se dessécher. Il souleva la tranche de pain supérieure, découvrant une feuille de laitue toute flasque et virant au marron, et une sauce d'un blanc jaunâtre (il avait pourtant précisé : pas de mayonnaise) qui poissait des tranches de viande maintenant tièdes.

– Non, merci, grommela-t-il en laissant tomber le sandwich dans son sac de papier. Je préférerais un vrai repas.

L'odeur de la nourriture, bien que peu appétissante, provoqua une vive agitation du Mogwai dans sa cage. Geignant de plus en plus fort, il empoigna les barreaux comme un détenu furieux, dans une prison, faisant des bonds et manifestant par des cris tantôt plaintifs, tantôt irrités.

– Hé! dit Hanson avec un regard de compassion à l'animal. Si ça te tente, vas-y, mais je ne t'en garantis pas la fraîcheur.

Et il glissa le sandwich, ainsi que le papier, à travers les barreaux de la cage.

En quittant le labo, il entendit le Mogwai attaquer le sandwich avec une manifeste et joyeuse gloutonnerie.

Le Rayé avait faim. Peut-être plus que les autres, encore. Tandis que ses congénères dormaient paisiblement, il réfléchissait, immobile, les yeux clos.

Le chien parti – il l'avait entendu aboyer, une heure plus tôt, tandis que Rand le faisait grimper dans sa voiture –, leurs chances diminuaient. Si l'homme demeurait absent un moment, elles diminueraient davantage encore. Comment sortir de la maison, se demandait-il, si personne ne laissait imprudemment une porte ouverte? Le poids de leur faible nombre serait-il suffisant? Il ne fallait pas plus compter là-dessus que sur une porte ou une fenêtre laissée ouverte par inadvertance.

Si seulement nous pouvions grossir! pensa-t-il.

Il savait qu'il existait un moyen. Il ignorait *comment* il le savait, ou comment cela pouvait se produire, mais son instinct se manifestait, puissant; un instinct qui lui disait d'attendre, mais pas trop. Deux jours peut-être, pas plus.

En attendant, il avait toujours faim et se sentait furieux que celui que Gizmo appelait son « maître » fût trop paresseux pour descendre et leur remonter quelque chose de la cuisine. Ils avaient tenté de l'ébranler par leurs supplications et leurs menaces, mais rien à faire. Que faire d'autre pour le persuader?

Le jeune homme semblait absorbé par la boîte lumineuse dans laquelle s'agitaient des hommes plus petits. Cet appareil, comme tant d'autres dans la maison, paraissait fonctionner grâce à un fil fiché dans le mur. Le Rayé se souvint qu'en observant l'arbre de Noël avant de jouer tous ces tours au chien, il avait arraché le fil du mur, ce qui avait provoqué l'extinction des lumières. Cette boîte marchait-elle de la même façon?

Il fit le tour de la pièce du regard, vit le cordon noir de la boîte qui disparaissait sous le lit de Billy. A quelques mètres de là, le même cordon (ou un autre cordon qui lui ressemblait fort) était fiché dans le mur. S'il retirait la prise, cela attirerait certainement l'attention du jeune homme. Et, une fois dérangé, peut-être aurait-il le bon goût d'aller leur chercher quelque chose à manger.

Cette stratégie bien mûrie, Le Rayé se détacha du groupe, se rapprocha doucement du cordon, le saisit et tendit l'oreille vers la télévision.

– Miles! criait Dana Wynter.

Suivit un long instant de silence.

Le Rayé, jurant en lui-même, attendit. Le jeune homme avait-il baissé le son? Ou s'agissait-il simplement d'une pause dramatique dans l'action?

– Miles! répéta Dana Wynter.

Et, de nouveau, le silence.

Je ne vais pas attendre toute la vie, se dit Le Rayé qui arracha la prise du mur et rejoignit le groupe aussi vite que possible.

Il s'écoula près d'une minute puis le dialogue reprit, indiquant que la boîte marchait toujours. Le Rayé grinça des dents, se roula en boule et tenta de dormir. Les tiraillements de son estomac l'en empêchant, il décida de se livrer à un nouvel essai de persuasion. Réveillant ses acolytes, il leur dit de le laisser faire et entama le concert de jérémiades menaçantes. Bientôt, Billy reportait son attention de l'écran sur les animaux.

– Eh bien, vous êtes terribles, dit-il.

Se souvenant que, lui aussi, avait parfois eu très faim, il regarda la pendule près de son bureau, qui marquait 23 h 40.

– D'accord, dit-il en se levant et en éteignant la télé. Mais il faudra faire vite.

En un instant, il descendit à la cuisine et en ramena quelques restes. Les Mogwais dévorèrent tout si rapidement que Billy ne se soucia guère de regarder l'heure. En faisant une boule du gros morceau de papier dans lequel il avait mis la nourriture, il se rendit soudain compte qu'il avait oublié Gizmo, mais il se sentait trop las pour se montrer de nouveau charitable.

Et puis il dort, de toute façon, se dit Billy qui éteignit et s'écroula littéralement sur le lit.

Il se réveilla après une nuit sans rêve, voyant apparaître les premières lueurs de l'aube à travers les stores baissés de sa chambre. Instinctivement, il regarda la pendule : 23 h 40.

Une sonnerie d'alarme se mit à retentir en lui.

Et puis cette voix, presque humaine, mais pas tout à fait.

Onze heures quarante.

Ya-ta-ta- ya-ta-ta... Un vieux film se déroulant dans une prison, une cour pleine d'hommes qui criaient : ya-ta-ta, ya-ta-ta. Et une seule voix maintenant, une voix de fausset qui faisait ya-ta-ta.

Onze heures quarante.

Billy s'assit brusquement dans son lit. Se couvrant les yeux de ses mains, il attendit que son esprit distingue le rêve de la réalité. Soufflant doucement, il regarda la pendule.

Les aiguilles n'avaient pas bougé. Non, impossible... il n'avait pas dormi aussi longtemps...

Tandis que l'idée se précisait lentement dans son esprit, son regard tomba sur le sol, suivant le cordon d'alimentation de la pendule électrique qui disparaissait, ressortait à côté de la plinthe où...

Où on l'avait retiré de sa prise.

Ya-ta-ta, ya-ta-ta. La voix se faisait plus familière

maintenant, la voix d'une créature intelligente essayant d'articuler des mots, la bouche farouchement tordue, les yeux exorbités, gesticulant de ses petites pattes recouvertes de fourrure.

– Giz! Ça va?

Billy, s'asseyant au bord du lit, chercha ses pantoufles. C'est alors qu'il aperçut les quatre choses bizarres dans la pièce.

Gizmo émit un son, ni cri, ni malédiction, ni mot précis; si soudain et si brutal que Billy en sursauta, tout son corps frissonnant : un choc unique, violent, qui le fit se recroqueviller en position quasi fœtale. Le choc passé, il s'aperçut qu'il masquait ses yeux de ses mains, fermement.

Doucement, le jacassement de Gizmo s'insinua dans la sécurité trompeuse de l'obscurité. Baissant les mains, Billy se prépara à regarder plus longuement les quatre objets bizarres en face de lui.

13

D'ordinaire, Pete Fountaine ne se trouvait pas une seule raison d'être heureux. A treize ans, bien sûr, il considérait comme acquis le fait d'être en bonne santé et de manger à sa faim, se moquant de ses parents lorsque, chaque jour, ils en remerciaient le Seigneur. Non, Pete souhaitait des motifs plus extraordinaires et plus immédiats de bonheur. Et aujourd'hui, il n'en avait pas un ou deux, mais trois.

D'abord, c'était le dernier jour de classe jusqu'à la fin de l'année. Ce qui signifiait pas de devoirs, pas de cours barbants et la grasse matinée tous les jours. Ensuite, c'était son dernier jour à jouer les arbres de Noël, une tâche qui l'avait amusé lorsqu'il avait huit ans mais que, désormais, il jugeait ennuyeuse et commençait à redouter dès septembre.

Cela signifiait qu'après ce soir il connaîtrait neuf mois de tranquillité.

Enfin et surtout, il avait appelé Mary Ann Fabrizio la veille et jeté les bases d'un premier rendez-vous. Certes, il n'avait pas vraiment proposé de date ni de sortie précises, mais plus d'une fois il s'était trouvé tout près de le faire et elle avait paru intéressée. Maintenant, presque douze heures après, en se rendant à l'école, il se rappelait de longs passages de leur longue conversation. En repassant tout cela dans son esprit, il se trouva tout déçu de constater qu'il avait raté quelques excellentes occasions de plaisanteries, de suaves observations et d'idées de sorties. Et alors? Il suffisait de se repasser la bande-son tout en marchant et d'y ajouter les commentaires appropriés, intelligents, spirituels, audacieux. Et, pendant qu'il y était, pourquoi ne pas ajouter quelques répliques de Mary Ann, exprimant son étonnement de n'avoir pas remarqué plus tôt un aussi brillant garçon?

Complètement plongé dans son dialogue imaginaire, Pete n'entendit pas le bruit de pas derrière lui. Il ne revint sur terre que lorsqu'une troisième voix se glissa dans son scénario.

– J'espère que je ne m'immisce pas dans une conversation privée, dit la voix.

C'était M. Hanson; les yeux rouges et la démarche moins alerte que d'ordinaire, remarqua Pete.

– Bonjour, dit-il, embarrassé à double titre.

D'abord, M. Hanson l'avait entendu, ce qui était assez gênant. Ensuite, le fait de se retrouver côte à côte avec un prof dans la rue allait sans doute lui valoir quelques quolibets de ses camarades de classe. Mais que faire à part se montrer impoli ou piquer un sprint?

– Je repassais mon rôle d'arbre de Noël, expliqua-t-il, satisfait d'avoir trouvé aussi rapidement une justification. Tous les ans, je me déguise en arbre de Noël et j'aide mon père à en vendre.

– Ah oui, dit Hanson en souriant. Je crois t'avoir aperçu, encore que j'ignorais qui se cachait sous les décorations. Et tu brillais comme le nez d'un poivrot!

– Oui, m'sieur, dit Pete, se forçant à rire et se demandant combien de fois il avait entendu cette plaisanterie inspirée par les illuminations et les guirlandes.

– Des nouvelles de Billy? demanda Hanson. Il

doit être curieux de savoir ce que j'ai découvert concernant le petit animal qu'il m'a confié.

– Oui, m'sieur. Il a dit, hier soir, qu'il vous appellerait après Noël.

– Il faudra peut-être plus longtemps pour résoudre ce mystère biologique. Ces petites boules de fourrure peuvent paraître toutes simples, mais pour le moment, impossible de les ranger dans une catégorie. On dirait des mammifères et elles se comportent parfois comme des reptiles, mais ce n'en est pas non plus. Du moins pas au plein sens du terme.

– Est-ce qu'il a grossi? demanda Pete.

– Je n'ai pas remarqué. Pourquoi ne pas venir te rendre compte par toi-même?

Pete acquiesça, ne voyant pas bien comment refuser. Et puis, il était curieux de revoir le Mogwai. Dans la classe de M. Hanson, à l'abri des regards des autres élèves, Pete se sentit soulagé. Dans la chaleur du chauffage central de l'école, il retira ses gants, commença à déboutonner son manteau et suivit M. Hanson qui, traversant la classe, se rendait dans le labo adjacent.

– Seigneur!

Le champ de vision de Pete se trouva soudain masqué par le dos et les larges épaules de Hanson qui, après quelques pas dans le labo, avait reculé, comme frappé par un objet volant.

– Qu'est-ce que...? s'entendit dire Pete tandis qu'il se protégeait de ses mains.

Recouvrant rapidement son équilibre, Hanson assura celui de Pete en le prenant par les épaules puis se retourna et se précipita dans le labo, vers un objet vert, dans le coin opposé.

Pete le suivit.

De loin, la chose ressemblait à une pastèque visqueuse, plus sphérique qu'ovale, la peau recouverte d'une sorte de pâte gluante et veinée. Plusieurs morceaux du grillage de la cage – dans laquelle on l'avait manifestement enfermée – étaient cassés ou tordus vers l'extérieur sous la poussée de la lourde masse pulpeuse. Un léger bruit, comparable à une aspiration de salive entre les dents, émanait de la chose, comme une manifestation de douleur de sa peau externe qui, sous les yeux de Pete et de Hanson, changeait de forme et de consistance.

– Ouah! suffoqua Pete. Est-ce que ce truc était le petit animal? Quand est-ce arrivé?

– La nuit dernière, murmura Hanson.

Tout en parlant, il prit une pince parmi les outils d'un tiroir et découpa ce qui restait du grillage de la cage.

– Vous le libérez? demanda Pete en cherchant des yeux la sortie la plus proche. Moi, je ferais pas ça.

– Je ne veux pas que le grillage l'abîme ou le détruise, répondit calmement Hanson. Je crois qu'il n'y a pas de danger. Il se trouve au stade de la chrysalide, en quelque sorte.

Fasciné par la hideuse plante, Pete ne put se retenir d'étendre la main et de la toucher. Il retira aussitôt son doigt et regarda la substance gluante qui y était restée collée.

– Beurrk! dit-il.

En voyant Pete qui s'apprêtait à s'essuyer sur son pantalon, Hanson lui tendit un vieux chiffon.

– Tiens, prends ça, dit-il.

– Merci. Bon sang, ce que ça colle, observa Pete, heureux de ne pas avoir utilisé son pantalon.

Il regarda M. Hanson faire le tour de la boule gluante, l'étudiant sous tous les angles.

– Comment avez-vous appelé ça? demanda-t-il.

– La phase de la chrysalide. Ou pupale. Du latin *pupus* qui signifie garçon. Le stade pupal est la période passive du développement d'un insecte, qui suit celui de la larve et précède le stade adulte. Ça passe par un stade à l'intérieur.

– Comme ma mère? demanda Pete en souriant, plus du tout effrayé maintenant que ce bref contact l'avait familiarisé avec la chose.

– Non, c'est différent, expliqua Hanson, souriant aussi. C'est ce qu'on appelle une métamorphose. Un changement de forme... d'aspect.

– Ouais, comme ma mère.

Hanson jetait des notes sur un bloc quand il laissa tomber son crayon et fit claquer ses doigts. Il demanda, d'une voix inquiète :

– Billy; tu connais son numéro de téléphone?

– Bien sûr, pourquoi?

– Parce que je viens de songer que si nous possédons une de ces choses qui nous fait froid dans le dos, lui doit en avoir quatre.

Sans cesse revenait à l'esprit de Billy le passage de *La Nuit des profanateurs* où quelqu'un demandait : « D'où sortent-ils? »

Il fixait toujours les quatre pustules qui gargouillaient faiblement, se demandant s'il allait tenter de se glisser doucement au milieu d'elles vers la porte ou y foncer en courant, quand le téléphone sonna. Presque soulagé de cette interruption, il décrocha le récepteur tandis que l'appareil tombait bruyamment à terre.

– Allô! Billy Peltzer? Ici Roy Hanson. Il s'est passé quelque chose ici, dans le labo.

– Oui, ici aussi.

– Tes quatre Mogwais se sont changés en chrysalides?

– Je ne sais pas comment on appelle ça...

Hanson lui brossa un rapide tableau de la masse qui se trouvait devant lui et Billy lui confirma qu'il en avait bien quatre de même nature.

– Ils doivent entrer en métamorphose après un

certain temps, déclara Hanson. Pour moi, c'est la seule explication de ce à quoi nous assistons.

– Avez-vous donné à manger au vôtre après minuit? demanda Billy.

– Oui, maintenant que tu me le dis. Quelque chose d'insolite à ce propos?

– Pete ne vous a pas fait la commission? Le Chinois nous avait prévenus qu'il ne fallait pas les nourrir après minuit, expliqua Billy. Pete devait vous le dire, mais je suppose qu'il a oublié.

– Tu as donné à manger aux tiens? demanda Hanson.

– Oui, m'sieur. A la suite d'une erreur. On a débranché la prise de ma pendule électrique. C'est peut-être eux. J'ai cru qu'il n'était qu'onze heures et demie et je leur ai donné à manger. Mais pas à Gizmo. Et maintenant, Gizmo n'a pas changé tandis que les quatre autres, ici, paraissent prêts à exploser ou à attaquer.

– Je serais très surpris que cela se produise, assura Hanson. Ils font peut-être un peu de bruit, mais cela fait partie du processus de l'éclosion. Dans un jour ou deux, ils vont probablement donner une forme de vie inconnue.

– Il me tarde que cela se produise, grommela Billy. Quand cela arrivera-t-il?

– Aucune idée.

– Est-ce que je peux aller travailler et les laisser? Je vais avoir beaucoup de boulot aujourd'hui, mais je ne veux pas laisser ma mère toute seule s'il y a du danger.

– Je suis sûr que nous avons le temps, répondit Hanson. Mais montre-lui ce qui s'est passé pour qu'elle s'enfuie si ces cocons produisaient quelque chose d'horrible. Et garde-les enfermés dans un endroit d'où ils ne pourront pas sortir.

– Je ne vois pas comment ces trucs pourraient produire autre chose que des monstres, dit Billy d'un ton sinistre en regardant les masses végétales.

– N'en sois pas si sûr, murmura Hanson. Pense au papillon. On se rappelle dans la journée, d'accord ?

– Oui, m'sieur.

Billy raccrocha et finit de s'habiller sans quitter du regard ses compagnons de chambre. Gizmo, pendant ce temps, continuait à jacasser, d'un ton exprimant à la fois la crainte et le blâme sévère.

– Ne t'inquiète pas, dit Billy pour l'apaiser, je ne vais pas te laisser seul avec ces choses.

Sortant Gizmo de sa caisse et le glissant dans un vieux sac à dos découvert dans le fond du placard, Billy traversa au milieu des cloques géantes. Devant la porte de la chambre, il se souvint qu'elle ne pouvait se verrouiller que de l'intérieur. Certes, on pouvait verrouiller la poignée avant de sortir et fermer la porte, mais alors impossible d'entrer sans fracturer la serrure.

Refermant la porte mais sans mettre le verrou, il descendit au rez-de-chaussée. Sa mère, dans la cuisine, préparait le petit déjeuner, comme chaque jour.

Et, pour elle, la journée ne s'annonçait guère différente d'une autre. Billy la mit rapidement au courant, voyant son expression passer de la légère inquiétude au bref amusement puis finalement à l'horreur.

– Je voudrais voir ces choses, dit-elle quand Billy eut terminé.

Elle le suivit et eut le souffle coupé en voyant les quatre globes, puis hocha tristement la tête un long instant.

– La carpette est fichue, murmura-t-elle.

– C'est tout ce que tu trouves à dire? demanda Billy, ahuri de sa réaction. Il y a probablement un monstre à l'intérieur de chacun de ces trucs et tu t'inquiètes de la carpette!

– C'est une façade, dit-elle. Bien sûr que je me sens terrifiée d'avoir cela chez moi. Mais tant que nous ne savons pas ce que c'est, nous ne pouvons guère faire mieux qu'attendre. Et ce sera ma mission de la journée. Toi, va travailler.

– D'accord, mais je crois que nous devrions boucler la porte.

– Ne sois pas idiot. Comment rentrerions-nous? Il nous faudrait fracturer la serrure.

– Ecoute, m'man, dit fermement Billy. Je ne quitte pas la maison si cette porte n'est pas bouclée.

– Voyons, tout ira très bien, dit Lynn qui ne put s'empêcher de sourire de l'inquiétude de son fils à son égard.

Billy secoua la tête, et s'apprêta à fermer.

– Allons, dit Lynn, arrêtant son bras. Tu vas être en retard et il n'est pas facile de trouver du travail en ce moment. Notamment un emploi à côté d'une personne comme Kate Beringer, ajouta-t-elle pour le convaincre.

Mais cela ne prit pas et Billy, bien décidé, répéta :

– Je ne vais pas à la banque tant que cette porte n'est pas bouclée.

– Ton père ne sera pas content d'avoir à payer un serrurier.

– Mais il sera content de te retrouver vivante.

Lynn haussa les épaules, tourna la poignée en position de verrouillage et tira la porte. Billy vérifia la fermeture et hocha la tête.

Tandis qu'ils descendaient les escaliers, Billy portant toujours Gizmo dans le sac, Lynn ne put s'empêcher d'exprimer une peu réjouissante pensée.

– Imagine qu'il sorte de ces Cocotte-Minute non

seulement un monstre mais un monstre doté d'une solide intelligence. Et si c'est le cas, tu ne crois pas qu'ils pourront comprendre comment ouvrir la porte ?

Billy soupira. Cela méritait réflexion, bien sûr, mais il ne voulait pas y penser.

– S'ils sont si intelligents que cela, m'man, je crois que l'espèce humaine n'aura plus qu'à capituler.

14

En ce vendredi, veille de Noël, l'excitation due à la période des fêtes atteignait son paroxysme, provoquant une certaine léthargie chez les uns et une hyperactivité chez les autres. A l'école, les élèves se tortillaient sur leurs chaises, aussi hermétiques à l'étude que des chats à la raillerie; les employés vaquaient à leurs occupations avec l'enthousiasme d'un gastronome au régime devant un plat de carottes bouillies. Mais, dans le quartier des magasins, tout changeait du fait des dernières visites dans les boutiques de cadeaux et les grands magasins des derniers acheteurs, plus paresseux, plus efficaces ou plus tenaillés que d'autres par un sentiment de culpabilité. Un observateur aurait remarqué un spectaculaire changement dans leur attitude au fur et à mesure qu'approchait Noël. D'abord aimables et même pleins de jovialité, ils avaient tout l'air maintenant, à l'approche des derniers jours, de farouches soldats bien décidés ou, pour certains, de zombis programmés pour une tâche bien déterminée, sans considération des obstacles. Poussés par le désespoir ou la détermination à dénicher les ultimes cadeaux, leurs yeux ne se fixaient que sur leur objectif : ce petit quelque chose bien particulier qui amènerait un sourire de ravissement sur le visage de quelqu'un qui possédait déjà tout.

Un vent froid, avant-coureur de nouvelles chutes de neige, balayait Kingston Falls, tournant de guingois puis faisant disparaître le *s* final sur l'auvent du Colony Theatre qui annonçait *Blanche-Neige et les Sept Nain.* Sur la place principale, Pete Fountaine père, vendeur d'arbres de Noël, grelottait dans le froid, conscient d'approcher une fois encore le point de non-retour. Combien de temps encore pourrait-il maintenir ces prix élevés? Bien sûr, cela dépendait du nombre de clients éventuels ayant attendu le dernier moment. A cet instant, chacune des deux parties savait que ce serait à qui faiblirait le premier. Bien que vieil habitué de ce petit jeu, Pete senior ignorait toujours comment les choses allaient tourner. Trois ans plus tôt, il avait maintenu les prix jusqu'au dernier instant et trouvé sa récompense dans la ruée d'une foule d'acheteurs; deux ans plus tôt, dans les mêmes conditions, des centaines d'arbres lui étaient restés sur les bras; l'année précédente, il s'était fait avoir, même en baissant les prix.

Se frottant le corps de ses bras pour se réchauffer, il vit le Père Bartlett s'arrêter à la boîte aux lettres, au coin de la place, et y glisser soigneusement plusieurs piles de cartes de vœux. Il ne pouvait s'attendre que ses cartes arrivent à temps pour Noël, songea Pete senior.

Si seulement ses affaires pouvaient être aussi florissantes que celles de la banque, en face, songea-t-il encore. Sans arrêt, une foule de gens entraient et sortaient. Tout près, dans leur voiture de patrouille, le shérif Reilly et son adjoint Brent, veillaient à ce que les fêtes ne soient marquées par aucune attaque de banque ou bagarre à propos d'un cadeau ou d'une place de parking.

A l'intérieur de l'établissement, aspirant des signatures et refoulant des billets, Billy et trois autres employés travaillaient aussi vite que possible. Jamais les habitants de Kingston Falls n'avaient paru aussi nombreux et aussi désireux, tous au même moment, de retirer de l'argent. Depuis l'ouverture, une foule constante de clients se pressaient aux guichets.

Cela ne gênait pas Billy qui préférait se plonger dans le travail que songer à ces cocons, dans sa chambre. Seul le fait que sa mère, personne sensée et peu émotive, lui ait promis de quitter la maison au premier signe de danger apaisait un peu sa nervosité. Pendant les quelques rares instants de calme, il avait tenté de raconter à Kate ce qui s'était passé, mais ses explications avaient dû paraître par trop incohérentes. Et le regard de Gerald Hopkins, à l'affût de la moindre erreur de Billy, n'arrangeait rien.

Pas plus que ne l'arrangea l'arrivée de Mme Deagle.

Billy se dit qu'elle allait foncer tout droit à son guichet et, un instant, les événements parurent lui donner raison. Mais il la vit se diriger vers le guichet de Kate.

– Pour votre service, madame Deagle? demanda Kate, d'un ton apparemment enjoué qui cachait une certaine froideur.

– J'ai entendu dire, susurra Mme Deagle, que vous faisiez circuler une pétition pour tenter de m'empêcher de faire fermer cette espèce de saloon où vous travaillez.

– S'il s'agit d'une affaire personnelle, il serait préférable d'en discuter en dehors des heures de service, répondit Kate.

– Il s'agit d'une affaire personnelle et de service, répliqua Mme Deagle. Je mêle toujours le plaisir aux affaires. Et j'ai le grand plaisir de vous annoncer que votre pétition ne servira à rien. Dès que les fêtes seront passées, je vendrai cent quatre immeubles à la *Hitox Chemical.*

– C'est bien ce que je pensais.

– Vous le pensez mais vous n'y pouvez rien. Et, bien entendu, comme vous avez fourré votre nez dans des affaires qui ne vous regardaient pas, votre maison fait partie du lot. Vous aurez quatre-vingt-dix jours, à compter du 1er janvier, pour vider les lieux. Qu'en dites-vous?

– Je crois qu'il n'y a rien à en dire, murmura Kate. On ne pouvait s'attendre qu'à cette sorte de cadeau de Noël, de votre part.

– Je vous serais obligée de ne pas vous montrer impertinente, jeune fille.

Kate, qui allait répliquer vertement, changea d'avis en une fraction de seconde et dit gentiment à Mme Deagle :

– Madame Deagle, vous allez faire du mal à bon nombre de braves gens. Nous, nous pouvons nous permettre de déménager, mais certaines familles que vous expulsez n'ont pas les moyens de trouver autre chose. Comment pourrions-nous vous convaincre de changer d'avis?

– Vous n'avez aucune chance, dit Mme Deagle avec un sourire mauvais. Et maintenant, si vous voulez bien verser ce chèque à mon compte...

Billy regarda Kate qui, pour la première fois depuis qu'il la connaissait, semblait vraiment blessée et à court d'arguments. Ensuite, impulsivement, Billy empoigna un balai qui se trouvait sous le comptoir et le brandit au visage de Mme Deagle.

– Qu'est-ce que c'est que ça? marmonna-t-elle avec humeur, en reculant comme si Billy avait l'intention de la frapper.

– C'est un balai, répondit Billy.

– Que voulez-vous que j'en fasse?

– Je pensais que vous pourriez le chevaucher pour rentrer chez vous.

Plusieurs clients se mirent à pouffer sous le regard indigné de Mme Deagle.

Laissant le balai aux mains de Mme Deagle, Billy se mit à remplir un bordereau, tout en jetant des regards à la vieille femme et à Kate.

Mme Deagle, furieuse, paraissait près d'éclater tandis que Kate ne pouvait réprimer un sourire. Billy ne savait pas ce qu'il allait se passer, maintenant, mais, quoi que ce fût, cela valait bien d'avoir illuminé la journée de Kate.

Préoccupé par la chose dans son laboratoire et fatigué de ses longues heures de recherches, Roy Hanson était tout aussi impatient d'en finir avec ses élèves que ceux-ci d'aller courir dans la neige fraîche. Renonçant à capter leur intérêt par des méthodes nouvelles ou un sujet original, mais refusant de céder et de les laisser bavarder ou faire ce qu'il leur plaisait, il décida de leur faire réviser le cerveau, dans l'espoir que quelqu'un en retirerait quelque chose. Devant lui, sur son bureau, se trouvait un appareil électronique représentant le cerveau humain dont diverses parties s'allumaient et s'éteignaient. Pesant une cinquantaine de kilos, c'était un splendide outil éducatif – et une honte de le consacrer à une cause perdue, un jour comme aujourd'hui. Mais Hanson n'avait guère le choix.

– Quelqu'un sait-il comment on appelle cette partie? demanda-t-il en montrant un endroit précis.

Pas de réponse.

– Chuckie? demanda Hanson à un solide garçon plutôt joufflu.

– Le croûton? proposa Chuckie.

– Le croûton! répéta Hanson, les yeux au ciel. Comme à l'ail et dans ma salade. Quelqu'un d'autre?

– Le thalamus, souffla Samantha Weaver, la meilleure élève de la classe.

– Pas loin, mais je ferais appel à un autre chirurgien que toi, le cas échéant. Il s'agit de la *medulla oblongata.* Mais qu'est-ce qui vous prend? (Là, il commençait à se mettre en colère.) Lorsque j'avais votre âge, j'étudiais cela dans de vieux livres. Vous avez à votre disposition un appareil qui sort tout droit de *Star Trek* et vous n'y arrivez pas.

Dans le silence qui suivit, et tandis que les élèves évitaient son regard, on entendit distinctement un petit bruit d'éclatement mouillé, comme un fruit mûr qui s'écrase. Le bruit venait du labo.

Hanson décida de ne pas s'en inquiéter mais, lorsque cela se renouvela, il sut qu'il fallait aller voir.

– Ouvrez vos livres page 137 et voyez le glossaire concernant le cerveau. Je veux que vous vous le mettiez en tête.

En se levant, son regard croisa celui de Pete Fountaine. Oui, l'instant est arrivé, Pete, pensa-t-il.

Gizmo, l'oreille contre la porte de la chambre, écoutait pour la dixième fois depuis que, ayant abandonné l'abri de son sac, il avait décidé de monter la garde. Pourquoi la mère de Billy ne partageait-elle pas ce souci? songea-t-il. Oh! bien sûr, elle apparaissait périodiquement dans le couloir pour voir s'il se passait quelque chose de grave, mais sans cela elle vaquait à ses occupations habituelles, répondait au téléphone et bavardait comme si de rien n'était. Si elle était inquiète, elle le cachait bien, gloussant gaiement à l'intention de Gizmo, allongé près des pots de fleurs devant la porte de Billy.

Comment aurait-elle pu savoir ce qui allait vraisemblablement se produire dans quelques minutes ou dans quelques heures? Et Gizmo se sentait exaspéré de voir comment ces humains s'accoutumaient à vivre à l'ombre des catastrophes. Au diable, Mogturmen! Si seulement il lui avait donné la faculté de communiquer, Gizmo aurait pu leur dire que le mieux, pour eux, était de brûler la maison des Peltzer. Oui! Cela paraissait terrible, sans doute, mais c'était le seul moyen. Un feu bien vif, dont la lueur paralyserait de douleur tout en accomplissant son œuvre destructrice. Sans quoi...

– Oh non!...

Le bruit de sa voix, basse et plaintive, tira Gizmo de son fataliste enchaînement de pensées. La tristesse, dans le ton de Lynn, lui laissait espérer, cependant, qu'elle se rendrait compte de la nécessité d'employer les grands moyens.

Redescendant en vitesse, il traversa la salle à manger et s'arrêta sur le seuil de la cuisine où elle parlait au téléphone. On ne pouvait pas vraiment considérer cela comme une indiscrétion au sens strict du terme car il ne comprenait pas tous les mots. En fait, il saisissait le sens général de leur conversation et il devina que, sans qu'il s'agisse d'une question de vie ou de mort, ce qu'elle entendait ne lui plaisait pas.

– Mais Rand, chéri, dit-elle en soupirant, nous t'attendons ce soir.

A l'autre bout du fil, au milieu de la salle de réunion, Rand essayait de ne pas se laisser distraire par la parade des robots, jouets mécaniques bizarres et vendeurs bruyants.

– Je sais, chérie, répondit-il. Mais la plupart des routes sont impraticables; les principales, au moins. Et celles qui sont ouvertes sont si traîtres... Mais je te promets d'essayer de rentrer à la première éclaircie.

– D'accord, murmura Lynn. Sois prudent... Je veux dire, jamais nous n'avons passé le réveillon de Noël séparés.

– Non. Comment ça se passe, là-bas?

Lynn n'hésita qu'une fraction de seconde et décida que cela ne vaudrait rien à Rand d'apprendre ce qui se trouvait là-haut. A sa façon de conduire sur le verglas, et s'il était pressé...

– Bien, répondit-elle. Billy est allé travailler et je suis assise là avec Gizmo.

– Eh bien, à bientôt.

– Au revoir, chéri, dit Lynn qui raccrocha.

– Allô! dit Billy.

Ce coup de fil « urgent » au bureau, surtout aujourd'hui et dans ces circonstances, le rendait nerveux pour plusieurs raisons. D'abord, il s'inquiétait de ce que sa mère puisse courir un danger quelconque; ensuite il se sentait mal à l'aise de voir tourner autour de lui Gerald Hopkins (espérant sans doute un décès dans la famille, pour le moins, qui justifiât cet appel); enfin, les échos de sa bataille avec Mme Deagle se calmaient à peine et il demeurait le point de mire de la plupart des regards dans la banque. D'une main tremblante, il saisit le récepteur.

– Ça a éclos, dit la voix au bout du fil, la concision de la nouvelle le faisant sursauter.

– Quoi?

– Je dis que ça vient d'éclore, dit Roy Hanson.

– A... à quoi ça ressemble? bégaya Billy.

– Difficile à préciser pour le moment. Pourquoi ne pas passer voir? Il est presque l'heure de sortir pour toi, non?

– Oui, répondit Billy. Mais... il faut que j'appelle chez moi, d'abord, pour savoir ce qu'il s'est passé. Monsieur Hanson, vous ne pensez pas que c'est dangereux, n'est-ce pas?

Billy se rendait compte que bon nombre d'yeux se trouvaient braqués sur lui.

– Ma foi, je peux au moins te dire qu'il ne s'agit pas d'un papillon.

– J'appelle d'abord chez moi, dit Billy. Et si tout va bien, je passe vous voir.

– Parfait, à bientôt j'espère.

Billy raccrocha, composa le numéro de son domicile et, lorsque sa mère décrocha, il lui dit rapidement et d'un ton énergique :

– Ecoute bien. M. Hanson vient de m'appeler du lycée pour me dire que le Mogwai est sorti de son cocon. Les nôtres ne vont probablement pas tarder. Peux-tu monter voir?

– Comment? Tu m'as fait verrouiller la porte.

Billy avait oublié ce détail.

– Eh bien, monte et écoute à la porte. Tu entendras si quelque chose bouge, à l'intérieur.

– D'accord. Je te rappelle?

– Non, j'attends, répondit Billy, sous le regard de Hopkins et de M. Corben, sans parler de Mme Deagle, mais, avec cette nouvelle évolution des Mogwais, il ne s'en soucia guère.

– Tout est calme, lui annonça sa mère quelques instants plus tard.

– Parfait. J'arrive dans un moment. Je pars tout de suite, mais je ferai d'abord un saut au lycée. Peut-être M. Hanson en saura-t-il davantage ou bien il me donnera des conseils sur la façon de traiter les nouveaux.

– D'accord. Je serai prudente.

– A quelle heure rentre papa?

– Tard. A cause de la neige.

– Oh!... Eh bien, à tout à l'heure.

Billy raccrocha, ferma son guichet et alla décrocher son manteau.

– Excusez-moi, monsieur Corben, dit-il à son patron qui le regardait, attendant une explication. J'ai une urgence à la maison et il faut que je m'en occupe.

– Un instant, dit Mme Deagle, voulant exposer ses doléances. Ce jeune homme s'est montré impertinent et je demande que vous le renvoyiez.

– M. Corben pourra me renvoyer plus tard, dit Billy.

– Et c'est bien ce qu'il va faire, dit la voix de Gerald Hopkins tandis que Billy se précipitait vers la porte.

En reprenant lentement conscience, Le Rayé pensa tout d'abord que sa tête avait glissé, pendant son sommeil, sous l'une des lourdes carpettes de la chambre de Billy. Mais ce n'était pas sa tête seule qui se trouvait immobilisée par quelque chose de bizarre – il s'en rendit compte –, mais tout son corps qui paraissait en état de léthargie. Quoi qu'il fût, il ne distinguait qu'une sorte d'écran de filaments, comme s'il était plongé jusqu'aux yeux dans une soupe épaisse ou dans de la graisse. Il n'entendait pas grand-chose, non plus, à part un trouble gargouillis chaque fois qu'il bougeait ce que, avec ses sens émoussés, il pensait être sa tête.

Son premier sentiment fut la curiosité, suivi – rapidement – par la panique, certain, soudain, qu'on les avait drogués, lui et ses acolytes, et enfermés dans des caisses ou autres solides emballages et qu'on allait maintenant les détruire. Nous avons trop attendu, songea-t-il, furieux; nous savions comment nous multiplier et nous ne l'avons pas fait. Et moi, leur chef, je me suis fait rouler par ce mielleux Mogwai minoritaire, avec ses belles paroles, en retardant la reproduction jusqu'à ce qu'on découvre le secret qui permet de devenir plus grand et plus fort. Maintenant, un peu tard, Le Rayé comprenait la stratégie diabolique de son adversaire. On pouvait facilement s'accommoder de quatre Mogwais de la majorité et, de plus, on pouvait les cueillir au moment opportun et les éliminer. Alors que Gizmo et ses alliés humains ne seraient pas parvenus à droguer et à capturer des dizaines, des centaines d'entre eux, peut-être. Impossible. En attendant d'avoir la puissance plutôt que le nombre, Le Rayé avait échoué. Presque sourd, quasiment aveugle, immobilisé, impuissant physiquement et mentalement, il ne pouvait que se maudire pour sa stupidité et ses conséquences.

Tandis que l'onde de choc engendrée par ses pensées le parcourait, Le Rayé pensa un instant avoir changé d'environnement. Ne voyait-il pas, là, devant lui, où il n'apercevait que grisaille un instant plus tôt, une zone floue d'un blanc doux? Luttant pour l'atteindre, mais incapable d'y parvenir, il ressentit de nouveau frustration et colère. Si seulement il pouvait se libérer une minute! Une seule minute pour poser une griffe sur la mâchoire inférieure de Gizmo, l'autre sur la mâchoire supérieure et se réjouir de son regard d'angoisse et de panique. Et ensuite tirer, déchirer, tordre.

Cette idée combla Le Rayé de plaisir mais d'un plaisir futile comparé à la joie ressentie un instant plus tard. En un éclair, il venait de se rendre compte qu'il pourrait tuer Gizmo... Combien de fois, avant cela, avait-il envisagé de se livrer à des voies de fait sur lui? Mais quelque chose dans son cerveau lui avait invariablement refusé ne fût-ce que le plaisir gratifiant d'imaginer une telle chose. Comme si cette pensée se trouvait automatiquement déconnectée avant qu'elle puisse se traduire en actes. Il se souvenait, maintenant. Cette espèce de maladroit bien intentionné de Mogturmen avait programmé ses précieux Mogwais de telle sorte qu'ils ne puissent s'entre-tuer ou même envisager sérieusement de le faire.

Le Rayé pouvait maintenant parfaitement concevoir l'idée de tuer Gizmo mais, bien plus, il savait au plus profond de lui-même qu'il ne s'agissait pas là de simples images mais d'une certitude, s'il se retrouvait face à face avec Gizmo. Une seule réponse à cette question : *Il n'était plus un Mogwai!*

Devant cette découverte, Le Rayé aurait sauté de joie s'il l'avait pu.

Maintenant ses pensées et intuitions se cristallisaient tandis qu'évoluait également le domaine de l'environnement. La zone blanche, devant lui, se faisait effectivement plus proche et plus claire. Le Rayé prit davantage conscience de posséder un corps au lieu de se faire l'effet d'une grosse goutte impuissante en suspension dans de la mousse liquide. Il lui sembla que s'il se concentrait très fort, il pourrait bien se propulser vers l'orifice de la caverne... vers la lumière. Bien que l'intensité de cette pensée le fît souffrir, il savait qu'il s'agissait là du douloureux portail qu'il fallait franchir... il parvenait à bouger quelque peu; maintenant, il se mouvait vraiment... « Qu'il fallait franchir. » Le bruit se fit assourdissant, se liguant avec la lumière de plus en plus vive pour accroître son supplice... « Qu'il fallait franchir pour... »

Renaître!

Soudain, à travers un halo, épais d'abord, puis étonnamment clair, Le Rayé distingua de nouveau la pièce. Le lit... la table à dessin... les volets clos... et toutes ces choses familières.

Et quelques-unes non familières, également. Notamment trois énormes cocons autour de lui. En les observant avec curiosité, Le Rayé se rendit compte, près d'une minute plus tard, que lui-même émergeait de l'extrémité d'un quatrième énorme cocon. Ce qui provoqua en lui un nouvel accès de panique. Etait-il possible que les quatre choses fussent des sortes de plantes carnivores, des plantes qui même maintenant allaient le dévorer? Etait-il possible que sa « nouvelle naissance » ne fût rien d'autre qu'un sursis avant de tomber sous les mâchoires de ces plantes affamées?

Luttant farouchement, il projeta ses bras en l'air, tordant ses épaules comme un bouchon qu'on extirpe d'une bouteille de vin, frappant en cadence de ses poings, latéralement et vers le bas, latéralement et vers le haut, jusqu'à ce que...

Crac!

Le bras droit du Rayé traversa la masse pulpeuse comme une fusée et s'éleva dans son champ de vision, haut, en un dégoulinant salut de triomphe.

Mais quel bras! Pas le sien, à coup sûr. Mais le sien tout de même, bougeant, tournant, se tendant en obéissant aux ordres de son cerveau. Et en le contemplant, comme quelqu'un qui reprend lentement conscience après un long sommeil, Le Rayé sut. L'ultime pièce du puzzle venait de s'assembler. Il possédait la puissance et la force.

Il lui fallut un moment pour analyser l'imposant appendice qui se dressait au-dessus de lui. Le bras – terminée la douce patte recouverte de fourrure –, de près de soixante centimètres de long, mû par des muscles saillant sous une peau écailleuse rayée de blanc, de vert et de marron, ressemblait davantage à un instrument de destruction qu'à un outil banal destiné à soulever et à manipuler des objets. Combinant l'outil à lacérer et le trident, le poing aux os solides se terminait par trois griffes géantes, bien luisantes et tranchantes.

Je ne suis plus un Mogwai, songea Le Rayé. Je suis un Gremlin.

Il ignorait comment il connaissait ce mot, de même qu'il ignorait comment ou pourquoi la métamorphose s'était produite. Détails sans importance pour l'instant. L'important, c'était la prise de conscience de ce sentiment de puissance. Se libérant en se tortillant, il demeura un instant à côté du cocon, regardant le bas de son nouveau corps. Fléchissant légèrement sur la pointe de ses énormes pattes griffues, il savoura pleinement l'idée que, enfin libéré de ce chétif corps de Mogwai, il allait pouvoir donner libre cours aux pressants instincts qui le tourmentaient depuis si longtemps.

Et surtout, non seulement il venait de renaître mais encore il avait recouvré sa personnalité et son intelligence. Tremblant sous l'attente de ce qui allait se produire, il fixa intensément les autres cocons.

– Allons, allons, dépêchez-vous, leur siffla-t-il joyeusement. Nous avons du travail, nous devrions bien nous amuser!

Une brume verdâtre flottait doucement au-dessus du cocon rompu, comme si on venait de le vaporiser d'essence de wintergreen. Ce n'était pas le cas, mais Roy Hanson l'aurait bien voulu. Quoi que ce fût qui venait de naître, il en émanait une odeur déplaisante, âcre, tiède, dégageant un léger parfum de tissu brûlé par un fer à repasser.

Hanson se tenait sur le seuil du labo où il était revenu après s'être assuré qu'il ne restait aucun élève dans la classe ou dans les environs. Du moins n'aurait-il aucune explication à fournir et il pouvait maintenant étudier tranquillement ce qui venait de sortir du cocon.

Regardant la lueur verte, à l'autre extrémité du labo, il hésita. Dans la bassine juste au-dessous du nuage de matière rompue se trouvaient la nouvelle chose et les restes de son cocon. Il ne l'avait regardée que quelques secondes avant d'aller téléphoner à Billy; il n'en fallait pas plus pour se rendre compte qu'il ne s'agissait pas d'un papillon mais d'un animal potentiellement dangereux ainsi qu'il ressortait de ces dents – ces crocs plutôt – éclatantes. Il les revoyait : deux rangées de dents bien tranchantes, espacées, bordant une énorme bouche, large, rouge sang. De la même couleur que les yeux malveillants qui s'étaient fixés sur lui en un éclair alors qu'il jetait un coup d'œil rapide sur la bête.

Elle s'apprêtait à faire sa première incursion dans le monde. Des débris de cocon jonchaient déjà le sol, bientôt rejoints par d'autres tandis que la créature – quel que soit son nom – s'agitait nerveusement dans la bassine de métal lisse. La bassine ne tiendrait pas longtemps, Hanson en était sûr, et il se rendit soudain compte qu'il ne savait absolument pas comment contenir l'animal ou s'en protéger.

Immobile, il fit le tour de la pièce du regard. Les rideaux, qu'il avait lui-même tirés pour éviter au Mogwai de hurler de douleur, lui donnèrent une idée. Si la créature craignait la lumière, Hanson utiliserait cette aversion pour se protéger. Pour l'instant, il faisait bien sombre dans le labo. S'il se libérait, l'animal pourrait se déplacer facilement.

– Et ça, ce n'est pas bon, dit Hanson.

Il se rendit au tableau des commutateurs et, l'une après l'autre, alluma des lumières autour de la pièce. Une fois le pourtour éclairé, il y ajouta d'autres lumières, au milieu, jusqu'à isoler un îlot d'obscurité relative en plein centre du labo. Un coup d'œil à la scène le rassura. Le périmètre de sécurité des lumières vives s'étendait, à moins de trois mètres, dans toutes les directions.

– Je deviens peut-être un peu trouillard, avec l'âge, murmura Hanson pour lui-même. Mais prudence est mère de sûreté.

Déjà, il avait décidé qu'il lui fallait un autre échantillon de sang pour comparer avec ceux qu'il avait prélevés de la créature mère. Aussi traîna-t-il le chariot d'instruments au bord de la zone éclairée. Sur le chariot se trouvaient une boîte stérile contenant des douzaines d'échantillons et des aiguilles hypodermiques stériles. Après s'être assuré qu'il possédait une paire de gants épais, Hanson s'arrêta de nouveau.

– Le bébé ne va pas être facile à manier, dit-il. Mieux vaut peut-être lui offrir quelque chose pour qu'il se tienne tranquille.

Il sortit du labo, traversa la classe et se rendit dans le hall devant l'entrée de la cantine où, glissant une pièce dans le distributeur de confiseries, il en ramena une barre de Snickers qu'il sortit de son emballage en retournant au labo.

Puis, s'arrêtant de nouveau à la lisière de l'obscurité, il sourit.

– Hé! l'ami, appela-t-il. Allons-y. Où es-tu? Tu as peur?

Poussant le chariot jusqu'à la bassine, il regarda à l'intérieur.

L'animal, allongé sur le flanc, nettoyait toujours les débris de cocon de son corps avant de se livrer à d'autres explorations. Lorsqu'il repéra Roy, il le fixa d'un regard froid.

– Salut, lui dit Hanson en souriant. Bon voyage au pays des chrysalides?

L'animal le considéra, ni amical ni franchement hostile.

– J'ai pensé que tu pouvais avoir faim après toutes tes épreuves, continua Hanson, et je t'ai apporté une barre chocolatée.

Il lui tendit la confiserie mais l'animal ne s'en saisit pas. En attendant qu'il se décide, Hanson étudia l'animal de près : un bipède de quelque soixante-quinze centimètres de haut, aux bras incroyablement longs. La douce fourrure marron du Mogwai avait cédé la place à une sorte de carapace sombre et écailleuse qui paraissait dure comme pierre. Ses pattes de devant et de derrière possédaient maintenant trois doigts griffus et son dos était recouvert d'une crête rigide rappelant celle d'un saurien préhistorique. Le seul trait qui demeurait de l'ancien Mogwai était le nez, toujours retroussé et assez mignon au milieu d'une gueule remarquable surtout par la méchanceté qui s'en dégageait.

– Allons, tiens, le pressa Hanson, approchant encore la barre de chocolat de la gueule de l'animal. Tu n'as rien à craindre.

Bien à l'intérieur de la zone d'obscurité, maintenant, Hanson continuait son boniment, autant à sa propre intention, peut-être, qu'à celle de l'animal.

– Tu vois cette barre, dit-il d'une voix suave. C'est pas bon, ça? Allons, tu as intérêt à manger un morceau, l'ami.

Posant la main sur le bord de la cuvette, Roy remarqua l'esquisse d'un mouvement à la base du nez de l'animal. Manifestement, il venait de renifler le chocolat pour la première fois et paraissait intéressé. Approchant encore la confiserie, Roy la lâcha une fraction de seconde avant qu'une patte géante jaillisse et s'en empare.

– Parfait, dit Roy en riant, quelque peu soulagé de s'en être tiré avec sa main intacte. Je suis sûr que tu vas aimer ça.

A grand bruit, le Gremlin ingurgita la barre en une bouchée et demie. Hanson regretta de ne pas en avoir pris davantage pour occuper l'animal pendant qu'il tenterait un prélèvement de sang.

– Je crois que tu me fais confiance, maintenant. Alors, nous allons faire un échange. Du chocolat contre du sang, d'accord?

Rapidement, Roy tira du chariot une seringue hypodermique et s'approcha de l'animal qui continuait à mâcher joyeusement. Bientôt, Roy s'en trouva suffisamment proche.

Levant l'aiguille qu'il tenait dissimulée le long de sa jambe, il fit un geste rapide.

Mais le Gremlin se montra plus rapide encore. Dès qu'il aperçut la seringue, ses yeux s'étrécirent et ses pupilles pourpres flamboyèrent.

– Seigneur! dit Hanson. Il se souvient.

Il n'eut pas le temps de réfléchir davantage. Avec un sourd grondement, le Gremlin bondit hors de la bassine, vers Roy. Il planta les griffes d'une de ses pattes dans l'épaule de Hanson tandis que l'autre, fixant le torse de l'homme, cherchait à lui perforer la poitrine, à l'épingler comme avec une agrafe géante.

Alors qu'il s'écroulait en hurlant, Roy Hanson vit qu'il se trouvait à un bon mètre cinquante de la zone éclairée.

Plus durait la conversation de Lynn, au téléphone, plus Gizmo bouillait. Ne voyait-elle pas qu'il avait quelque chose à lui dire? Lui dire qu'il fallait détruire les créatures, là-haut? Terrible décision à prendre – celle de leur destruction – mais dès lors qu'un Mogwai en arrivait au stade du cocon, la fidélité de Gizmo – et celle du Mogwai pour lui – prenait brutalement fin.

Il avait déjà connu cela, tout comme les trois autres Mogwais minoritaires de la planète, et presque toujours cela s'était traduit par une catastrophe. Le plus récent épisode, non consécutif à une reproduction de Gizmo, remontait à fin 1983, alors qu'un seul Mogwai s'était introduit, on ne savait trop comment, à bord de la navette spatiale *Columbia*. Du fait du caractère secret des renseignements, jamais on n'avait publié le détail des circonstances exactes dans lesquelles le Mogwai avait pu se reproduire, manger après minuit et se transformer en Gremlin. Quoi qu'il en fût, le Gremlin avait pu échapper à la capture par l'équipage de six hommes suffisamment longtemps pour détraquer les systèmes de guidage et de navigation de l'engin par ordinateur. Lorsque les scientifiques passèrent sur l'ordinateur numéro deux, le Gremlin parvint à provoquer une surcharge. Il se glissa ensuite dans le système déterminant l'accélération, la position et l'angle d'attaque du vaisseau. En fait, au-dessus de l'océan Indien, *Columbia* quitta son orbite et perdit le contact avec Houston pendant quarante-cinq minutes. Pendant ce terrible laps de temps, pilotes et scientifiques réussirent à acculer le Gremlin dans une soute et à le tuer. De retour sur Terre avec huit heures de retard, du fait des ingérences du Gremlin, des officiels, lors d'un rapide briefing des membres de l'équipage, leur demandèrent instamment de ne rien dévoiler de ce qui s'était réellement passé.

Avant cela... Toute une série d'images d'événements provoqués par des Gremlins ou survenus par leur faute défilèrent dans l'esprit de Gizmo... Les escaliers mécaniques de Memphis (Tennessee) qui s'étaient emballés en 1972... la coupe des Etats-Unis de foot en 1969... la gigantesque panne de courant de la côte est en novembre 1965... une panne moins célèbre, un mois plus tard, au Texas, au Nouveau-Mexique et à Juarez (Mexique)... la fin, en 1963, du *Mirror* de New York, un journal qui n'était jamais parvenu à se débarrasser des Gremlins, tout simplement... la collision, en 1962, d'un train fou, d'un avion à réaction et d'un pétrolier à Gdansk (Pologne), la plus grande catastrophe aéro-maritimo-terrestre de l'histoire... le fiasco paramilitaire de la baie des Cochons, à Cuba, en 1961... l'épisode désopilant mais potentiellement dangereux de la fabrique de boutons d'Onawa (Iowa) en 1957... les innombrables bouffonneries de la Seconde Guerre mondiale et jusqu'à la ville de Vansk – la plus importante de Sibérie jusqu'en 1936 – rayée de la carte.

Et Kingston Falls, maintenant. Du moins le semblait-il. Mais peut-être n'était-ce pas inévitable – pour le moment. Si Gizmo parvenait, d'une manière ou d'une autre, à convaincre les Peltzer qu'il ne suffisait pas de boucler les portes et d'écouter attentivement pour...

Il entendit un bruit... puis un glissement, semblant émaner de la chambre de Billy, là-haut. Accroupi au pied des escaliers, il écouta intensément pendant près d'une minute, mais à part le bavardage de Lynn au téléphone, la maison paraissait tranquille. Au moment où il se persuadait que son imagination lui jouait des tours, il entendit un bruit d'éclatement qui venait d'en haut.

Retournant en toute hâte dans la cuisine, Gizmo, s'arrêtant net, se mit à tourbillonner sur une patte en arrivant près de la table. Nerveusement, il regarda autour de lui. Lynn, qui avait raccroché le téléphone, ne se trouvait plus dans la cuisine. Ni dans le cellier, ni au sous-sol, ni nulle part ailleurs en bas. Etait-elle montée sans que Gizmo la voie?

Il grimpa sur la table de la cuisine, regarda par la fenêtre de derrière, se protégeant soigneusement les yeux. Il l'aperçut, là-bas tout au bout de la cour, qui jetait des morceaux de pain rassis aux oiseaux. C'était là son habitude, notamment lorsque le sol était couvert de neige, mais ne se rendait-elle pas compte qu'il ne convenait guère de quitter la maison aujourd'hui?

Je ne peux pas faire grand-chose, sinon attendre, songea Gizmo en regardant le ballet des formes noires picorant sur la neige blanche.

Un instant plus tard, il entendit un nouveau bruit, en haut, beaucoup plus fort que les précédents.

– Dépêche-toi, dépêche-toi! cria Gizmo à Lynn en mogwai. On a besoin de toi.

Poursuivant sa distribution avec une désespérante lenteur, Lynn ne paraissait pas devoir revenir bientôt.

Gizmo grinça des dents, frappa à la fenêtre de ses petites pattes. La lumière de l'extérieur lui faisait atrocement mal bien que l'après-midi fût avancé et que le ciel fût nuageux, mais il se contraignit à continuer à taper.

Sklurk-Wump.

D'autres bruits émanaient du premier étage.

Avec un dernier regard irrité à Lynn, Gizmo sauta de la table. Il fallait faire quelque chose. Quoi? il l'ignorait. Mais tout au moins lui fallait-il savoir si les Gremlins étaient sortis de la chambre ou se trouvaient encore au stade de la post-métamorphose. Il fila jusqu'au bas des escaliers, et regarda le couloir, devant la chambre de Billy. La porte était-elle vraiment entrouverte? Ou ne s'agissait-il que d'une ombre?

Il attendit, une oreille pointée vers le haut des escaliers, l'autre vers la cuisine pour ne pas rater le retour de Lynn.

Le long silence persistait.

En attendant, Gizmo envisageait des solutions pour contrecarrer les projets des Gremlins ou tout au moins les retarder une fois qu'aurait commencé leur entreprise de destruction malveillante que, d'expérience, il savait ne pas devoir tarder. Le point crucial de la situation, selon lui, était la porte de la chambre. Tant qu'il ne ferait pas très sombre dehors, les Gremlins ne tenteraient pas de s'échapper par les fenêtres. Restait donc la porte qui, bien que fermée, ne constituait qu'un frêle roseau contre la tempête. Mais avec un autre obstacle devant la porte... un obstacle tel que...

Le feu. Bien sûr. Mais comment faire? Les sourcils froncés, Gizmo réfléchissait furieusement, essayant de se souvenir... Et puis il sut. N'y avait-il pas un bidon de quelque chose dans l'atelier du père de Billy?...

Sans plus réfléchir, il fonça vers le sous-sol, dérapant plusieurs fois lorsque ses pattes glissaient sur le sol carrelé de la cuisine. Un instant, tandis qu'il se remettait d'une mauvaise glissade, il envisagea d'aller jeter un coup d'œil pour voir ce que devenait Lynn. Mais cela pouvait attendre, décida-t-il. Le plus important, pour l'instant, était de retrouver le bidon et quelque chose pour enflammer le liquide. Si Lynn rentrait pendant ce temps, Gizmo lui montrerait ce qu'il avait en tête. Si – à Dieu ne plaise! – elle demeurait dehors, il entreprendrait seul sa tâche dangereuse mais nécessaire.

Bien décidé, maintenant, et porté par un certain fatalisme, il descendit deux à deux les marches du sous-sol et finit par dégringoler les cinq dernières la tête la première. Il se releva, se secoua, fonça dans l'atelier, grimpa sur l'établi de Rand et se mit à chercher parmi les boîtes, flacons et bouteilles de l'étagère, au-dessus.

S'efforçant de se souvenir de la forme et du sens des lettres et des couleurs sur le bidon, il le trouva enfin. Sans trop de mal, il le descendit. L'étiquette disait : ESSENCE POUR BRIQUET. Pour lui, les mots ne signifiaient rien sinon qu'en approchant une allumette le feu prenait instantanément.

Il repéra facilement une pochette d'allumettes et entreprit la tâche délicate de grimper jusqu'au rez-de-chaussée avec son chargement. Arrivé à la table de la cuisine, il posa son fardeau, grimpa sur un tabouret et jeta un nouveau coup d'œil dehors. D'abord, il ne vit pas Lynn et se prit à espérer qu'elle se trouvait déjà sur le pas de la porte, ou tout près. Mais il la repéra un instant plus tard, encore plus loin, parlant à une voisine.

Secouant rageusement la tête, Gizmo descendit du tabouret, empoigna ses armes et se mit à gravir les escaliers.

A deux marches du palier, il s'arrêta, écouta, et de nouveau observa la porte depuis cet endroit stratégique. Effectivement, elle semblait entrebâillée. Apparaissait-elle toujours ainsi en position verrouillée ou...

Gizmo chassa cette pensée de crainte qu'elle ne

l'empêche de poursuivre sa mission et se glissa sur le palier avec son attirail. Heureusement, l'épaisse moquette étouffait les bruits qu'il n'aurait pas manqué de provoquer sans cela.

Débouchant précautionneusement le bidon, Gizmo le coucha sur le côté, pointa le bec verseur sous la porte et appuya. La paroi du bidon s'aplatit sous le poids de Gizmo, projetant un mince jet de liquide vers l'endroit qu'il souhaitait imbiber. Mais aussitôt après, en reprenant sa forme initiale, le bidon fit entendre un bruit qui lui parut horriblement sonore.

Bouche bée, Gizmo resta figé sur place, les pattes lourdes comme des gueuses de fonte.

Il ne put bouger, même en entendant les lourds bruits de pas qui, derrière la porte, arrivaient vers lui.

Puis la porte s'ouvrit, révélant une gueule de Gremlin, le regard mauvais, surmontée d'une crinière de grossière fourrure blanche, tandis qu'une gigantesque main à trois griffes empoignait vivement et sans ménagement son corps minuscule.

15

Billy fonça à l'école, surpris de ne rencontrer que quelques rares élèves mais soulagé de ne pas avoir à affronter les embouteillages habituels aux environs du portail. S'arrêtant aussi près que possible de l'entrée, il sortit de sa voiture et courut jusqu'à la porte.

Fermée.

A l'intérieur, derrière le treillage de la paroi en verre, il aperçut le couloir principal, plongé dans une obscurité presque totale. Cette année plus que jamais, l'exode de Noël paraissait avoir fait le vide. Billy, remarquant toutefois une silhouette solitaire dans le couloir, tambourina d'une main sur la porte tandis que de sa clé, dans l'autre main, il frappait sur la vitre. Sans enthousiasme, la silhouette – celle du vieil appariteur Waldo Sodlaw – arriva lentement à la porte et confirma l'évidence.

– C'est fermé.

– C'est urgent, je vous en prie, ouvrez-moi, monsieur Sodlaw.

Le fait de connaître le nom du vieux bonhomme lui fut sans doute précieux. En tout cas, l'homme grimaça, soupira et ouvrit finalement la porte.

– Merci, dit Billy.

– Qu'est-ce qu'il y a de si urgent?

– Il faut que je voie M. Hanson.

– Il est parti.

– Vous en êtes sûr? Vous l'avez vu partir?

– Non, mais j'ai fait un tour par sa classe, il n'y était pas. L'avait laissé allumées les lumières du labo, alors j'ai éteint.

– Il vaut mieux que j'aille voir, dit Billy, pénétrant dans le hall.

– Je t'ai dit qu'il était parti, répéta Sodlaw en le suivant. Maintenant, laisse-moi fermer et finir mon boulot pour que je puisse rentrer.

– J'en ai pour une minute, lui cria Billy par-dessus l'épaule.

Partant au petit trot, il laissa Sodlaw loin derrière mais entendit le bruit de ses pas résonner dans les couloirs déserts lorsqu'il pénétra dans le labo de Hanson et s'arrêta.

Billy trouva les lumières éteintes, les rideaux tirés et personne dans la pièce, apparemment. Mais il sentit une présence. Tout d'abord, il flottait une drôle d'odeur dans le labo, très différente des odeurs de dissection dont il se souvenait. Lorsqu'il entendit respirer profondément, il sursauta, regarda autour de lui, mais ne vit personne. Il resta là, immobile, écoutant. Derrière lui, tout au bout du couloir, M. Sodlaw discutait, assez vivement, avec quelqu'un à l'extérieur à propos d'un livre oublié. Billy tenta de séparer le bruit de ces voix de celui, nouveau et plus proche de lui – beaucoup plus proche –, qui évoquait celui de jeunes filles essayant de réprimer un gloussement. Mais d'où cela provenait-il?

Billy faisait un pas vers l'interrupteur quand il aperçut quelque chose qui lui fit passer un frisson dans le dos.

Une chaussure, dont le pied, à l'intérieur, faisait un angle insolite, comme si...

S'en approchant doucement, Billy vit le reste du corps gisant sous la table du labo, le corps tordu de Roy Hanson.

– Monsieur Hanson! cria Billy, envahi par une vague de panique qui le poussait à fuir le labo, mais à laquelle il résista.

Si le prof n'était que blessé, même sérieusement, la présence de Billy se révélerait plus utile que sa fuite. Haletant, priant silencieusement pour que Hanson soit encore conscient, il se contraignit à s'approcher du corps.

Un rapide coup d'œil lui apprit que Hanson était bien mort. Et pas de mort naturelle car il était lardé de plusieurs dizaines d'aiguilles hypodermiques plantées un peu partout sur le torse, faisant du malheureux une macabre pelote à épingles. En outre, sa gorge portait la trace d'une horrible blessure apparemment provoquée par un coup de couteau ou de griffe.

Un cri aigu retentit dans le labo. Non pas poussé par Billy qui, en l'entendant, se tourna et se trouva face aux mâchoires hurlantes de quelque animal paraissant sortir tout droit de l'ère des dinosaures. A hauteur des yeux de Billy, la chose vert foncé, à carapace, s'était lancée vers le jeune homme depuis le dessus de l'armoire voisine où elle se cachait. Le cri, mi-hurlement, mi-rire nerveux, s'arrêta au moment où le Gremlin heurtait la poitrine de Billy, le faisant reculer et vaciller sous le choc. Trébuchant sur le corps de Hanson, Billy sentit les énormes griffes passer à quelques centimètres de son visage.

Instantanément, il recouvrait son équilibre, tout comme le démon vert qui bondissait aussitôt sur la table du labo et repartait à l'attaque. Billy l'esquiva, le Gremlin heurtant bruyamment les placards en bois au niveau du sol. L'animal se releva vivement, jaillit et d'un seul coup de ses énormes griffes traversa le pantalon de velours et la chair de la jambe de Billy.

– Sacré...

Le qualificatif fut étouffé par un nouveau mouvement rapide du Gremlin, les deux adversaires se retrouvant accrochés l'un à l'autre, une des griffes de la créature dangereusement proche des yeux de Billy. Se tournant d'un geste brusque, il frappa de son avant-bras, touchant le Gremlin sur le côté de la gueule. L'animal parut plus surpris que blessé par le coup, mais Billy put se dégager de son étreinte tiède et huileuse.

– Monsieur Sodlaw! hurla-t-il.

Dans le même temps, il tenta d'atteindre la porte. Bien que plus petit, le Gremlin le rattrapa rapidement, se jetant violemment contre le mur en une sorte de carambolage qui provoqua la fermeture de la porte et amena l'animal en face de son adversaire.

Billy regarda autour de lui, ne voyant aucune autre issue. Sa blessure, à laquelle il n'avait guère prêté attention dans l'ardeur de la lutte, commençait à le faire souffrir, maintenant qu'il se trouvait face à cette créature au regard mauvais qui lui barrait le chemin.

Et puis, avec une rapidité effrayante, le Gremlin s'élança de nouveau, tel un missile fou, fonçant tout droit vers la poitrine de Billy.

Jamais, au cours de tous ses siècles d'existence, Gizmo ne s'était trouvé dans une situation aussi délicate, coincé là dans le poing griffu d'un Gremlin, exposé à toute une variété de mutilations ou de morts. Comment cela s'était-il produit? Et pourquoi? Quelques jours plus tôt, à peine, il vivait une vie de siestes heureuses dans l'arrière-boutique du Chinois... pour en arriver là, maintenant! Comme tout être mortel sur toute galaxie, il se sentait soudain terriblement mal préparé à l'approche de l'instant de sa mort.

Cette gueule jacassante, devant lui, reconnaissable à sa bande de grossière fourrure blanche, ne pouvait appartenir qu'au Rayé, songea-t-il.

– Comme on se retrouve, mon petit Mogwai de la minorité! dit la voix grinçante mais cependant identifiable.

Gizmo hocha tristement la tête.

– Nous voici presque prêts maintenant, dit Le Rayé en riant.

Gizmo fit le tour de la pièce du regard, apercevant les restes des quatre cocons et les trois nouveaux occupants qui, impatients, attendaient que Le Rayé achève son œuvre. A peine plus petits que lui, aucun d'eux ne possédait la crinière caractéristique du Rayé, mais Gizmo savait qu'ils n'en étaient pas moins diaboliquement dangereux pour autant.

– Tirons-nous, dit l'un d'eux. Il ne se passe rien, ici. On s'ennuie.

– On va y aller, répondit Le Rayé. Mais si on faisait d'abord une partie de Gizmoball?

Cela dit, il balança Gizmo à l'un des autres Gremlins, lui imprimant une poussée telle que les objets tourbillonnèrent follement autour de lui pendant son bref mais effrayant trajet. Le second Gremlin le projeta à l'autre extrémité de la pièce, à peu près de la même manière, mais le troisième laissa choir Gizmo d'entre ses griffes, sur le sol.

Le malheureux Mogwai ne put s'empêcher de laisser échapper un cri au moment où, le flanc entaillé et saignant, il atterrit brutalement sur le dos.

Le Rayé éclata d'un rire hystérique.

– Ramasse-le! cria-t-il. Relance-le!

Son partenaire s'exécuta. Cinq ou six fois encore, Gizmo traversa la pièce en un vol horrifiant, provoquant une nausée croissante, d'une maladroite patte griffue à l'autre. Puis, rattrapé par Le Rayé, il se sentit soudain soulevé, tenu la tête en bas, fixant directement les farouches yeux rouges.

– Encore un coup, gloussa Gizmo, et la prochaine fois que je t'attrape, je te taille en pièces.

Après un grand élan, il lâcha finalement Gizmo, le projetant, tourbillonnant, vers l'autre Gremlin au bout de la pièce.

Plus ou moins consciemment, Billy avait dû se dire que la mort étant proche, il retarderait les ultimes instants de son existence en savourant le simple fait de respirer. Quoi qu'il en fût, au moment où le Gremlin lui fonçait dessus, Billy eut soudain l'impression que tout tournait au ralenti. Il ne s'écoula que d'infimes fractions de seconde mais pendant lesquelles il scruta chaque pouce du laboratoire se trouvant dans son champ de vision – les armoires remplies d'éprouvettes et de becs Bunsen (mais pas d'armes); les paillasses avec leurs microscopes et leurs lames (mais pas d'armes), jusqu'aux murs avec leurs gravures encadrées...

Et un extincteur.

Dans un sursaut d'espoir, son corps réussit un merveilleux mouvement réflexe. Comme si on avait brusquement escamoté ses jambes, Billy chut comme une pierre, provoquant le basculement du Gremlin par-dessus lui, les griffes battant frénétiquement à la recherche de quelque chose à quoi s'accrocher. Avant même la fin de sa chute, Billy parut se tordre, son corps se pliant sur le côté puis jaillissant vers l'extincteur suspendu au mur. Bondissant comme après un plaquage, il se retrouva sur ses jambes, contre le mur.

Il dégagea l'extincteur et le brandit devant lui au moment où le Gremlin bondissait de nouveau. Billy réussit à libérer le jet.

La rapidité même de l'assaut du Gremlin provoqua, pour lui, la première anicroche. Avec un cri sauvage, la tête de l'animal s'enfonça dans l'embout de l'extincteur avec une telle force que l'ustensile fut arraché des mains de Billy. Le Gremlin et l'extincteur heurtèrent le mur dans un grand fracas suivi du sifflement de la mousse et du cri de la créature, incapable de s'extirper du tube rouge. Fouettant farouchement le sol tandis qu'il absorbait de force la substance nocive, l'animal battit des pattes de derrière, fut agité de soubresauts et lacéra le mur de ses griffes avant d'expirer.

Billy, allongé sur le sol, encore étourdi, n'entendait que la lointaine conversation de M. Sodlaw dans le couloir. Il se remit lentement, péniblement, sur ses jambes, jetant un regard autour de lui pour s'assurer qu'il ne rêvait pas. Mais le corps de Roy Hanson se trouvait toujours là, de même que celui du Gremlin.

Sa joie de se retrouver en vie ne fut que de courte durée.

– Maman! cria-t-il, se souvenant qu'il pouvait fort bien y avoir chez lui quatre autres de ces monstres.

Il se précipita dans la classe de Hanson, décrocha le téléphone et appela chez lui, soulagé d'entendre la voix de sa mère dès la deuxième sonnerie.

– Tu n'as rien? lui demanda-t-il.

– Je ne crois pas, répondit Lynn. Je n'ai pas pu échapper au diagnostic de Mme Haynie qui finit juste de me psychanalyser.

– Est-ce que tout va bien à la maison?

– Oui. A ma connaissance.

– Ecoute, poursuivit Billy. File de la maison.

– Pourquoi?

– Les Mogwais se sont transformés en monstres. En tueurs.

– Vraiment...

– M. Hanson est mort, coupa Billy. Le prof de biologie qui en étudiait un. La bête l'a tué, m'man. Je l'ai vue. Et ensuite elle m'a attaqué.

– Tu n'as rien?

– Non. Une petite coupure...

– Tu peux aller jusque chez le Dr Molinaro?

– Ne t'occupe pas de moi, m'man, dit-il impatiemment. Je te dis de quitter la maison. Et emmène Gizmo.

– Mais où irions-nous? Et ces choses ne vont peut-être pas... Un instant, je crois que j'entends quelque chose. Un bruit. Comme une chute.

– Va-t'en! Je t'en prie, va-t'en!

– Oui, d'accord. Je vais d'abord jeter un dernier coup d'œil là-haut. Ensuite, je prends Gizmo et nous partons. D'accord?

– Oui. Dépêche-toi. Je reste en ligne. Dis-moi un mot en passant la porte, pour me rassurer.

– D'accord, dit-elle, posant le combiné sur la table et sortant de la cuisine.

Le vol qui devait être l'avant-dernier pour Gizmo fut en fait le dernier, grâce à une erreur de tir du trop enthousiaste Le Rayé.

Traversant la pièce en donnant de la bande, Gizmo se rendit compte – bien que tout désorienté – qu'il n'allait pas atteindre la cible prévue. Dans son ascension, il passa au-dessus des griffes luisantes et sentit qu'il allait atterrir sur l'étagère aux trophées de Billy. Voyant les divers objets approcher, Gizmo essaya de se rouler en boule pour se protéger.

Heureusement, il heurta d'abord une rangée de livres, relativement mous, dégringola le long de l'étagère en un tourbillon de trophées de papier et de métal et atterrit finalement tout au bout – juste à côté du vide-linge de Billy. Une fraction de seconde, Gizmo, tout étourdi, considéra le carré de bois fermant le conduit de descente et réalisa soudain que, où qu'il menât, il représentait pour lui la voie de la liberté. Il se redressa tandis que les Gremlins approchaient, montrant les crocs, toutes griffes dehors, et il percuta la trappe de bois comme un trois-quarts aile sacrifiant son corps à un essai vainqueur. Un instant plus tard, les oreilles bourdonnantes, la tête cognant sous le choc, il plongeait dans le gouffre noir qui, vaguement, sentait la même odeur que son ami Billy.

– Dépêche-toi, dépêche-toi, hurlait presque Billy dans l'appareil.

Près de trois minutes s'étaient écoulées depuis que sa mère avait promis de prendre Gizmo et de glisser à Billy un dernier mot rassurant avant de quitter la maison. Pourquoi tout ce temps? Avait-elle des ennuis? Gizmo s'était-il caché quelque part?

Il jeta un coup d'œil anxieux à sa montre, se demandant s'il valait mieux rester au bout du fil – uniquement pour être rassuré – ou raccrocher et courir chez lui aussi vite que possible.

– Je lui donne encore trente secondes, murmura-t-il en regardant défiler les chiffres sur sa montre à affichage numérique.

Comme cela se produit souvent lorsqu'on adresse un ultimatum à une personne, à une nation ou au destin lui-même, il n'obtint pas le résultat escompté. Rien, dans le cas présent.

– Bon, d'accord, dit Billy, bien décidé maintenant. Je ne peux attendre plus longtemps.

Il raccrocha et se dirigea vers la sortie, des sentiments contradictoires se bousculant dans son esprit. Son sens des responsabilités lui disait qu'il convenait d'aller trouver M. Sodlaw pour qu'on s'occupe du corps de M. Hanson; une autre voix lui soufflait que la scène du labo et sa fuite de l'école allaient lui valoir la police aux trousses dans les plus brefs délais; mais il se sentait trop inquiet quant à la sécurité de sa mère et de Gizmo pour faire ce qu'il « convenait », mais qui le retarderait.

Ignorant M. Sodlaw qui débouchait d'un autre couloir un instant plus tard et commençait à aboyer des questions, Billy fonça dans la porte d'entrée, l'épaule en avant, vacilla sous le choc et courut à sa voiture.

A dix pas du véhicule, et pour gagner quelques secondes, il sortit ses clés de sa poche et, en détachant la clé de la VW des autres, quitta des yeux le sol recouvert de neige. Un instant plus tard, ratant le trottoir, il s'étalait dans la neige.

La clé disparut.

A peine sortie de la cuisine, Lynn entendit toute une série de coups sourds et de grattements qui lui indiquèrent où chercher. Le premier bruit émanait d'en haut et se poursuivait verticalement vers le sous-sol après une brève pause au niveau du rez-de-chaussée. Elle se souvint d'une légère avancée en bois du vide-linge, à cette hauteur, où parfois restait accroché quelque vêtement. Plusieurs fois, elle avait demandé à Rand d'arranger cela, mais toujours il avait trouvé une excuse et Lynn avait dû s'en accommoder en plaçant en permanence, au sous-sol, à côté du sèche-linge et de l'arrivée du vide-linge, une longue perche. En se rappelant les bruits entendus, elle fut certaine qu'un petit animal, tombé – ou jeté – dans le conduit du vide-linge était parvenu à s'accrocher un instant à l'avancée en bois puis avait poursuivi sa chute jusqu'au sous-sol. Du fait du bref arrêt du rez-de-chaussée, l'animal, quel qu'il soit, était vraisemblablement toujours en vie.

Elle attendit un instant avant de descendre au sous-sol.

– Si... dit-elle. Il vaut peut-être mieux... au cas où...

Elle alla prendre dans le buffet de la cuisine un grand couteau à sushi rapporté par Rand juste après qu'il eut découvert ce plat oriental (et décidé d'inventer un appareil destiné à remplacer les talentueux serveurs qui découpaient le poisson sous vos yeux). Descendant les escaliers avec précaution, elle alla doucement ouvrir la porte du vide-linge. Le couteau devant elle, elle regarda à l'intérieur.

Et vit une paire d'yeux vitreux qui la fixaient. Tout enveloppé d'un fouillis de sous-vêtements et de chemises, l'animal cligna des yeux une seule fois, sans plus.

Etait-ce Gizmo? L'un des autres? Lynn n'en savait rien. La faible lumière et le fatras de linge sale ne lui permettaient pas d'identifier du regard l'animal et elle n'allait certainement pas le toucher.

Tandis qu'elle hésitait, toute une série d'autres bruits émanant de l'étage la convainquirent rapidement qu'il apparaissait plus urgent de se préoccuper de ce qui se passait là-haut que de sortir l'animal – quel qu'il soit – de son vide-linge. En fait, pensa-t-elle, se décidant en un éclair, il ne serait peut-être pas mauvais de garder ce bébé prisonnier pour le moment.

Dans le tiroir à outils de Rand, elle pêcha un marteau et trois petits clous. Quelques secondes plus tard, le vide-linge était solidement fermé.

Reprenant le couteau, elle grimpa rapidement les escaliers du sous-sol, ne ralentissant qu'à la dernière marche. Elle ouvrit la porte, jeta un regard dans la cuisine et s'avança dans la pièce.

Un instant plus tard, l'un de ses plats de porcelaine ancienne éclatait derrière elle contre le mur et elle reçut sur la tête et sur le dos de sa robe des débris de vaisselle.

Lynn poussa un cri qui se mêla à un gloussement hystérique, dans les aigus.

Recouvrant son équilibre mais pas son calme, Billy se mit à chercher la clé perdue. Enfoncée dans la neige, avec lui, ou projetée au loin?

– Bon sang! dit-il, restant immobile pour éviter d'enfouir la clé sous la neige ou de la recouvrir.

Il fouilla les alentours du regard et ne vit rien. Et M. Sodlaw approchait rapidement, marmonnant d'inintelligibles imprécations.

– Hé! cria-t-il lorsqu'il se trouva à trois ou quatre mètres. Tu es censé passer me voir avant de partir pour que je m'assure que tu n'as pas planqué un microscope ou autre chose sous ton manteau.

– Restez où vous êtes, dit calmement Billy qui répéta, voyant Sodlaw continuer à avancer : Restez où vous êtes, je vous dis!

Figé, Sodlaw fixait le prétentieux, ouvrant puis refermant la bouche, comme pour chercher à articuler une bonne repartie et les menaces qui s'imposaient.

– J'ai fait tomber ma clé dans la neige, expliqua Billy. Je vous en prie, ne remuez rien.

Sodlaw demeura sur place tandis que Billy cherchait, mais il n'en continua pas moins à parler.

– Ecoute, dit-il, je t'ai laissé entrer alors que je devais pas et maintenant tu te tires. Si quelque chose a disparu, je pourrais perdre mon boulot.

– Rien n'a disparu, monsieur Sodlaw, répondit Billy.

– Comment je peux savoir? Qu'est-ce que tu faisais là-dedans?

Billy repéra un objet brillant dans la neige. Sa clé. Il se baissa et la ramassa.

– Faut que j'y aille, dit-il. Si vous voulez me fouiller, d'accord, mais faites vite.

Il déboutonna son manteau et se tint bras étendus, pour faciliter la fouille.

Le vieil homme avança d'un pas puis haussa les épaules.

– Laisse tomber, grommela-t-il. Je crois que c'est bon. C'est seulement que tu as filé si vite que j'ai cru qu'il s'était passé quelque chose d'horrible ou que tu avais piqué un truc.

Billy, déjà dans sa voiture, mettait le moteur en marche. Un instant, il envisagea de tout raconter à Sodlaw avant de démarrer, mais il y renonça aussitôt.

– Joyeux Noël, dit-il, démarrant aussi vite que le permit sa voiture qui chassait, avec son moteur à l'arrière.

Après avoir évité le premier tir de barrage de précieux plats en porcelaine, Lynn profita d'un bref répit pour regarder ses assaillants. L'un d'eux se tenait à côté du buffet, dans la salle à manger, gloussant et cherchant d'autres objets à jeter. Il se décida en fin de compte pour un lourd saladier à punch, le tirant de l'étagère et éclatant d'un rire joyeux lorsqu'il se brisa en deux morceaux.

Le deuxième Gremlin furetait activement parmi les casseroles et marmites, les lançait sournoisement et fouillait dans les tiroirs. Un troisième, dans le garde-manger, vidait systématiquement par terre le contenu de toutes les boîtes, de tous les bocaux. Il ne fallut qu'un instant à Lynn pour saisir tout ce qu'il y avait à comprendre de ces monstres : puissants, laids, destructeurs et, surtout, dangereux. Le bon sens lui soufflait de sortir en hurlant et d'appeler à l'aide. Mais, l'emportant sur ce sentiment, une intense colère monta en elle contre le saccage de *sa cuisine.* La détermination tout aussi farouche de défendre son cher foyer, durement acquis, l'empêcha de parer au plus sage et au plus prudent.

– Hors de ma maison! hurla-t-elle.

Elle ne s'attendait pas qu'ils comprennent ou obtempèrent. Non, elle se bornait à les avertir, à leur offrir une ultime chance de mettre fin à leur vandalisme avant qu'*elle* les attaque. Il s'agissait, en fait, d'une déclaration de guerre.

Elle n'obtint, pour toute réponse, qu'un chœur de cris joyeux se mêlant au fracas des assiettes brisées et des boîtes écrasées.

– C'est bon, murmura Lynn, serrant plus fortement le couteau et avançant au milieu de la pièce.

Manœuvre peu judicieuse qui l'exposa à trois bombardements au lieu d'un seul. Des objets lui frôlaient la tête, un pot de café en plastique la heurta à la tempe tandis qu'un nuage de farine à crêpes s'abattait sur elle. Aveuglée par la fureur, elle porta un coup de couteau au Gremlin le plus proche qui se tenait sur la table où, quelques heures plus tôt, elle confectionnait des petits gâteaux secs. Elle fit mouche, la lame acérée entaillant profondément la cuisse du Gremlin. Il poussa un rugissement furieux, trouva un couteau dans le placard au-dessus de lui et s'apprêta à le lancer.

Lynn lança une tasse à café, faisant reculer le Gremlin qui trébucha et se prit la patte dans le centrifugeur breveté de Rand.

Voyant l'animal momentanément coincé dans l'appareil, Lynn bondit et appuya sur le bouton MARCHE. L'engin se mit en route avec un sourd ronronnement, son moteur puissant happant davantage encore la patte du Gremlin. Avec un hurlement de douleur, il se mit à tourner, la patte disparaissant jusqu'à l'épaule tandis qu'une pâte verdâtre s'écoulait. Fascinée et horrifiée, Lynn vit le Gremlin se faire happer tout entier par l'appareil d'où il ressortit sous forme de bouillie.

Un tir de barrage de bouteilles et de boîtes en carton la tira de sa paralysie passagère. Réglant habilement leur cadence de tir pour que s'abatte sur elle une pluie incessante de projectiles, les deux Gremlins demeurant dans la cuisine redoublèrent de vigueur dans leur attaque. Ils se limitaient, maintenant, à des objets lourds et pointus; un couteau à éplucher érafla la joue de Lynn, la faisant saigner. Terrifiée et furieuse, elle avança brusquement sur le Gremlin le plus proche mais, dans son mouvement, elle glissa sur le carrelage de la cuisine.

Etalée là, impuissante, elle vit les deux créatures prendre leur élan pour bondir.

Billy venait de franchir plusieurs feux mais, arrivé à Granger Street, un camion de déménagement recula juste devant lui, le contraignant à écraser son frein. Ce qui provoqua ce que Billy redoutait le plus : le moteur cala. Billy se mit à râler, respira profondément et tourna la clé de contact. Pendant une minute, le bruit du démarreur qui se faisait de plus en plus faible lui répéta l'histoire qui l'empoisonnait depuis si longtemps : carburateur noyé.

Il sortit de la voiture, la rangea le plus près possible du trottoir et se mit à courir.

– Joyeux Noël! lui crièrent quelques passants.

En étendant la main pour saisir la bombe d'insecticide Raid, à quelques centimètres d'elle, Lynn se demanda si sa chance allait durer. Un instant plus tard, elle faisait un bond de côté pour esquiver l'un des Gremlins tandis qu'elle projetait une solide giclée de l'insecticide puant droit dans les yeux de l'autre, en plein vol. Momentanément aveuglé et furieux, il s'écroula sur le premier Gremlin et, frappant farouchement de ses griffes, il arracha plusieurs morceaux de chair du corps de son frère.

Lynn, oubliée dans la confusion, se remit debout, tenant toujours la bombe aérosol.

Elle recula vers la table et se rendit soudain compte d'une autre présence dans la cuisine. Elle se retourna vivement et vit un troisième monstre vert prêt à frapper. Debout sur la table, ses horribles yeux rouges se trouvaient au même niveau que ceux de Lynn, un regard hypnotique, pénétrant, qui semblait engendrer sa propre lueur et non refléter la lumière ambiante. Pointant sur lui la bombe insecticide, elle réussit à le contraindre à reculer jusqu'au four à micro-ondes. Puis, d'un bond rapide, presque un spasme, elle parvint à repousser le Gremlin dans le four, par la porte ouverte.

Elle referma vivement la porte, alluma le four à la température maximale et s'appuya contre l'entrée pour empêcher l'animal qui se débattait d'en sortir. De l'autre main, elle tenait devant elle la bombe aérosol pour se garder des Gremlins qui, par un mouvement tournant, préparaient leur prochaine attaque.

Une minute plus tard, elle perçut des bruits d'éclatement, de désintégration qui émanaient du four tandis qu'une bizarre pensée lui traversait l'esprit. Dieu merci, pour une fois j'ai écouté Rand, songea-t-elle, lorsqu'il m'a conseillé de prendre un four avec une grande porte.

Un coup d'œil à travers la vitre du four lui montra que le Gremlin, cuit, s'était changé en une sorte d'énorme omelette verte et suintante, ses sinistres yeux rouges décorant maintenant la partie inférieure de la masse comme deux giclées de ketchup.

Inutile de s'en inquiéter, songea-t-elle en se précipitant vers la porte de la cuisine et la salle de séjour. La rapidité de son mouvement lui permit d'éviter les Gremlins qui la coincèrent près de l'arbre de Noël, l'un d'entre eux la faisant trébucher tandis que l'autre lui sautait sur le dos. Lynn poussa un cri au moment où les griffes acérées de l'animal lui déchiraient l'épaule. Luttant farouchement mais sans grand succès, elle sut qu'elle ne pourrait les vaincre tous les deux mais seulement leur rendre la tâche le plus difficile possible.

Ainsi décidée, un Gremlin accroché à sa jambe et l'autre sur son dos, elle ferma les yeux et se précipita dans l'arbre de Noël qui clignotait.

Le petit trot de Billy se changea en un sprint désespéré. Il se demandait si quelqu'un, sur terre, avait déjà vu ce qu'il venait de voir.

Tandis qu'il approchait de sa maison, il remarqua combien elle paraissait gaie et paisible, les chaudes lumières de l'intérieur offrant un agréable contraste avec le paysage couvert de neige, dehors. Et, au centre de ce tableau idyllique, le gros arbre de Noël illuminé de lumières clignotantes apparaissait comme un éternel symbole de l'esprit de Noël, un symbole de paix et de félicité.

Et soudain, à l'instant même où l'image finissait de se graver dans l'esprit de Billy, l'arbre s'éteignit d'un coup.

– Sacré... souffla-t-il en accélérant. Je vous en prie... faites qu'il ne soit pas trop tard!

Il n'était pas facile de courir dans ces rues où alternaient les couches de glace, la neige molle et les ornières provoquées par les voitures; il tomba plusieurs fois, s'écorchant les mains, mais jamais il ne quitta des yeux la fenêtre. La silhouette qu'il souhaitait tant voir apparaître, celle de sa mère, refusait de se montrer pour apporter une réponse rapide à la question qui l'obsédait.

Trébuchant sur les escaliers de l'entrée, Billy pénétra en trombe dans la maison, tendant automatiquement la main vers les épées accrochées au mur et qui n'allaient pas manquer de tomber. Et, en effet, l'une d'elles chut providentiellement dans sa main, au moment même où Billy apercevait Lynn, toujours vivante mais perdant son sang, le cou protégé des griffes d'un des Gremlins par un enchevêtrement de branches d'arbre et d'objets de décoration.

Billy bondit, assena un coup d'épée, manqua son but, frappa de nouveau.

L'un des Gremlins, celui qui avait une crinière de fourrure blanche, évita le coup qui toucha le second de plein fouet au-dessus de l'épaule. Le tranchant de la lame entama la carapace puis s'enfonça profondément en atteignant les tissus plus mous, détachant du corps du Gremlin sa tête qui roula dans la cheminée. L'expression de la bête, figée en un regard mauvais, se fondit lentement en une moue renfrognée, grotesque, tandis que la tête brûlait en grésillant.

Au moment où Lynn se débattait pour se relever, elle entendit, tout comme Billy, un petit ricanement à l'autre bout de la pièce. Le Rayé, les yeux flamboyants de colère, semblait les défier.

Un instant, Billy parut sur le point de foncer sur lui, mais il se préoccupa d'abord de sa mère.

– Tu n'as pas de mal? lui demanda-t-il, posant l'épée pour aider Lynn à se relever.

– Je ne crois pas, murmura Lynn. (Avec son esprit pratique, elle ajouta :) Je pense que c'est le dernier. Tu devrais peut-être t'en occuper.

Billy ramassa la lourde épée et s'apprêta à attaquer Le Rayé, mais le Gremlin, conscient maintenant d'avoir perdu l'avantage, cherchait un moyen de s'échapper. Sautant sur le rebord d'une fenêtre, il réussit à éviter le premier coup porté par Billy dont l'épée se ficha dans l'encadrement de bois. Le temps qu'il la dégage, Le Rayé s'était roulé en boule et précipité à travers la fenêtre, brisant la vitre, atterrissant dans la neige et disparaissant dans la nuit.

– Oh non! grommela Billy.

Puis, Lynn et lui examinèrent leurs blessures, saignantes mais sans gravité.

– Où est Gizmo? demanda Billy.
– Au sous-sol. Je crois qu'il a dû sauter dans le vide-linge quand tout a commencé.
– Parfait.
Lynn sourit et repoussa de son front une boucle mouillée de sueur.
– J'ai cloué la trappe, dit-elle. Je ne savais pas, alors, lequel était Gizmo.
Au milieu des débris qui jonchaient la cuisine, Billy s'arrêta un instant pour jeter un coup d'œil aux deux Gremlins, l'un cuit au four et l'autre réduit en pulpe.
– Eh bien, dit-il avec un hochement de tête, tu es vraiment féroce!
– Disons que je n'aime pas qu'on me chahute.
Au sous-sol, Billy se saisit d'un arrache-clou, ouvrit la trappe du vide-linge et regarda à l'intérieur.
– Gizmo, demanda-t-il, tu es là?
Dans un bruit de tissu froissé émergèrent progressivement les deux longues oreilles triangulaires et la tête recouverte d'une douce fourrure de Gizmo. Clignant des yeux nerveusement, il se mit bientôt à fredonner de sa voix de fausset. Lorsque Billy se pencha, il sauta rapidement dans ses bras pour se faire extraire de la jungle de vêtements.
– Hé! ça va? lui demanda Billy.
Il posa Gizmo sur le sèche-linge et le tâta, cherchant d'éventuelles fractures, remarquant ses nombreuses coupures.
– On va te mettre quelque chose là-dessus, dit Billy en ramenant Gizmo au rez-de-chaussée.
Lynn, qui commençait à mettre de l'ordre dans la cuisine, s'arrêta pour caresser Gizmo et le féliciter de faire encore partie des vivants.
– Je croyais qu'ils t'avaient tué, dit-elle.
– Hé! m'man, regarde, s'écria soudain Billy.
Gizmo, les yeux écarquillés, contemplait ce qu'il

restait des Gremlins, paraissant satisfait mais également agité, tournant nerveusement la tête à droite et à gauche puis regardant dans la salle de séjour.

– Tu ne vois pas? dit Billy. Il se demande ce que sont devenus les autres! Il sait que deux d'entre eux sont morts et voudrait savoir où sont passés les numéros trois et quatre.

Billy amena Gizmo dans la pièce et lui montra la tête du Gremlin dans la cheminée et l'horrible corps devant l'âtre. Gizmo sourit puis fronça le front.

– Ouais, dit Billy. Tu as raison. Il y en a un qui s'est sauvé.

Gizmo se mit à pousser des cris angoissés.

– Qu'y a-t-il? demanda Lynn.

– Il nous faut le dernier, m'man, répondit Billy. Nous ne serons pas tranquilles tant qu'il ne sera pas capturé ou détruit.

– Eh bien, nous avons tout le temps, dit Lynn. Nous pouvons appeler le shérif Reilly et lui laisser le soin de la chasse.

– Tu ne comprends pas. Nous n'avons pas beaucoup de temps. Si ce dernier Gremlin se reproduit, tout va recommencer.

– Tu as de méchantes coupures, protesta Lynn. Je préférerais que tu voies le Dr Molinaro.

– Elles sont moins graves que les tiennes.

– D'accord, nous irons tous les deux.

– Demain.

– Tu veux donc que cela s'infecte?

Billy savait que sa mère avait raison, mais la sagesse imposait également qu'on prenne rapidement en chasse Le Rayé. Bien qu'obéissant le plus souvent à sa mère simplement parce qu'elle avait raison, le plus souvent aussi, Billy secoua la tête.

– J'y vais maintenant, pendant que les traces sont

encore fraîches dans la neige et avant qu'il trouve l'occasion de se multiplier.

– D'accord.

Il monta en toute hâte dans sa chambre, retrouva le sac de Gizmo au milieu des débris de cocons, y glissa l'animal et prit un pull-over supplémentaire. Redescendant dans le hall, il enfila son manteau et sentit dans la poche un objet métallique. Une bombe de Raid, vit-il en la sortant.

– Mon arme secrète, dit Lynn. Tu en auras peut-être besoin. Et n'oublie pas ton épée.

Il ramassa une lampe-torche, glissa sur son épaule le sac contenant Gizmo, embrassa sa mère et sortit dans la nuit et la neige.

16

Peu de personnes souhaitaient rendre visite chez elle à la terrible Mme Ruby Deagle et moins encore osaient aller braver la tigresse dans sa tanière. Exactement ce que souhaitait l'intéressée, d'ailleurs. Moins elle avait de visiteurs, mieux elle se portait. Même son défunt mari, Donald, bien qu'ayant fait fortune dans l'immobilier, avait constitué un fardeau pour elle au cours de ses dernières années. Non pas parce que sa maladie traînait, mais parce qu'elle n'aimait pas l'avoir dans les jambes. Après tout, il avait rempli son contrat en bâtissant un empire financier qui permettrait à sa femme de vivre très confortablement. Aussi, lorsqu'il s'éteignit, ce fut davantage un soulagement qu'une tragédie pour Ruby Deagle.

Seule avec neuf chats, elle commença sa soirée comme d'habitude en leur servant leur repas, mais en ne déposant leurs assiettes qu'après que les chats eurent ronronné, miaulé et se furent frottés à ses jambes pendant cinq bonnes minutes. Tel était le tribut à payer pour leur nourriture : obéissance, dévotion et humble reconnaissance de sa toute-puissance.

En riant, elle déposa les assiettes par terre et regarda les chats se bousculer dans leur hâte de manger.

– C'est tellement mieux que les gens, les chats,

dit-elle avec un sourire. Et ils ne se plaignent pas de leurs problèmes d'argent.

Après le repas des chats, Mme Deagle se détendait devant la télé, à regarder son émission de jeux favorite. Elle aimait tout particulièrement les jeux qui obligeaient les candidats à s'humilier totalement pour gagner un prix ou de l'argent.

– Je me demande quels idiots vont se donner en spectacle ce soir, dit-elle à voix haute, drapant plus étroitement sa robe de chambre de satin autour de son cou.

Il faisait froid dans la vieille et vaste demeure, mais Mme Deagle refusait de faire monter le chauffage à plus de treize degrés même lorsque de la glace se formait sur les fenêtres.

– Pourquoi devrais-je enrichir les compagnies pétrolières? demandait-elle chaque fois que son neveu Weldon passait avec quelque papier officiel à signer et se plaignait du froid.

Elle n'enrichissait pas davantage les fabricants de meubles, ayant conservé le mobilier acheté peu après son mariage avec Donald et n'ayant ajouté aux chaises et tables vieillottes que les seuls meubles saisis à des familles qui n'avaient pu régler leur loyer ou leur hypothèque à date due. C'est ainsi que les immenses pièces demeuraient dans l'obscurité pour des raisons d'économie et se trouvaient encombrées de tout un fouillis de camelote. Si les autres n'aimaient pas cela, tant pis pour eux, se disait Mme Deagle. Elle, elle se trouvait parfaitement à l'aise dans tout ce bric-à-brac, et cela seul comptait.

Son unique concession à la technologie moderne – car même la télé était un vieux poste en noir et blanc – était représentée par un appareil jouxtant les escaliers, un simple fauteuil, en fait, qu'un moteur et une poulie tiraient à l'étage. L'appareil avait été installé sur la recommandation du médecin pour qu'elle ne fatigue pas son cœur en grimpant les escaliers. Bien que la raison de l'existence de ce fauteuil-ascenseur fût sérieuse, Mme Deagle ressentait toujours un petit frisson de plaisir en y prenant place, en appuyant sur le bouton et en se trouvant automatiquement propulsée à l'étage. Elle ne l'aurait jamais avoué mais elle se trouvait souvent de bonnes raisons de monter et descendre, pour le plaisir.

Assise dans le fauteuil, elle allait appuyer sur le bouton quand on sonna à la porte.

– La barbe! Qui cela peut-il être à cette heure? Les gens sont sans égard pour leur prochain.

Lentement, elle alla ouvrir et découvrit Mme Harris, emmitouflée dans un vieux manteau, frissonnant tandis qu'elle lui tendait une enveloppe de ses mains gantées.

Mme Deagle ne l'invita pas à entrer.

– Oui? demanda-t-elle d'un ton froid.

– Je vous apporte mon paiement du mois dernier, dit Mme Harris non sans une certaine fierté dans la voix. Nous avons vendu quelques objets personnels et...

– Cela ne m'intéresse pas, la coupa Mme Deagle. J'ai une banque qui s'occupe de mes affaires, savez-vous?

– Oui, madame, mais je n'ai pu réunir la somme avant la fermeture et comme vous avez dit...

– Si je m'en souviens bien, j'ai dit que je souhaitais qu'on me paie ce qu'on me doit, pas ce qu'on me devait il y a un mois.

– Je suis vraiment désolée, madame.

Mme Deagle prit l'enveloppe et dit avec un méchant sourire :

– Vous n'aurez bientôt plus à vous inquiéter de moi car j'ai l'intention de vendre une bonne partie de mes immeubles à la *Hitox Chemical*. Votre maison en fait partie. Bonsoir.

Et Mme Deagle claqua la porte sur une Mme Harris incontestablement déconcertée et toute malheureuse.

De retour dans sa cuisine où une bataille avait éclaté entre les chats, Mme Deagle ramassa les assiettes, se fit une tasse de soupe instantanée pour la savourer devant la télé et revint lentement dans l'humide et froide caverne de velours râpé qu'elle appelait sa salle de séjour.

A peine était-elle assise dans son fauteuil à bascule hyper-rembourré qu'on sonna de nouveau à la porte.

– Encore! cria-t-elle. C'est odieux. Elle est sans doute restée là dix minutes à rassembler son courage et voilà qu'elle vient me supplier de changer d'avis. Donald avait raison. Toutes ces petites gens sont des paresseux, des limaces sans cervelle, tout juste bons à deux choses : faire de la main-d'œuvre à bon marché et consommer de la nourriture. (En se rendant à la porte, elle ajouta une constatation de son cru :) Et faire des ordures. Il avait oublié cela.

Ouvrant la porte, elle fut saluée par un groupe de gosses chantant des chants de Noël et dont l'enthousiasme compensait la carence d'harmonie.

– No - ël! No - ël!...

Mme Deagle, les bras au ciel, les accueillit non pas avec un joyeux hosanna mais avec un gémissement de douleur.

– Arrêtez! hurla-t-elle. Vous me cassez les oreilles!

Les jeunes chanteurs, quelque peu ébranlés mais bien déterminés, n'en poursuivirent pas moins :

– Le Seigneur est né...

– Filez d'ici! Je déteste les chanteurs de Noël! Dégagez ma pelouse!

Une telle virulence dans l'apostrophe déconcentra les petits chanteurs dont la mélodie se désintégra, les voix se fondant en une cacophonie puis s'éteignant.

– C'est mieux, déclara Mme Deagle. Contentez-vous de rester dans la neige, la bouche fermée. C'est plus agréable.

Elle leur tourna le dos et claqua la porte derrière elle.

Confus et froissés, les gamins se regardèrent, essayant de retrouver leur courage. Ils demeurèrent un long moment silencieux.

– Essayons les maisons du nouveau quartier, proposa l'un d'eux. Ce sont des jeunes, ils sont sympa, pas comme cette vieille...

– ... Dame, compléta charitablement un autre gamin.

Tandis que le groupe sortait en traînant les pieds, les enfants se rendirent compte que l'un d'entre eux, semblait-il, ne suivait pas. Beaucoup plus petit que les autres, il ou elle paraissait difficile à identifier, par sa taille d'abord et du fait qu'il était emmitouflé dans une grosse écharpe. Sans doute le jeune frère ou la jeune sœur de l'un des chanteurs qui avait revêtu un accoutrement de carnaval avant de se joindre au groupe. Quand enfin il rejoignit les autres, ce fut sa voix qui frappa davantage que sa taille, sa forme ou sa couleur. Un peu comme s'il chantait les dents bien serrées, dans les aigus, des paroles indistinctes. Quelque chose qui se situerait entre le son nasillard d'un instrument à cordes et le cri de fausset d'un écureuil.

– C'est peut-être de sa faute, si ça s'est produit, suggéra l'un des chanteurs.

– Naan, répondit un autre. C'est simplement Mme Deagle. Elle déteste tout.

– Mais tu l'as entendu chanter?

– Bien sûr, et alors? Nous ne sommes pas la chorale de l'église. On chante simplement pour faire plaisir aux gens.

– Ouais. Tu as sans doute raison.

Bien que d'accord sur le fait qu'on ne pouvait tenir rigueur de sa voix à un nouveau venu, l'un des jeunes voulut au moins savoir qui il était. Il fut surpris, en s'approchant, de voir l'autre s'éloigner rapidement.

– Hé! l'interpella le garçon. Tu veux pas parler? Je voulais juste savoir qui tu étais.

Le petit bonhomme ne répondit pas.

– Pas mal, ton déguisement, mais tu t'es trompé de jour. C'est Noël, pas Mardi gras.

Toujours pas de réponse.

– Je parie que je sais qui tu es... Eric Wallman. Non?

Le petit bonhomme ne répondit pas.

Et les noms d'une douzaine de garçons et filles habitant dans le coin ne provoquèrent toujours pas la moindre réaction.

– Hé! approche. Je voudrais te parler.

L'interpellé ne bougea pas et le jeune garçon se dirigea vers lui. Bien que le gamin déguisé se déplaçât dans la neige avec une rapidité et une agilité surprenantes, les enjambées plus longues de son poursuivant lui permirent d'arriver à sa hauteur. Alors que le jeune garçon allait tendre le bras pour attraper le mystérieux visiteur, il entendit un grognement hostile assez peu de mise en ces jours de Noël et ressentit une vive douleur dans le bras.

– Aouh! cria-t-il.

Et il vit du sang perler à travers la manche déchirée de son manteau.

Plus furieux que sérieusement blessé, il mit ses mains en porte-voix et hurla au petit bonhomme qui s'enfuyait :

– D'ailleurs, tu chantes comme une casserole. On n'a pas besoin de toi!

Depuis près d'une heure, ils passaient d'une série de traces de pattes bien nettes de Gremlin dans la neige à tout un enchevêtrement de pas brouillés quand – plus par chance que par flair – ils retombèrent sur une piste parfaitement nette. A la fois pour garder le moral et pour réfléchir, Billy continua à parler à haute voix, tant pour Gizmo que pour lui-même, échafaudant son nouveau plan.

– Les Mogwais, ce sont de chouettes animaux, mais ces bestioles n'apportent que des ennuis. Cela me rappelle ces trucs dont m'a parlé M. Futterman. Comment les appelait-il? Des Grebblies? Des Gremlins? Ouais, c'est ça. Et moi qui pensais qu'il était dingue!

(Il se souvint qu'une fois, au lycée, à l'occasion d'un essai sur Sherlock Holmes, la puissance de raisonnement et de déduction du célèbre détective l'avait vivement impressionné. En général – au moins dans les aventures dont Billy se souvenait le mieux – Holmes pouvait prévoir ce qu'allait faire le criminel simplement en se mettant à la place de son adversaire.)

Et c'est ce à quoi s'employait maintenant Billy, qui commenta, à l'intention de Gizmo :

– Voyons, Giz. Où irais-tu maintenant si tu étais Le Rayé?

Compte tenu du nombre restreint de paramètres à la disposition du Rayé, la réponse à cette question ne paraissait pas vraiment difficile.

– Dehors, il fait nuit et il peut se déplacer à sa guise. Mais, apparemment, la neige est trop froide pour qu'il l'utilise pour se reproduire. A l'intérieur se trouve ce qu'il cherche probablement – de l'eau plus chaude – mais la plupart des maisons sont bien éclairées. Et puis, il faut qu'il puisse y pénétrer. Comment? Bien sûr, il pourrait se rouler en boule et passer à travers une fenêtre, comme il a fait à la maison. Mais cela ferait du bruit, attirerait du monde... A moins qu'il ne choisisse une maison où il n'y ait personne... Ou... il pourrait essayer de se glisser à l'intérieur au moment où quelqu'un d'autre entrerait... ou si on laissait un instant la porte ouverte...

Depuis environ un quart d'heure, il entendait vaguement, au loin, les chants de Noël du groupe de gosses, quand il se dit qu'il y avait peut-être là un lien.

Il accéléra son allure et se dirigea vers les voix.

– C'est peut-être un peu tiré par les cheveux, dit-il à Gizmo, mais si nous étions Le Rayé, je crois que nous essayerions de nous glisser au milieu de ces gosses. Au moins permettraient-ils de camoufler nos traces. Et si quelqu'un laissait une porte ouverte pour écouter les chants, ce serait peut-être l'occasion de se glisser à l'intérieur... De toute façon, on peut toujours demander. Ils l'ont peut-être vu au cours de leurs pérégrinations.

Convaincu de la justesse de son raisonnement, Billy resserra davantage le sac pour abriter Gizmo du froid et se mit à courir à bonne allure. Quatre cents mètres plus loin, il rattrapa les chanteurs.

– Salut. Je cherche un petit gars de cette taille environ, leur dit-il, en étendant la main à hauteur de sa ceinture.

– Ouais, répondit aussitôt l'un des chanteurs. Nous l'avons vu. C'est ton frère, ou un parent?

– Pas exactement, pourquoi?

– Parce que c'est un salopard. Neil a essayé de lui demander son nom et il s'est tiré. Alors, Neil l'a rattrapé et le gosse l'a blessé avec un couteau.

– Est-ce que Neil est par là? demanda Billy en regardant autour de lui.

– Non, répondit un autre chanteur. Il est rentré chez lui pour voir dans quel état se trouvait son manteau. Et il saignait du bras, aussi.

– Pourquoi que tu cherches cet affreux rase-mottes? demanda un autre.

– Parce qu'il devrait être rentré, maintenant, répondit Billy, jugeant inutile de les inquiéter en leur avouant la vérité. Mais par où est-il parti?

Plusieurs gamins indiquèrent la direction d'une bâtisse plongée dans l'obscurité entre deux maisons plus petites, bien éclairées. La salle de l'Y.M.C.A. – l'Association chrétienne des jeunes gens.

– Je sais pas pourquoi il est parti par là, observa l'un des chanteurs. C'est bouclé.

– Il a peut-être eu peur, dit un autre.

– Merci, dit Billy. Et dites à Neil que je suis désolé.

Alors qu'il s'apprêtait à partir, trois ou quatre jeunes repérèrent au même moment Gizmo dont la tête émergeait du sac et ils s'avancèrent pour voir.

– Hé! demanda l'un d'eux. Qu'est-ce que c'est que cet animal? Il est mignon.

– C'est un Mogwai.

– D'où ça vient?

– Pas d'ici. Ça vient de loin. Excusez-moi, il faut que j'y aille. Et merci de vos tuyaux.

Après un rapide geste d'adieu de la main, il se dirigea vers le bâtiment non éclairé, repérant bientôt les traces des pattes à trois griffes du Rayé dans la neige. Pressant le pas, il suivit la piste toute fraîche qui faisait presque le tour du bâtiment puis s'arrêtait.

Exactement sous une fenêtre à la vitre brisée.

– Il est sans doute là, Giz, dit Billy, d'une voix où se mêlaient l'excitation et l'inquiétude.

Tout en débarrassant la fenêtre de ses débris de verre afin de pouvoir s'y glisser, Billy se souvint de l'agitation déclenchée quelques mois plus tôt à la suite du vol d'une machine à écrire dans les locaux de l'Y.M.C.A. Quelques citoyens un peu plus excités que les autres avaient proposé qu'on dote tous les bâtiments publics des systèmes d'alarme les plus modernes et que, vingt-quatre heures sur vingt-quatre, des gardes armés les surveillent. D'autres, fiers de la réputation de Kingston Falls, ville sans délinquance, jugèrent que tant qu'il ne ressortait pas que le vol constituait autre chose qu'un cas isolé d'aberration, les précautions habituelles devaient suffire. On avait changé, au lycée comme à l'Y.M.C.A., plusieurs serrures un peu trop tentantes par leur fragilité et remplacé les vitres brisées des fenêtres situées au niveau du sol. Maintenant, en se glissant par l'ouverture, Billy se souvenait d'un débat animé des édiles locaux, l'été précédent, à propos de la sécurité de Kingston Falls.

– Je suis d'accord pour engager des dépenses afin de doter les bureaux de ces bâtiments de systèmes d'alarme, avait déclaré un conseiller municipal. Mais je ne vois pas pourquoi nous gaspillerions notre argent à blinder les locaux du rez-de-chaussée où l'on ne trouve que quelques armoires-vestiaires métalliques fixes, un terrain de basket et diverses autres installations intransportables. Que pourrait-on voler? Et puis, la police effectue régulièrement des rondes et les voisins surveillent.

A présent, en équilibre précaire sur l'appui de la fenêtre, Billy se demandait si, malgré le temps et le manque de visibilité, quelqu'un avait pu le repérer. Dans ce cas, il savait que les sirènes ne tarderaient pas à se faire entendre car les habitants de Kingston Falls mettaient un point d'honneur à respecter la loi et l'ordre et étaient peu enclins à détourner la tête lorsqu'un délit se commettait sous leurs yeux. Est-ce que je me livre à un délit? se demandait Billy. A son sens, il convenait de répondre par la négative, mais il fallait bien reconnaître que, pour un œil non averti, cela y ressemblait fort. Que pourrait-il bien dire si on le surprenait à l'intérieur?

Sans justification logique, on l'arrêterait pour bris de clôture, un point c'est tout. Il se demanda si on lui permettrait de recevoir des cadeaux de Noël en prison.

– Dans ce cas, tu fais marche arrière, dit-il à haute voix. Dernier appel à l'intention des trouillards...

Relevant le défi, il sauta à l'intérieur. En tombant sur le côté, dans l'obscurité, il retrouva rapidement la lampe-torche qui avait roulé de sa poche et se releva. C'est alors qu'il entendit un gloussement aigu, irréel, qui se répercuta dans tout le rez-de-chaussée. Cela paraissait tout proche, mais dans ce hall immense et vide, Le Rayé pouvait fort bien se trouver à vingt ou trente mètres de là.

Billy demeura un instant immobile pour tenter de s'accoutumer à l'obscurité avant de poursuivre. Une minute s'écoula. Aucun bruit à part celui, lointain, des chaînes d'une voiture dans la neige. Encore une longue minute. Billy pouvait sentir l'haleine tiède de Gizmo dans son cou, entendre le léger bruissement de ses vêtements lorsqu'il bougeait le bras. A part cela, rien... Aucun bruit de griffes sur les armoires métalliques, plus de gloussements et, remarqua-t-il avec une muette prière de remerciement, aucun bruit d'eau.

Enfin, un son rompit ce silence de mort. Non pas un bruit léger, à peine perceptible, qui aurait trahi les déplacements de son auteur, mais un bruit bien net, bien distinct, du genre qu'on s'attend tout naturellement à entendre en un tel lieu.

Le bruit d'un ballon de basket qui rebondissait.

Plop... plop... plop-plop-plop...

Pas un ballon de basket avec lequel on est en train de jouer, corrigea Billy, mais un ballon qui vient de tomber ou qu'on a fait tomber et qui finit de rebondir.

Il s'orienta et se déplaça aussi rapidement que le

lui permettait l'obscurité en direction de la salle des équipements, une partie du rez-de-chaussée à laquelle le conseiller municipal n'avait pas songé en prétendant qu'il n'y avait rien à voler. Mais la salle – une sorte de cage plutôt – demeurait toujours fermée, se souvint Billy, et pas seulement avec un système tout banal susceptible d'être scié ou brisé. Arrivé à la porte, il tendit la main vers la serrure carrée, en bronze, qui évoquait toujours pour lui celles des portes de prison dans les films. Il poussa légèrement, puis plus fort. La porte était toujours verrouillée.

Mais alors, comment... se demanda-t-il.

Le choc d'un objet lourd sur sa tête lui fournit la réponse. Un choc immédiatement suivi par un rire hystérique, puissant, juste au-dessus de lui.

Billy, pointant le faisceau de sa lampe vers le haut, entendit le gloussement se muer en un cri de douleur puis en quelque chose qui ressemblait fort à une malédiction bien sentie en langage mogwai. Un instant, il vit le rayon de sa lampe frapper les yeux rouges du Rayé et, tandis que la tête du Gremlin se rejetait convulsivement en arrière, il vit qu'existait un espace d'une vingtaine de centimètres entre le plafond de la salle et le toit de la cage de rangement. Trop étroit pour qu'un homme puisse s'y glisser, il avait amplement suffi au Rayé, de toute évidence.

Maintenant qu'il avait allumé, Billy décida de garder le rayon de la lampe braqué sur le Gremlin, car s'il s'échappait de nouveau...

Il n'eut guère le temps de réfléchir aux conséquences d'une autre erreur. Une pluie d'objets divers, assez petits pour passer à travers l'ouverture en haut de la cage, s'abattit sur lui. Pour autant qu'il pouvait en juger tout en les évitant, il pleuvait des balles de base-ball, des clous, des tournevis, une clé, une vieille chaussure de basket, des morceaux de bois et toutes sortes d'éléments métalliques dont Le Rayé pouvait se saisir. Evitant de son mieux les projectiles hétéroclites tout en protégeant sa tête et celle de Gizmo, Billy parvint à maintenir la lampe braquée sur Le Rayé durant le bombardement. Sa seule stratégie consistait à tenter de chasser la créature de dessus la cage et à l'attaquer de son épée, stratégie qui dépendait en grande partie de la durée des piles dans la...

Plus de lumière, soudain. Un objet pointu, heurtant la main de Billy, lui avait fait lâcher la lampe dont toute la partie frontale, en plastique, se détacha. Les piles et l'ensemble ampoule-réflecteur roulèrent dans diverses directions.

Le grognement de colère de Billy se confondit avec le gloussement du Rayé dans l'obscurité soudaine et totale.

Billy, à genoux, cherchait à tâtons les différentes composantes de la lampe. Il tomba rapidement sur les piles, puis sur l'ampoule dans son réflecteur et enfin sur le couvercle. Tandis qu'il tentait de remonter le tout dans l'obscurité, il entendit Le Rayé qui s'enfuyait en descendant sur le côté de la cage, atterrissant à moins de deux mètres de là dans un bruit métallique de griffes. S'il n'avait pas été occupé avec la lampe, Billy se serait mis à frapper à l'aveuglette avec son épée car il sentait le Gremlin tout proche. Un instant plus tard, la lampe fonctionnait de nouveau et il éclaira le couloir juste à temps pour voir Le Rayé tourner, tout au bout.

Traversant le terrain de basket, ses griffes pointues crissant sur le plancher de bois bien lisse, il se dirigeait vers un coin où se trouvaient quelques placards et la porte de la...

– Oh non! souffla Billy en se mettant à courir. La piscine! Il faut arriver avant lui!

A toutes jambes, la lumière de la lampe dansant devant lui, il remarqua avec un grognement de satisfaction que Le Rayé avait tourné vers les placards. Parfait, songea Billy, au moins avons-nous une chance maintenant.

Arrivés à la porte de la piscine avant Le Rayé, ils pourraient l'empêcher d'y accéder, à moins que les piles ne flanchent. Mais, en attendant, Billy pourrait tenter de localiser les principaux commutateurs.

– Tiens, dit-il, en glissant la lampe dans les pattes de Gizmo de manière à éviter ses yeux mais en la braquant droit sur la porte. Tiens-la comme ça et ne bouge pas, d'accord?

Gizmo, tenant fermement la lampe dans ses pattes, sentit sa gorge se serrer tandis que Billy disparaissait dans l'obscurité.

Trébuchant mais progressant, Billy s'inquiétait des réactions de Gizmo si lui, Billy, parvenait à trouver les commutateurs et à allumer. La lumière lui ferait autant de mal qu'au Rayé, elle pourrait peut-être même le tuer, comme elle avait déjà tué l'un des Mogwais. Il hésita un instant, se demandant s'il devait revenir sur ses pas. Puis il décida de continuer. S'il allumait, Gizmo pourrait se mettre à l'abri dans le sac. Et Billy pourrait se débarrasser du Rayé, paralysé par la douleur.

L'épée à la main, il avançait à tâtons le long du mur, se demandant s'il allait tomber d'abord sur Le Rayé ou sur les commutateurs. Une minute plus tard, ses doigts ne rencontrant que la surface lisse du carrelage, il se prit à penser que la recherche de l'un comme des autres paraissait désespérée.

– Où sont les boutons? murmura-t-il, impuissant, tout en jetant un coup d'œil derrière lui pour s'assurer que la lampe visait toujours la porte. Les piles avaient certes faibli mais Billy calcula qu'elles tiendraient encore quelques minutes. Compte tenu de cela, et désespérant de trouver les commutateurs – s'il y en avait! – dans ce coin du gymnase, il se dirigea vers le mur d'en face.

Il venait de parcourir une quinzaine de mètres lorsque, en se retournant pour vérifier où en étaient les piles, il vit se dérouler le dernier acte de l'habile stratégie du Rayé. De toute évidence, il avait compris que Gizmo tenait la lampe tandis que Billy tentait de le déborder ou de localiser les commutateurs. Plaqué contre le mur près de Gizmo, Le Rayé avançait lentement tout en se protégeant de la lumière directe. Trop tard, maintenant. Billy distingua la forme caractéristique du Gremlin, sa silhouette sombre se découpant dans le clair-obscur. Avec une lenteur diabolique, la silhouette se dressa tout près de Gizmo, tel un cobra s'apprêtant à frapper sa proie.

– Attention! cria Billy. Attention, Gizmo, il...

La lampe tomba bruyamment sur le sol et se mit à rouler tandis que le gymnase répercutait toute une série de grognements et de petits cris. Fonçant vers la porte de la piscine qu'il distinguait à peine, Billy tomba littéralement sur les corps emmêlés. Il ressentit simultanément deux vives douleurs, l'une à l'épaule, l'autre au côté. Balançant son poing en un vaste revers, Billy sentit qu'il avait fait mouche et entendit Le Rayé pousser un cri de douleur. Il lança un autre coup dans la direction du cri, faisant lâcher prise au Rayé qui se précipita sur la porte de la piscine.

– Non! s'entendit inutilement crier Billy.

Tandis que le bruit des griffes sur le carrelage s'éloignait, Billy récupéra rapidement la lampe-torche et pénétra dans la salle abritant la piscine. A la porte, il éteignit la lampe bien qu'il ne distinguât pas grand-chose sans elle. Frappé de panique, il se rendait compte, tout de même, qu'il convenait de n'utiliser la lampe qu'à bon escient – non seulement parce qu'elle faiblissait mais aussi parce qu'un brusque mouvement du Rayé dans la mauvaise direction, maintenant, et...

Un gloussement prolongé et particulièrement méchant apprit à Billy que le pire venait de se produire. Le Rayé avait découvert la piscine et ses possibilités de reproduction illimitées.

Debout, à l'autre extrémité, il sautait de joie, humant de tout son nez l'odeur enivrante de la buée qui s'élevait de la surface de l'eau, levant les bras et les agitant à la manière d'un athlète qui vient de réussir un exploit. Chaque fois que dans sa danse victorieuse il retombait sur le sol carrelé, le gloussement se faisait plus fort, évoquant maintenant une cornemuse désespérément figée dans une note unique, hystérique.

– Non... souffla Billy.

Une douce fourrure, qui lui effleura la main, lui apprit que Gizmo était sain et sauf; une bonne nouvelle, au moins, au moment où il regardait, impuissant, Le Rayé qui entrait dans l'eau.

Billy alluma la lampe, partit en courant vers l'extrémité de la piscine et braqua le faisceau lumineux sur l'eau. Le Rayé avait doucement coulé au fond du bassin, la gueule en avant, les pattes bien détendues le long du corps.

Un long moment, Billy se prit à espérer...

Un léger gargouillis anéantit ses espoirs. Sur le dos du Rayé apparaissait une éruption de minuscules cloques qui s'animaient et se répandaient à la surface de la piscine. Comme une moisissure géante, ces grosses cellules se divisaient et se redivisaient, faisant bouillonner l'eau d'une écume verte. Le léger gargouillis se changea bientôt en un rugissement, un gémissement assourdissant d'une centaine de voix humaines criant de douleur.

Billy regarda, fasciné, un bref instant. Puis, empoignant Gizmo, il sortit du bâtiment, mi-courant, mi-trébuchant.

17

A cinquante mètres de l'Y.M.C.A., Billy, effondré, se retrouvait spectateur d'une sinistre mise en scène dont il était largement responsable. Tout d'abord, il n'y eut pas grand-chose à voir ou à entendre, excepté la lueur verdâtre émanant des environs de la piscine et un lointain chœur de gloussements. Puis, un mouvement, à l'intérieur, et le chœur qui se faisait nettement plus puissant. Bientôt, Billy aperçut une forme puis des douzaines qui passaient devant les fenêtres – tous des Gremlins adultes!

– Bon sang, lorsqu'ils se multiplient à partir d'un Gremlin, ils ne perdent pas le moindre centimètre.

Gizmo refoula une larme. Il aurait pu les prévenir des dangers et on aurait pu éviter tout cela... s'il était parvenu à mieux communiquer... si ces humains avaient suivi ses conseils... si, si, si...

Plus de si, maintenant. Pour Billy, le dernier espoir venait de s'envoler. Tandis que Gizmo et lui escaladaient une petite pente, à peine quelques minutes plus tôt, il avait songé à appeler les pompiers pour qu'ils brûlent les cocons avant leur éclosion. Mais il n'existait pas de cocons, pas de stade intermédiaire au cours duquel ils auraient été vulnérables à la destruction ou susceptibles d'être transportés en un lieu où ils n'auraient causé aucun dégât.

– Que pouvons-nous faire, maintenant, Giz? demanda Billy d'un ton las, en soupirant. Abandonner, rentrer à la maison et attendre? On ne peut rien faire d'autre, n'est-ce pas?

C'était là le plus raisonnable, mais il savait qu'il ne pourrait renoncer à présent. Du fait qu'il avait contribué à déchaîner ces diaboliques créatures sur Kingston Falls – et peut-être sur le monde –, il se devait, et devait aux autres de faire tout son possible pour réparer son erreur. C'était là la principale considération, l'aspect le plus moral de la question. Il savait, en outre, qu'il deviendrait fou s'il se bornait à rester là.

– Je crois, dit-il lentement, qu'il va nous falloir informer la police.

L'idée d'expliquer ce qui se passait au shérif Reilly et à son adjoint Brent – deux têtes de mule – ne l'enthousiasmait guère. Il n'était déjà pas toujours facile de leur exposer un problème tout simple tant ils étaient persuadés que tous les bipèdes ne pouvaient qu'être tortueux, idiots ou les deux à la fois. Ajoutez à cela la réaction toute naturelle et raisonnable de quiconque entendrait une histoire de Gremlins ou autres créatures venues d'ailleurs. Fana de cinéma, Billy imaginait déjà le scénario qui se déroulerait au poste de police. Comme dans tant d'autres films d'horreur, il allait expliquer ce qui s'était passé. La police se montrerait sceptique, pour ne pas dire plus. Ensuite, pour les convaincre de la véracité de son histoire, il leur suggérerait de se rendre au lycée pour voir et le cadavre de Roy Hanson et les restes d'un Gremlin mort. Après bien des efforts, ils l'accompagneraient – et, bien sûr, les deux cadavres auraient disparu. Ou seul le Gremlin aurait disparu et la police, alors, ne pourrait qu'arrêter Billy pour meurtre.

Billy hésita donc, mais pas longtemps : à l'intérieur de l'Y.M.C.A., ça grouillait d'animaux qui sortaient par les fenêtres, donnant au bâtiment faiblement éclairé l'aspect d'une salle de théâtre ou de concert à la fin de la représentation du soir.

– Allons-y, Giz, dit enfin Billy. Je crois que si nous voulons les empêcher d'envahir la ville, il vaut mieux aller le dire aux flics.

Un quart d'heure plus tard, dans le minuscule poste de police de Kingston Falls, Billy racontait son histoire aussi simplement et calmement que possible, évitant – autant que faire se pouvait – le genre de descriptions apparemment folles qui avaient cours dans les films.

Mais la réaction des policiers se révéla différente, en quelque sorte, de celle des films ou de la télé, encore que le shérif Reilly et le shérif adjoint Brent arborassent tout de même l'air « Ménageons-le-et-il-se-cal-mera » propre aux forces de l'ordre en pareilles circonstances. Assis à leur bureau en bois, buvant un lait de poule dans des gobelets de plastique, ils paraissaient peut-être un peu moins solennels et un peu plus accueillants qu'on n'aurait pu le craindre, notamment au début. Lorsqu'il apparut évident que Billy était sérieux, ils le laissèrent poursuivre un certain temps son récit avant de l'interrompre.

– Des Gremlins, hein? coupa Reilly. Pareils à de petits monstres, vous dites?

– C'est ça.

– Verts, bien sûr, poursuivit le shérif avec un clin d'œil presque imperceptible à Brent. Chacun sait que les petits monstres sont toujours verts.

– Oui, verts, reconnut Billy, qui aurait souhaité qu'ils fussent d'une autre couleur.

– Avec des petites dents pointues et de longues griffes.

– Oui, m'sieur.

– Des milliers, hein?

– Ma foi, deux cents petits monstres verts avec griffes et crocs, ça me semble suffisant, si vous voulez mon avis, commenta Brent en souriant. Et d'où sortent ces Gremlins?

– C'est mon père. Il m'en a offert un comme cadeau de Noël, un peu en avance, il y a quelques jours.

– Un cadeau... grogna Reilly. C'est le genre de cadeau que vous offre votre père, d'habitude? Des monstres malveillants?

– Non, non, répondit Billy, devenant un peu plus nerveux. Voyez-vous, ils ne sont pas méchants, au début.

– Bien sûr que non, approuva Brent avec une condescendance maintenant manifeste.

– En fait, au début, ce ne sont même pas des Gremlins, poursuivit Billy. Pouvez-vous baisser les lumières, ici?

– Pourquoi? Ça vous fait mal aux yeux?

– Non, monsieur. J'ai là un Mogwai – c'est ce qui donne les Gremlins – dans mon sac, mais la lumière vive lui fait mal et peut même le tuer.

Brent lança au shérif Reilly son regard style « on-va-bien-se-marrer » et étouffa un bâillement.

Espérant que la vue de Gizmo les persuaderait qu'ils avaient effectivement devant eux une créature étrange, Billy attendit, essayant de paraître normal. Un instant plus tard, Brent se leva et éteignit les lampes du plafond.

Billy ouvrit le sac et en sortit Gizmo. Les deux policiers le regardèrent attentivement mais sans cette surprise ravie et affectueuse des autres personnes.

– Voilà à quoi ressemble un Gremlin avant qu'il devienne Gremlin, expliqua Billy.

– Ouais, approuva Brent. J'en ai déjà vu. Ça vient d'une île du Pacifique Sud. Je crois qu'on appelle ça des weepee ou des kepplee, ou un truc comme ça.

– Non, monsieur, rectifia Billy. Il ne s'agit pas là d'un animal ordinaire qui vit sur la Terre.

– C'est peut-être ce que le vendeur a raconté à votre père, dit Brent en secouant la tête, mais j'en ai vu à la télé. A une de ces émissions sur la vie des animaux.

Se rendant compte de l'inutilité de toute discussion avec Brent, Billy ravala ses protestations.

– Alors, ça se change en Gremlin, hein? demanda l'adjoint du shérif.

– Oui, m'sieur. Ça peut arriver, mais pas fatalement. (Billy se dit qu'il ressemblait de plus en plus au personnage incohérent, frustré que, dans les films, on ne croyait généralement pas, mais il poursuivit tout de même :) Voyez-vous, ils se changent en Gremlins si... s'ils mangent après minuit...

Brent s'étrangla, explosa et recracha violemment la gorgée qu'il allait avaler. Deux petites traînées jaune safran coulèrent des coins de sa bouche. S'essuyant les lèvres d'un revers de manche, il se retourna, toussant.

– S'ils mangent après minuit? murmura le shérif Reilly, reprenant la question là où Brent l'avait laissée en s'étouffant. Je ne comprends pas.

– Il veut peut-être parler du coucher du soleil les vendredis soir, coupa Brent, toujours plaisant. Des Gremlins juifs.

– Soyons sérieux, dit Reilly. J'aimerais aller jusqu'au fond de cette histoire. Alors, comme ça, il se change en Gremlin s'il mange après minuit. Minuit de quel fuseau horaire? Vous voulez dire que je peux emmener cette petite bête à la limite d'un fuseau horaire et que s'il mange d'un côté de la ligne, c'est O.K. mais que s'il mange de l'autre côté, il se transforme en monstre?

– Je... je crois, bégaya Billy. Je n'y avais jamais pensé.

– Et est-ce que c'est le fait de mâcher les aliments ou de les avoir dans l'estomac qui compte? ajouta vivement Brent qui semblait en avoir terminé avec ses propres ennuis de déglutition. Vous savez que la nourriture reste un moment dans l'estomac?

Reilly lui imposa le silence d'un geste de la main et demanda :

– Manger quoi? Combien? Une bouchée après minuit? Est-ce que ça suffit pour le rendre fou?

– Je... je crois...

– Supposez qu'il mange à 22 heures et qu'il lui reste quelque chose entre les dents, quelque chose qui se libère après minuit, coupa Brent. Est-ce que ça compte comme nourriture après minuit s'il l'avale?

– Et l'eau? C'est de la nourriture? ajouta Reilly.

– Naan, répondit Brent. Y a pas de calories dans l'eau. C'est s'il avale quelque chose avec des calories que ça se produit.

– Et les boissons sans sucre, pour gens au régime? demanda Reilly, très pince-sans-rire. Il n'y a pas plus de deux ou trois calories, là-dedans.

– C'est suffisant, répliqua Brent. Une calorie, et ça compte comme nourriture.

– Ma femme m'a parlé d'aliments à calories négatives, dit Reilly. Tu vois, ton corps brûle davantage de calories en les digérant qu'il n'en retire de ce qu'il avale. Des trucs comme le céleri, la laitue, les carottes crues...

Billy, se rendant compte que cela ne les menait nulle part, fit un pas vers la porte.

– Une minute, dit le shérif Reilly en l'arrêtant d'un geste. Où allez-vous?

– Je m'en vais, dit Billy. Je sais que ça a l'air fou, mais ce n'est pas moi qui ai édicté les règles...

– On essaie seulement de découvrir ce qui se passe, confirma calmement Reilly, dont le visage ne reflétait pas la moindre ironie. Tenez, supposez que vous tombiez raide mort ou que vous laissiez le petit animal ici. Puisque vous m'avez dit qu'il se change en Gremlin si on le nourrit après minuit, j'aimerais en savoir davantage. Par exemple, à quelle heure peut-on recommencer à le nourrir? Six heures? Le lever du soleil?

– Autre chose, ajouta Brent sans attendre la réponse de Billy. Comment marche la reproduction? Il lui faut une femelle ou quoi?

Billy soupira, sans répondre, bien décidé à ne pas leur en dire davantage à propos de Gizmo. Et il ne leur parlerait pas, non plus, de l'incident du lycée. Qu'ils continuent à penser qu'il était fou si cela les amusait. Au moins ne l'enfermeraient-ils pas.

– Ecoutez, je suis désolé de vous avoir dérangés, dit Billy. Je crains de n'avoir pas été très clair et je ne peux vous en vouloir de me prendre pour un fou. Je suis simplement passé vous dire qu'on vous signalera peut-être quelques actes de vandalisme, ou des gens attaqués ou effrayés par de petits monstres verts. Vous les prendrez peut-être au sérieux après ce que je viens de vous dire. Du moins, je l'espère. Et s'il ne se passe rien, tant mieux.

Refermant le sac sur Gizmo, il se dirigea vers la porte. Après l'avoir tirée derrière lui, et s'enfonçant dans la nuit noire et profonde, il entendit les deux policiers glousser d'abord puis éclater franchement de rire.

– Alors, Giz? demanda Billy, sardonique. Comment j'ai été?

Quelques minutes plus tard se déchaîna une série d'événements bizarres et tragiques qui secouèrent Kingston Falls.

Harman Ellis, le présentateur de la station de radio WKF, en rapporta le premier épisode – une mésaventure apparemment isolée – à 19 h 57 comme une information locale destinée à étoffer la deuxième heure du programme du soir. Il ne se rendit pas compte à cet instant, qu'il ne s'agissait là que de la toute petite partie visible d'un catastrophique iceberg qui allait les tenir, lui et ses auditeurs, en haleine tout le reste de la nuit.

« *Je voudrais passer un communiqué à l'attention des automobilistes de la région de Kingston Falls. Les quatre feux de signalisation à l'intersection de Randolph Road et de la Nationale 46 sont bloqués au vert, provoquant des embouteillages. Deux voitures et un semi-remorque sont entrés en collision il y a environ une demi-heure, les trois conducteurs étant persuadés qu'ils pouvaient passer sans danger. Les deux voitures ont subi des dégâts matériels importants mais on ne compte aucun blessé sérieux. Il est conseillé aux automobilistes d'éviter ce croisement – Randolph Road – Nationale 46 – jusqu'à réparation des feux par les équipes d'entretien. Ne quittez pas l'écoute, nous vous ferons savoir quand la circulation pourra reprendre normalement...* »

Billy se souvint qu'il avait garé sa VW à deux pâtés de maisons du poste de police et décida d'aller voir s'il avait récolté une contravention ou si on avait emmené sa voiture en fourrière au cours des trois heures pendant lesquelles il l'avait abandonnée.

– Rien ne peut plus m'étonner, murmura-t-il à Gizmo. Quoi qu'il arrive, ça ne me surprendra pas, à voir ce qui s'est passé au cours de cette journée.

En tournant au coin de la rue, il ressentit un

dernier choc, étant donné les circonstances. Non seulement la voiture se trouvait toujours là mais aucune contravention ne décorait le pare-brise. Et lorsqu'il mit le contact et actionna le démarreur, le moteur se mit à tourner avec le ronronnement le plus doux et le plus agréable qu'il ait jamais entendu.

– Y a un truc, murmura-t-il. Pas possible, autrement.

Virant sur place, il se retrouva bientôt dans la rue principale, roulant en direction de chez lui, mais sans savoir quoi faire ensuite ni avec qui prendre contact. Il ne pouvait qu'espérer que les Gremlins disparaîtraient avant d'avoir commis trop de dégâts.

« ... *Et voici un nouveau communiqué – trois communiqués, en fait – d'où il semble ressortir que de petits plaisantins ont choisi Kingston Falls comme théâtre de leurs exploits. Les feux se trouvent bloqués au rouge aux quatre coins du carrefour de Mountain Road et de Rolling Vista, provoquant un bouchon de près de huit cents mètres. La police est en route pour régler la circulation. Si vous êtes à l'écoute sur l'une de ces voies, détendez-vous et calmez-vous. Et remerciez le ciel de ne pas vous trouver sur Delta Drive, près de Carmody Street où automobilistes et piétons ont subi l'assaut d'une cinquantaine de pneus lancés sur eux. Ces pneus proviennent de l'entrepôt de l'usine voisine et ont dévalé Carmody tous à la fois. Plusieurs véhicules ont été endommagés et une femme souffre de brûlures consécutives au fait qu'elle a dû grimper à un poteau pour éviter un pneu. Et ce n'est pas tout. On nous signale – et il s'agit d'une personne n'ayant absolument pas commencé à arroser Noël – que les clients du centre commercial de Governor's Plaza ont reçu une pluie de balais – pas moins de trois douzaines – lancés depuis le toit. Les équipes de sécurité n'ont pu appréhender les lanceurs de balais. Sommes-*

nous la cible de Gremlins? Probablement pas. Plus vraisemblablement, il s'agit de quelques facéties d'avant Noël. Restez à l'écoute, nous vous tiendrons informés. »

Arrivé à l'angle de l'église, Billy freina soudain brusquement, dérapant et manquant de peu une congère avant de s'arrêter. Passant en marche arrière, il recula d'une trentaine de mètres pour arriver à la hauteur d'une silhouette familière sortant de la porte latérale de l'église.

– Père Bartlett! appela Billy, baissant à demi sa vitre.

La silhouette voûtée s'arrêta et s'avança avec prudence jusqu'à la voiture sur la route verglacée.

– C'est moi, Billy Peltzer.

– Joyeux Noël, Billy...

– Mon père, je vous en prie, rentrez à l'église. Les rues ne sont pas sûres.

– Je vais seulement poster une dernière carte de Noël, Billy, dit le vieil homme en souriant et en tirant la carte de sa poche. (Puis il ajouta, comme pour lui-même :) J'étais bien certain de ne pas en recevoir une de l'expéditeur.

– Ça ne peut pas attendre, mon Père?

– Je crois bien que si. Mais c'est à peine à deux pas. Qu'est-ce que tu sembles craindre?... que je glisse sur le verglas?

– Non, mon Père, c'est bien pis. Voulez-vous me croire sur parole si je vous dis que les environs ne sont pas sûrs? Postez votre carte et rentrez.

– Oui, bien sûr. Et joyeux Noël à toi.

– Merci, mon Père. A vous aussi.

Billy embraya et démarra. Le Père Bartlett le regarda partir, haussa les épaules et poursuivit son chemin jusqu'à la boîte aux lettres au coin de la rue. Il regarda à droite et à gauche et jeta même, une ou deux fois, un coup d'œil par-dessus son épaule mais nul ne semblait se dissimuler dans l'ombre ou le suivre. Du fait qu'il s'occupait de divers groupements de jeunes, le Père Bartlett savait que la jeunesse d'aujourd'hui était beaucoup plus sérieuse et sujette à l'anxiété que ses parents ou grands-parents. Cela tenait au monde dans lequel on vivait et on ne pouvait reprocher à Billy Peltzer sa soudaine nervosité, même à l'approche des fêtes.

Arrivé à la boîte aux lettres, Bartlett souleva le rabat qui en protégeait l'orifice et y laissa tomber la carte.

Une seconde plus tard, la carte jaillissait de la boîte aux lettres, frappait le devant de son manteau et tombait dans la neige.

Les yeux plissés, le Père Bartlett se baissa et ramassa l'enveloppe. Doucement, il souleva de nouveau le rabat protecteur de la boîte aux lettres, scruta l'obscurité intérieure, haussa les épaules et glissa l'enveloppe.

Et, de nouveau, l'enveloppe jaillit de la boîte aux lettres.

– Ça doit être une sorte de blague, murmura-t-il, s'efforçant de prendre un ton enjoué, pour le cas où on le filmerait.

Il récupéra la carte et, immobile, silencieux, scruta les environs d'un œil nerveux. Bien sûr, il avait déjà vu à la télé des blagues de ce genre, avec une caméra invisible filmant la victime, mais avec une aussi mauvaise luminosité...

D'un autre côté, la technologie moderne permettait de réaliser pratiquement n'importe quoi.

Il décida d'essayer une dernière fois. Même si on l'enregistrait, réfléchit-il, il ne s'était pas montré ridicule. En fait, il avait assez bien joué son rôle, à la fois gentiment surpris et amusé; ses ouailles, en voyant le film, ne pourraient l'accuser ni de se montrer mauvais joueur, ni d'avoir tout du balourd. Aussi, simplement pour le cas où une équipe de la caméra cachée lui ferait une farce – et on pouvait fort légitimement le croire – il décida d'ajouter une touche personnelle.

Soulevant de nouveau le rabat, il approcha le visage de la fente et dit, un peu plus fort :

– Encore un essai et j'arrête. Ensuite, je vais m'adresser à une autre boîte aux lettres.

Sa phrase à peine terminée, il sentit que quelque chose de froid lui happait la main. Il essaya de la retirer mais une autre main, ou griffe, lui empoigna le cou et le tira vers l'intérieur de la boîte.

– Maintenant, ça suffit ! cria-t-il avec un rire qui trahissait plus la nervosité que l'entrain.

Et voilà qu'on lui tirait vivement et douloureusement la tête – il venait de perdre son chapeau – contre le rebord glacé de la boîte aux lettres. Tout en se débattant et en hurlant, le Père Bartlett, habituellement impassible, se mit à appeler au secours.

« ... *Etant donné le nombre important d'incidents qu'on nous signale, les auditeurs peuvent appeler en direct sur notre standard et nous parlerons de ce... phénomène entre deux flashes publicitaires. Il ne s'agit pas de provoquer une panique, mais nous pensons qu'il est de notre devoir de vous informer de ce qui se passe et de vous demander d'éviter de sortir, dans la mesure du possible. Attendez le lendemain de Noël pour faire vos courses de dernière minute. Ceux qui vous aiment comprendront. Quoi qu'il en soit... nous recevons de nombreux appels d'auditeurs ayant aperçu des formes humaines ou animales de petite taille aller et venir dans l'ombre. Ces... êtres, de la taille approximative d'un enfant de trois ans, semblent avoir la forme physique de sélectionnés olympiques. Nous ignorons de quoi il s'agit et avec tous ces gens déguisés on ne s'y reconnaît plus.*

« *Vers 20 h 15, ces choses ont été aperçues aux environs du centre commercial de Governor's Plaza, au moment où des clients se faisaient coincer dans les portes automatiques. Selon les déclarations de neuf personnes victimes d'écorchures et contusions légères, les portes s'ouvraient, semblant inviter les clients à entrer, puis se refermaient à une vitesse terrifiante. Les équipes d'entretien du centre commercial déclarent avoir désormais la situation en main, encore que la plupart des acheteurs préfèrent utiliser les portes non automatiques.*

« Un incident – lié ou non aux précédents – s'est produit dans un autre quartier de Kingston Falls. Des clients de « Chez Simone », un célèbre restaurant français de Winslow Pike, rapportent qu'une bataille de plats divers a éclaté vers 20 h 30. Des mets variés étaient projetés d'une table à l'autre sans qu'on puisse déceler l'origine des jets. Plusieurs serveurs, portant des plateaux, ont été apparemment victimes de crocs-en-jambe tandis qu'on tirait violemment les nappes sous les yeux des dîneurs, renversant vaisselle et couverts. La scène a tourné à une confusion telle qu'une véritable émeute a éclaté où les protagonistes se lançaient diverses spécialités françaises. Une femme a dû recevoir des soins à la suite d'une intoxication consécutive à une inhalation prolongée de sauce béarnaise. »

– Il a fallu que tu te foutes du gamin, hein? murmura le shérif Reilly en se précipitant une fois de plus, avec le shérif adjoint Brent, dans leur voiture de patrouille.

La demi-heure qui venait de s'écouler, après un début de soirée plutôt calme, s'était révélée particulièrement agitée. Inexplicablement agitée.

– Moi? rétorqua Brent. C'est toi qui as commencé. De toute façon, je crois pas que ce sont ses petits monstres verts. Pour moi, c'est des gosses qui s'excitent parce qu'ils s'ennuient. Et cette station de radio qui passe des informations toutes les dix minutes n'arrange pas les choses. Ça donne des idées aux dingues qui veulent faire mieux encore.

– D'accord, laisse tomber, dit Reilly en haussant les épaules. Où sont Dudley et Warren?

– Au centre commercial.

– Bon. Nous, on a le choix : ou la station de télé, ou les gens attaqués par des arbres de Noël. Qu'est-ce que tu prends?

– Moi, je laisserais tomber la télé, dit Brent. Qu'ils se débrouillent entre eux. C'est probablement une de leurs zizanies habituelles.

– Alors, va pour les arbres.

Virant à gauche sur Washington Avenue, le shérif Reilly fonça vers le centre. Les rues paraissaient bien désertes pour une veille de Noël et Kingston Falls ressemblait à une ville fantôme. Au moins, cela permettait-il de rouler plus vite. Arrivé au premier carrefour, Reilly vira dans Waterton, faisant légèrement déraper la voiture tandis qu'il...

– Qu'est-ce... ne put que dire Reilly avant de percuter le premier barrage d'objets compacts qui s'élevait devant eux.

Dans un crissement de pneus, la voiture s'arrêta, le dessous de la carrosserie faisant entendre un bruit de coque de navire frappée par une torpille. Les deux policiers sautèrent de la voiture, examinant l'étendue des dégâts à la lueur des phares.

– Qui est-ce qui a fait cela? bredouilla Brent.

Devant eux, barrant toute la route, s'étendaient des dizaines de parpaings, posés debout comme autant de pierres tombales en miniature, à perte de vue.

« *La police de Kingston Falls nous communique à l'instant : il est demandé aux automobilistes d'éviter Waterton Avenue entre Washington et Adams, des inconnus ayant barré la rue avec des parpaings provenant sûrement de l'entreprise de construction Williamson.*

« Un autre incident curieux s'est produit à un pâté de maisons de l'église Saint-François-d'Assise, où le Père Bartlett était allé poster une lettre. Happé par des mains ou griffes invisibles, depuis l'intérieur de la boîte aux lettres, le Père Bartlett y a été tiré de force jusqu'aux épaules et il souffre d'écorchures et contusions diverses. Grâce à un voisin, le Père Bartlett a pu être dégagé de sa fâcheuse position. Les sauveteurs, après un coup d'œil à l'intérieur de la boîte aux lettres, se sont enfuis.

« Malheureusement, cet incident ne clôt pas la liste déjà longue des événements insolites de la soirée. Un match de basket de troisième division, qui devait opposer les Tigres aux Baleines, a dû être annulé lorsque dirigeants et joueurs ont découvert qu'on avait rempli tous les ballons de beurre de cacahuètes. Le match a été reporté au 8 janvier.

« Enfin – pour le moment du moins – la Chaîne Dix de télévision nous demande de vous aviser de ne pas toucher à vos récepteurs. Les mauvaises conditions de réception sont dues à un incident technique à la station.

« Ai-je déjà parlé de Gremlins ? Cela y ressemble fort. Ne quittez pas l'écoute. »

– Le type de la radio vient de parler de Gremlins, Murray, dit Mme Futterman en entrant dans la salle de séjour, apportant une tasse de café à son mari.

– Il a peut-être dit cela pour blaguer, grommela Futterman, résistant à son envie de flanquer un grand coup de pied au poste de télé. Ils disent toujours cela pour blaguer, mais personne n'y croit.

Après avoir, sans succès, tripoté divers boutons de son poste, il s'enfonça dans son fauteuil, l'air las.

– Voilà que ça recommence, marmotta-t-il. Juste à l'heure de Perry Como.

– Pour l'entendre encore chanter l'*Ave Maria*? demanda Mme Futterman. Tu devrais en être fatigué. A chaque Noël, c'est pareil.

– Ça fait partie de Noël. Qu'a dit la radio à propos de la télé?

– Les Gremlins, répéta Mme Futterman. Personne n'en sait rien.

– Ils ont probablement tout un fatras de pièces détachées étrangères, si tu veux mon avis, grommela Futterman. Comme avec ce sacré Sony. Je savais qu'on aurait dû prendre un Zenith.

Essayant diverses chaînes, il tomba chaque fois sur un écran neigeux et plein d'interférences. Futterman devenait de plus en plus rouge. Frappant du poing sur le côté de l'appareil, il rayonna de joie un instant devant un écran net, aux couleurs parfaites, sur plusieurs chaînes. Et puis il se remit à grommeler dans sa barbe quand tout se dérégla de nouveau.

– S'agit pas seulement de l'émetteur, grogna-t-il. Ou bien c'est le poste, ou c'est l'antenne.

– Eh bien, inutile de s'en faire pour l'instant, dit Mme Futterman avec un doux sourire.

– Bien sûr que je m'en fais pour l'instant. On passe mes programmes de Noël favoris et tu voudrais que je reste là à regarder la neige qui tombe dehors et la neige sur l'écran?

Soudain, il se leva d'un bond et se dirigea vers le placard dans l'entrée. Sa femme le regarda à peine, sachant qu'il était inutile de discuter avec lui.

– Où vas-tu? demanda-t-elle d'une voix douce.

– Voir l'antenne, répondit-il. Elle est peut-être tombée.

Se coiffant d'un bonnet de laine, il sortit jusqu'au bout de l'allée et regarda sur le toit.

L'antenne n'avait pas bougé mais M. Futterman le

remarqua à peine, bien plus intéressé par le trio de petites silhouettes aux longs bras qui entourait l'antenne et qui fit resurgir dans sa mémoire une foule de souvenirs de la Seconde Guerre mondiale.

Un long moment, il demeura là, immobile, bouche bée, fixant les trois créatures qui folâtraient avec son antenne. Puis il se souvint de la carabine chargée, dans un placard du sous-sol. Il retourna vers la maison, sans quitter le toit du regard, jusqu'à ce qu'il arrive sous le porche.

« ... Nouvel avis à l'intention des automobilistes de Kingston Falls et des environs. On nous informe que toute une série de panneaux de déviation ont été mis en place sur la bretelle de contournement du centre-ville, de telle sorte que les automobilistes tournent sans arrêt depuis plusieurs heures autour du château d'eau. Plusieurs automobilistes, las de ne pouvoir sortir de ce piège, ont arrêté leurs voitures, provoquant de gigantesques embouteillages et plusieurs collisions. Nous pouvons vous préciser que plusieurs garages locaux ont accepté d'envoyer des véhicules de dépannage pour tirer les automobilistes de ce fâcheux pas. Vous repérerez ces véhicules aux larges bandes jaunes de leur carrosserie.

« Les personnes souhaitant faire des courses sont priées de ne pas utiliser les distributeurs automatiques de la Kingbank et de la West Kelvin Bank dont les liasses de billets sortent en lambeaux et qui restituent les cartes pliées en deux. Les autorités des deux banques intéressées ont déclaré qu'il ne s'agit pas là de l'œuvre de prétendus Gremlins mais de simples incidents techniques rencontrés par les deux organismes bancaires. »

Il fallut un moment au shérif Reilly et à son adjoint Brent pour apaiser les trois dames agressées par les distributeurs automatiques de l'aire de repos de Green Bend; sorties de cette situation manifestement angoissante, toutes les trois voulaient raconter leur mésaventure.

– Nous nous trouvions entre deux rangées de machines, commença la grande femme aux cheveux blancs. Alice se demandait si elle allait prendre des biscuits au fromage quand tout à coup les boîtes de soda se sont mises à gicler. Mais, attention, elles ne tombaient pas comme lorsqu'on glisse des pièces de monnaie. Non, elles étaient *projetées.* J'en ai reçu une là, sur mon épaule malade, et Maud en a reçu une en plein sur le menton. Elle est encore dans les vapes.

Brent acquiesça et prit note sur son calepin, non parce qu'il en avait besoin mais parce que c'était bien là ce qu'elles attendaient de lui.

– Regardez cela, dit celle qui s'appelait Alice, montrant une méchante coupure à la base du nez. On ne s'attendrait pas à ça de la part d'un paquet de chewing-gum, n'est-ce pas?

– En effet, madame, répondit le shérif Reilly.

– Ils sortaient d'ici comme des obus, soupira la troisième femme. Je croyais que la fin du monde arrivait.

Les deux policiers hochèrent la tête d'un air entendu, compatirent et regagnèrent leur voiture.

En rentrant à Kingston Falls, le shérif Reilly s'arrêta un instant de grommeler dans sa barbe pour dire :

– Tu vois, je crois qu'on devrait en discuter un peu plus avec le gamin.

– Le gamin?

– Ouais, le gosse avec ce drôle de petit animal qui se transforme en Gremlin si on lui donne à manger après minuit. Tu as bien relevé son identité?

– Je croyais qu'il te l'avait donnée à toi, shérif.

– C'est toi qui avais le registre et je t'ai vu écrire quelque chose dessus.

– Oh, c'était seulement pour ne pas oublier d'appeler chez moi.

– Merveilleux!

– Mais je crois le connaître. Il travaille à la banque. On peut le retrouver.

– Parfait. Je crois qu'il vaut mieux voir ce qu'il sait, avant toute chose.

« ... *Le standard est toujours à votre disposition. Appelez le 922.74.00 et soyez patients car notre standard, comme il se doit à cette époque de l'année, est aussi illuminé qu'un arbre de Noël. Voici un nouvel auditeur. Parlez, monsieur, vous êtes sur l'antenne.*

« *Oh oui! merci. Je m'appelle Wilkie Smith et je sors à l'instant d'un restaurant Howard Johnson qui m'a craché cet horrible truc à la figure...*

« *Le restaurant vous a craché à la figure?*

« *Non, l'une des machines des toilettes pour hommes qu'on utilise pour se sécher les mains et le visage. Celles qui soufflent de l'air chaud...*

« *Oui, poursuivez, je vous prie.*

« *Eh bien, je l'ai braquée sur mon visage et tout d'un coup j'ai été couvert de ce truc orange qui puait.*

« *Un liquide? Pouvez-vous préciser?*

« *Je ne sais pas. Ça sentait comme si ça sortait des toilettes, sauf que ça paraissait vieux, comme moisi et...*

« *Eh bien, voilà une description très pittoresque. Où se trouve ce restaurant?*

« *A l'angle de Commerce et de Lawndale. Voulez-vous mon avis? Je crois qu'il s'agit là de la volonté divine. Car il est dit dans le Nouveau Testament...* »

Au regard de son mari, Mme Futterman sut qu'il partait pour une sainte croisade. Bien que de tempérament plutôt explosif, jamais il n'affichait ce regard d'acier, ce tic de la joue, sauf dans les rares cas où il devenait fou furieux ou partait en croisade.

Elle avait vu cette expression lorsqu'on lui avait dérobé son autoradio et, une autre fois, lorsque son équipe de foot favorite avait perdu le championnat de deuxième division à la suite d'une décision de l'arbitre. Lorsqu'il ressortit du sous-sol, la carabine à la main, Mme Futterman eut la confirmation de ses craintes.

– Murray, lui demanda-t-elle en lui prenant le bras, qu'est-ce qui se passe?

– Les Gremlins, répondit-il. Sur le toit.

– Quel genre de Gremlins?

– Pas le temps de t'expliquer. Reste à l'intérieur...

– Mais, si tu sors et que tu te mets à tirer sur le toit, on va te signaler à la police.

– Lâche-moi le bras, Jessie, ordonna-t-il.

Ce qu'elle fit, le laissant poursuivre sa noble mission.

Il se trouvait à mi-chemin de la rue, le premier Gremlin dans sa ligne de mire, quand il se rendit compte que Jessie avait raison. Il était très imprudent de se mettre à tirer depuis la pelouse, notamment lorsqu'on disposait d'une fenêtre, au fond du garage, qui offrait un bien meilleur angle de tir. Il pénétra doucement dans le garage, se glissa à tâtons le long du chasse-neige qui ne laissait qu'un étroit couloir d'une vingtaine de centimètres de chaque côté, et ouvrit la fenêtre. Il sourit car il disposait d'une vue parfaite sur le toit. De plus, les détonations seraient en partie étouffées.

Visant l'un des Gremlins, il lâcha son premier projectile. Le petit démon vert ne se révéla ni imaginaire ni immortel car il s'écroula d'un bloc et glissa le long du toit. Futterman se mit à rire. Comme c'était bon de se servir à nouveau de cette carabine, en plein combat avec l'ennemi...

Une sorte de jacassement étouffé le tira de ses pensées. D'où cela venait-il? Du toit? Des environs?

Pas le temps de réfléchir à la question. S'il voulait s'occuper des deux autres semeurs de troubles, là, à côté de son antenne...

De nouveau, il épaula et fit feu, abattant un second Gremlin.

Dans son excitation et sa hâte à se défaire du troisième soldat ennemi, Futterman remarqua à peine le moteur du chasse-neige qui se mettait en marche.

Le troisième Gremlin commença à descendre du toit en glissant.

– Oh non! pas question... dit Futterman, le suivant du canon de son arme.

Une fraction de seconde, il tint la petite cible dans sa ligne de mire.

Et le chasse-neige lui, paraissait s'accroupir, ses roues prêtes à jaillir comme des sprinters de leurs blocs de départ. Le bruit du moteur se fit assourdissant tandis que...

Pan! Pan!

– Bon sang! hurla Futterman, je t'ai eu, espèce de...

Jamais il ne termina sa phrase. Bondissant pesamment en avant, le chasse-neige traversa le mur du fond du garage, emportant Futterman dans une trombe de débris de charpente et de briques.

« ... *Nous savons que vous souhaitez connaître quel temps nous réservent les prochains jours, mais vous ne pourrez le savoir en appelant la météo. On ignore les raisons pour lesquelles tous les appels à la météo aboutissent au magasin d'articles de sport « Chez Carl », sur Monticello Drive. On ne peut davantage obtenir la météo en composant le numéro de Carl, car les appels qui lui sont destinés aboutissent à l'Association des alcooliques anonymes. Il y a quelques instants, un agent de la société du téléphone nous a fait savoir qu'un dérangement s'était produit à la sous-station de Kingston Falls en début de soirée et que la confusion la plus totale y régnait. Dans ces conditions, évitez de téléphoner, sauf cas d'urgence.*

« On signale également, dans le même temps, trois autres cas de personnes demeurées coincées dans des cabines téléphoniques publiques... »

– Qu'est-ce que tu dis de ça, Kate? demanda Dorry en souriant, se penchant sur son bar. Les Gremlins, les Russes, la fin du monde ou simplement des enquiquineurs?

Le pub se trouvait quasiment déserté, du fait, surtout, des incidents bizarres et quelque peu effrayants qui se produisaient dans Kingston Falls et les environs. Tout d'abord, les clients du début de soirée manifestèrent une tendance à prendre les choses comme une bonne blague, mais lorsqu'on rapporta des dysfonctionnements des circuits électriques provoquant des incendies, la mort d'un homme électrocuté par son arbre de Noël et autres événements graves mettant des vies en péril, même les blagueurs les plus endurcis songèrent à rentrer pour protéger leur famille. Le bar de Dorry connut un exode plus important encore lorsqu'on annonça que dans un autre bar, à l'autre bout de la ville, de la lessive, de l'ammoniaque, de l'eau régale et autres produits chimiques nocifs tenaient lieu de cocktails. Ce qui se traduisit par une soirée tellement pauvre en clients que Dorry envisagea sérieusement de fermer et de rentrer chez lui avant minuit.

– Probablement des Gremlins, répondit Kate.

– Tu y crois vraiment? demanda Dorry, les yeux écarquillés, surpris, lui qui avait toujours pris Kate pour une fille ayant la tête bien sur les épaules, incapable de croire au Père Noël, aux mauvais esprits ou autres manifestations surnaturelles.

– C'est du moins ce que dit la radio, répondit-elle simplement.

Dorry se demanda ce qui avait bien pu la convaincre. Certes, la radio avait rapporté divers incidents :

voitures roulant sans chauffeur et plusieurs auditeurs ayant aperçu des petits monstres verts dans les environs de Kingston Falls. Mais ne s'agissait-il pas plutôt d'hystérie collective entretenue par les constants messages de la radio? Est-ce que plus personne ne se souvenait de la célèbre émission *La Guerre des mondes* montée par Orson Welles avant la guerre? Dorry ne s'en souvenait pas personnellement puisqu'il n'était pas encore né, mais il avait lu des articles sur la panique qui s'était emparée du pays. Maintenant, en entendant ce que disait Kate des Gremlins, il comprenait mieux la peur abjecte de l'Amérique en 1938; si une jeune femme aussi raisonnable que Kate Beringer pouvait croire à l'existence de petits monstres verts, n'importe qui pouvait y croire.

Il allait poursuivre la discussion avec elle lorsqu'apparut, sur le seuil de la porte de devant, l'avant-garde de leur bataillon. Dorry n'en était pas conscient mais son bar, avec ses lumières indirectes et tamisées, agissait comme un véritable aimant sur les Gremlins; c'était un lieu idéal de détente après leurs exactions du début de soirée. Emergeant de l'ombre qui bordait la place principale, ils furent tout naturellement attirés par ce merveilleux endroit où l'on trouvait gratuitement à manger, à boire, des jeux et de la musique.

Une personne bouche bée – même plusieurs personnes bouche bée de concert –, cela ne constitue pas, d'ordinaire, un bruit mesurable. Ce soir, tandis que Dorry et ses rares clients remarquaient tour à tour ces formes qui arrivaient lentement vers eux, leurs bouches béantes parurent engendrer une force négative si puissante et si totale – un peu comme un trou noir dans l'espace – qu'on put la ressentir et l'entendre aussi distinctement qu'une explosion.

Ce bref instant de paralysie et de silence terrifiant fut immédiatement suivi par une bruyante ruée collective – y compris celle de Dorry lui-même – vers les sorties latérales et de derrière. On renversa des chaises, on laissa tomber des verres, on se bouscula tandis que les Gremlins prenaient possession du bar aussi rapidement et totalement que les spectateurs d'un cinéma voisin venant de sortir de la dernière séance. Bavardant en argot mogwai, tout excités lorsqu'ils aperçurent les appareils de jeux et le billard, les Gremlins envahirent le pub de Dorry en moins d'une minute.

Dorry fut le dernier à s'échapper par la porte de derrière. En jetant un coup d'œil par-dessus son épaule, il aperçut une Kate déconcertée et cernée hésiter un instant puis battre en retraite derrière le comptoir tandis qu'une marée de gueules vertes et caquetantes déferlait en vagues irréelles d'un bout de son établissement à l'autre.

« ... *Etat d'urgence au centre commercial de Governor's Plaza depuis que sont coincées les portes électroniques ayant bloqué cent cinquante personnes à l'intérieur. Les téléphones fonctionnent cependant toujours, encore que, l'une après l'autre, les lignes soient coupées par les mêmes forces invisibles qui terrorisent Kingston Falls depuis vingt heures ce soir environ.*

« *Aux dernières nouvelles, des témoins oculaires ont rapporté qu'une véritable panique s'est déclarée dans le centre commercial lorsque les escaliers mécaniques se sont mis à rouler à des vitesses terrifiantes, de l'ordre, peut-être, de cent dix à cent trente kilomètres à l'heure. Des clients, tournant comme des toupies, ont été projetés à travers les vitres ou les uns sur les autres. Les lumières se sont alors éteintes tandis que le son de la musique d'ambiance s'élevait à un niveau assourdissant. Nous vous tiendrons informés de la situation car nous savons que bon nombre d'entre vous ont des parents ou des amis sur les lieux. Nous répétons que, pour l'instant, les incidents n'ont pas fait de morts bien que l'on compte de nombreux blessés.*

« Un peu plus loin, deux autres personnes ont été attaquées par des arbres de Noël... »

Après avoir avalé la dernière bouchée de son ragoût de bœuf Dinty Moore – dont une grosse boîte lui faisait trois jours –, Mme Deagle s'installa confortablement pour suivre son feuilleton du soir à la télé, un feuilleton qui lui plaisait tout particulièrement par le nombre de ses personnages ignobles.

De nouveau, la sonnette de la porte d'entrée la tira de son plaisir. Avec, circonstance aggravante, l'insistance du visiteur dont le doigt ne quittait pas le bouton, faisant grelotter la sonnerie sans relâche.

– Les idiots! siffla Mme Deagle.

Ouvrant brutalement la porte, elle s'étouffa presque avec les paroles bien senties qu'elle avait préparées. Elle en eut le souffle coupé. Car comment songer, seulement, à prêcher le sens des responsabilités et le bon sens tout court à un groupe d'individus ainsi accoutrés? Etait-ce là une blague des petits chanteurs mécontents?

– De quoi s'agit-il? parvint-elle à grommeler. Une blague de Mardi gras? Vous retardez! Et je vous serais reconnaissante de quitter immédiatement ma véranda et ma pelouse ou j'appelle la police.

Le groupe, qui manifestement se moquait bien de ce que pensait Mme Deagle, se mit à psalmodier dans une sorte de charabia totalement incompréhensible.

– Dehors! cria-t-elle. Je ne veux ni vous entendre ni vous voir. Et puis vos accoutrements sont horribles. Ce clinquant démodé ne convaincra personne!

Le concert se poursuivit. Laissant la porte d'entrée ouverte, Mme Deagle rentra, à la recherche d'un quelconque projectile. Deux des créatures en profitèrent pour se glisser dans la maison et disparaître dans la pénombre.

Un instant plus tard, Mme Deagle revenait, armée d'un balai. Elle avait bien songé à les doucher avec un seau d'eau, mais ses bras trop faibles ne pouvaient soulever un seau plein et moins encore le jeter.

– Maintenant, grinça-t-elle en se dirigeant vers les indésirables visiteurs, filez ou gare!

Les Gremlins continuant à chanter, elle leva son balai et se mit à frapper de droite et de gauche. Plus surprises que blessées, les créatures refluèrent de la véranda dans la neige, bondissant vivement sur leurs pattes pour lui gronder leur défi.

Ces efforts excessifs avaient provoqué des palpitations chez Mme Deagle et la nuit était froide. Soudain, elle souhaita se retrouver dans la tiédeur relative de sa salle de séjour, mais elle jeta un dernier et insistant regard aux perturbateurs avant de rentrer.

– Et n'y revenez pas, gronda-t-elle.

Le froid agissant sur sa vessie, elle ressentit un urgent besoin de monter dans sa salle de bains.

– Misérables petits voyous, murmura-t-elle en s'asseyant dans son fauteuil-ascenseur et en s'apprêtant à appuyer sur le bouton MONTÉE. Pendant ce temps, l'un des Gremlins regardait, fasciné, tandis que ses acolytes, dans la cuisine, en profitaient pour se confectionner un petit casse-croûte en volant la nourriture des chats. Un énorme matou tigré, qui n'apprécia guère ces manières, cracha et lança un coup de griffe à la patte d'un Gremlin. Un solide coup de pied le projeta, mi-volant mi-glissant, au bout de la cuisine.

– Qu'est-ce que ce vacarme? gémit Mme Deagle. Appuyant sur le bouton ARRÊT, elle quitta son fauteuil et se dirigea vers la cuisine tout en grommelant. Elle poussa la porte battante et vit une demi-douzaine de chats, la queue dressée, le poil hérissé, les yeux exorbités, fixant la porte qui donnait dans la salle à manger.

– Qu'y a-t-il? Espèces d'animaux stupides, je me dis parfois que vous me causez plus d'ennuis que vous ne me donnez de joie.

Il lui fallut un moment pour nettoyer la pâtée répandue, calmer les chats en leur donnant un peu de lait et, pour la forme, fouiller la salle à manger. Elle ne vit rien. Pendant ce temps, le Gremlin, au bas de l'escalier, s'amusait comme un fou avec le fauteuil de la vieille dame, tordant les fils et changeant les branchements, en véritable expert électronicien.

Enfin, tout étant apparemment rentré dans l'ordre, Mme Deagle poussa un soupir de lassitude et en revint à son souci premier : monter dans la salle de bains.

– Enfin, un peu de calme, dit-elle en soufflant.

Et elle appuya sur le bouton MONTÉE.

« ... *le corps a été identifié par l'épouse de M. Futterman comme étant celui de son mari, mécanicien et bricoleur, né à Kingston Falls où il a toujours vécu, mis à part un bref séjour outre-mer pendant la Seconde Guerre mondiale. On ignore comment M. Futterman a pu être littéralement projeté à travers le mur de son garage par le chasse-neige. L'engin tournait encore lorsqu'on a découvert, dessous, le corps de M. Futterman.*

« *On nous signale un autre accident insolite survenu non loin de là au domicile de Mme Ruby Deagle, veuve du défunt Donald Deagle qui avait fait fortune dans l'immobilier. Mme Deagle qui, pour ménager son cœur malade, utilisait un système de fauteuil-ascenseur, a été retrouvée morte dans ce fauteuil il y a quelques minutes à peine. L'insolite de l'histoire est que le fauteuil de Mme Deagle n'a pas été retrouvé à son domicile mais dans un terrain vague à quelque cent cinquante mètres de sa résidence de Decatur Drive. L'inspecteur de police chargé de l'enquête a déclaré que l'engin, totalement détraqué, avait projeté la femme en haut des escaliers et à travers une fenêtre du hall d'entrée. Pour parcourir une telle distance avec une telle trajectoire, il fallait que le fauteuil soit animé, selon l'inspecteur, d'une vitesse voisine de trois cents kilomètres à l'heure.*

« On nous signale à l'instant que les monstres verts occupent un bar.

« La police étant débordée par les événements de ces dernières heures, le propriétaire du bar « Chez Dorry » n'a pu joindre le commissariat. Il nous a appelés pour demander que chacun évite de se rendre à son établissement. Nous répétons, il s'agit de « Chez Dorry », 460 West Main Street. L'intéressé a déclaré que tous les clients ont pu quitter le bar sains et saufs à l'exception d'une serveuse, après l'arrivée des petits monstres.

« Deux personnes sont tombées dans des bouches d'égout... »

– Kate! hurla Billy en freinant si brusquement que sa voiture fit un tête-à-queue sur la route.

Il se trouvait tout près de chez lui et il lui fallait maintenant traverser toute la ville.

– Bon sang! murmura-t-il, tout cela est ma faute.

« Oui. Je m'appelle Damian Phillips et j'ai ma théorie là-dessus. Mon frère, fonctionnaire de la CIA, récemment retraité, dit que les Russes ont inventé un robot qui... »

– La ferme! aboya Billy en éteignant sa radio.

Il accéléra autant qu'il l'osa compte tenu du verglas sur la route, le regard fixé sur le minuscule carré de pare-brise non embué que lui dispensait généreusement l'antique système de dégivrage de la VW. Tout comme la plupart des citoyens de Kingston Falls, certaines des facéties des Gremlins l'avaient amusé, au début, en partie parce que depuis longtemps, en secret, il brûlait de voir ce qu'il se passerait si tous les feux de croisement demeuraient au vert. Mais il y avait une marge entre cela, un homme à moitié happé par une boîte aux lettres, des pneus lancés du sommet d'une côte et les toutes dernières exactions des Gremlins.

– M. Futterman est mort, murmura Billy. Pauvre homme! Je n'arrive pas à le croire.

Mais il le croyait, cependant. De même qu'il en déduisait le sinistre et manifeste corollaire. Si ces créatures étaient capables de tuer M. Futterman et Mme Deagle, et peut-être d'autres personnes encore, elles pourraient tout aussi bien tuer Kate sans hésiter.

Tout en murmurant une prière silencieuse pour ne pas arriver trop tard, Billy fonçait dans le rugissement de sa voiture.

18

Quelle idiote! songea-t-elle, tu avais l'occasion de te sortir de là et tu l'as laissée passer. Pour tenter le coup, il t'aurait fallu faire un petit effort, mais tu devais te montrer polie, calme et élégante.

Et te voilà donc une captive polie, calme et élégante, se dit-elle sans aucune indulgence.

– En fait c'est encore bien pis, murmura Kate dans sa barbe tout en servant une autre tournée. Nous nous trouvons devant une nouvelle définition du mouvement perpétuel. Je suis la seule serveuse de la bande d'ivrognes la plus assoiffée, la plus irritable et la plus vulgaire du monde. Un vrai cauchemar!

Coincée derrière le long comptoir rectangulaire de Chez Dorry au moment où le torrent de démons verts s'était déversé à l'intérieur, l'isolant comme un obstacle au milieu du courant, Kate avait distrait l'attention des Gremlins, au début, en préparant et servant des boissons aussi vite qu'elle le pouvait. Et cela avait marché, ou tout au moins empêché cette cohue déchaînée de la tuer ou – comme on dit dans les romans à deux sous – de lui réserver un sort plus terrible que la mort. L'ennui, c'est qu'elle n'avait même pas le temps de penser et encore moins d'élaborer un plan d'évasion rapide et sûr. A peine finissait-elle de remplir une rangée de verres qu'un client gloussant, les griffes gluantes, le regard mauvais, posait bruyamment devant elle une série de verres vides. Une seule consolation dans cette épuisante corvée : les clients ne se montraient pas difficiles. Tout d'abord, Kate avait confectionné de vrais cocktails – manhattan, martini, whisky sour – mais il était bien vite apparu qu'ils buvaient n'importe quoi. Aussi, lorsqu'une bouteille de bourbon était à sec, elle la remplaçait par du rhum, de la tequila ou ce qu'il lui tombait sous la main. L'un des Gremlins, au bout du bar, prit même goût au bitter, piquant une crise de rage lorsque Kate vint à en manquer.

Maintenant, et bien que se fût écoulée à peine plus d'une demi-heure depuis l'arrivée des Gremlins, Kate se sentait épuisée et le pub de Dorry tenait à la fois du siège d'un candidat vainqueur un soir d'élection et d'Omaha Beach au lendemain du jour J : corps gisant sur le sol, poisseux de boissons renversées, reliefs de nourritures diverses et popcorn écrasé. Divers objets volaient. Bouteilles, verres, queues et boules de billard, chaises et tout ce qui n'était pas fixé au sol se croisaient dans une atmosphère empestée et lourde. Une rumeur rauque, faite de sons bizarres, de cris aigus et de gloussements maintenait la tension à un niveau dangereusement élevé. Kate refoula son envie de hurler et de se précipiter vers la porte, ce qui n'aurait pas manqué d'appeler l'attention sur elle et de sceller peut-être son destin à jamais.

– Garde ton calme, se murmurait-elle sans cesse. Tôt ou tard, l'occasion se présentera. Ou on me viendra en aide. Ou ils disparaîtront subitement.

Elle n'était pas sûre de le croire vraiment, mais il semblait de bonne politique de continuer à les servir. Du moins paraissait-elle invisible, ou seulement visible lorsqu'ils voulaient un verre.

Mais au fur et à mesure que d'autres Gremlins entraient dans le bar et que le ravitaillement commençait à manquer, les diaboliques créatures devenaient pénibles et insupportables. Bien que ne comprenant pas leur langage, elle remarqua que le Gremlin éméché, tout comme son homologue humain, manifestait la même impatience lorsque, à son gré, le service traînait un peu. Les regards se faisaient ouvertement mauvais et l'on ne se souciait plus guère de feindre l'amabilité. D'autres semblaient ravis de lui crier dans les oreilles, de renverser délibérément leurs verres, de faire n'importe quoi pour la gêner dans son travail.

– Il n'y a donc plus personne, dans cette ville? Où sont passés les flics? siffla-t-elle entre ses dents.

Soudain, cigare au bec, un Gremlin se planta devant elle, attendant qu'on le serve. Kate lui versa un verre. Hurlant de colère, il balança le verre et son contenu au milieu d'un groupe autour du billard, planta ses griffes dans le comptoir et parut vouloir sauter sur Kate.

– Et alors? cria-t-elle.

La créature montra son cigare éteint.

– Il suffit de demander, murmura Kate.

Elle prit le briquet à gaz, l'approcha de la gueule du Gremlin et l'alluma. Une longue flamme en jaillit, faisant loucher le Gremlin qui grogna de douleur et recula en titubant.

– Excusez-moi, murmura Kate.

Tandis qu'elle réglait la flamme, un plan germait dans son esprit. Ces règles dont avait parlé Billy en apportant le Mogwai à M. Hanson... N'y était-il pas question d'éviter toute lumière vive directe? Bien sûr, c'était bien la raison pour laquelle le Gremlin au cigare n'avait guère apprécié la grande flamme toute proche de ses yeux.

Kate regarda autour d'elle. Si la lumière vive constituait une alliée, elle se trouvait plongée en plein territoire ennemi. Pourquoi diable n'avait-elle pu se faire coincer dans la banque ou dans un bureau quelconque ? Il lui aurait suffi, alors, d'arriver jusqu'aux commutateurs, d'allumer les plafonniers et de s'enfuir au milieu des cris de douleur et de la confusion des créatures.

La situation se présentait bien différemment dans le bar de Dorry : lumières indirectes, tamisées, et pas un seul éclairage de plafond. On le qualifiait de romantique, un peu rétro, intime, mais pour Kate il constituait à présent un piège. A moins que Dorry n'ait une ou deux lampes-torches derrière le bar, impossible d'utiliser cette arme secrète. Il doit avoir une lampe-torche, se dit-elle, ouvrant tous les placards sans cesser de jouer les serveuses, les souffre-douleur et les esclaves des envahisseurs verts.

Probablement las du billard, des jeux vidéo, de manger et de boire, ils devenaient de plus en plus insupportables, remarqua Kate. Quant à elle, elle commençait à perdre patience, fouillant un tiroir après l'autre, n'y trouvant qu'un tas d'objets hétéroclites et inutiles.

– Ce n'est pas croyable, murmura-t-elle, furieuse. Rien, absolument rien. Comment peut-on imaginer un bar sans lampe derrière le comptoir ?

Elle remarqua plusieurs pochettes d'allumettes, dont les gaies couleurs verte et blanche mettaient en valeur un trèfle à quatre feuilles, un gourdin irlandais, l'adresse et le numéro de téléphone du bar de Dorry. Un instant, elle envisagea de mettre le feu aux pochettes, l'une après l'autre, et de les brandir devant elle, contraignant les Gremlins à battre en retraite comme Dracula devant un crucifix. Bien hasardeux, songea-t-elle. Cela pourrait gêner les Gremlins les plus proches, mais une petite pochette d'allumettes brûlant lentement ne constituait guère une arme de choc et ce plan ne lui disait rien qui vaille.

– Tout de même, réfléchit-elle, si c'est là la seule solution...

Une griffe lui frôla la taille tandis qu'une seconde, appartenant à un autre individu, lui saisissait le bras. Kate se dégagea et battit rapidement en retraite au milieu du bar, faisant de son mieux pour ne pas paraître effrayée ou intimidée.

Les deux Gremlins la suivirent, jouant des coudes parmi la double ou triple rangée de leurs compagnons de beuverie alignés le long du comptoir.

Serrées dans sa main gauche, soigneusement mais négligemment cachées sous son tablier, les pochettes d'allumettes constituaient le seul et frêle espoir de Kate. Si elle pouvait les poser toutes dans un unique cendrier et les allumer d'un seul coup, peut-être alors, peut-être...

Deux autres Gremlins, au centre du comptoir, tentèrent également de saisir Kate. Le plus agressif des deux, à plat ventre, essaya de lui prendre la taille sous les rugissements d'approbation du Gremlin le plus proche. Dans une réaction instinctive, Kate se saisit de la première bouteille qui lui tomba sous la main et en frappa le Gremlin sur le côté de la tête, sans le moins du monde retenir son coup. Un bruit sourd, tel celui d'un cantaloup s'écrasant par terre, lui apprit que son punch avait solidement porté. Tandis que la créature plongeait du nez sur le bar, ses yeux se révulsant, son sourire s'affaissant en une moue de lèvres flasques qui semblaient baver, Kate ressentit sa première satisfaction depuis que ces monstres avaient fait de sa soirée une véritable torture. Mais elle remarqua avec une certaine angoisse qu'à la suite de ce knock-out, les autres Gremlins ne réagissaient pas comme elle aurait pu s'y attendre. Des hommes – même des ouvriers du bâtiment, songea ironiquement Kate – auraient ri de la mésaventure de leur compagnon, au moins parce qu'un sens inné de la justice aurait soufflé, même au pire des ivrognes, qu'il ne l'avait pas volé. Apparemment, les Gremlins n'envisageaient pas la question sous cet angle : ils considéraient plutôt le geste de légitime défense de Kate comme une attaque contre leur collectivité tout entière. En un instant, le jacassement presque joyeux se changea en un grognement sinistre alors que les Gremlins, furieux, débattaient de ce qu'il convenait de faire d'une aussi méchante femme.

Oh! oh! songea Kate, devinant le sens de ce qui se murmurait. On parle de moi, si je ne m'abuse. On dirait que l'heure des allumettes a sonné.

En hâte, elle arracha les allumettes de leurs pochettes et les posa dans un cendrier, masquant ses gestes en s'appuyant contre la caisse enregistreuse. Et, alors qu'elle tâtonnait avec ses allumettes, elle aperçut l'appareil photo, un Instamatic appartenant à Dorry, soigneusement dissimulé derrière la caisse.

Et, avec l'appareil, un flash. Une arme offensive parfaite qui pouvait lui ouvrir le chemin de la liberté. Elle s'en saisit d'un geste rapide qui n'échappa pas aux Gremlins du bar.

Le temps manquait pour concevoir le meilleur plan ou même prendre une certaine avance avant d'utiliser le flash. En fait, la horde passait déjà par-dessus le comptoir si rapidement que Kate eut à peine le temps d'armer l'appareil, de trouver le bouton et d'appuyer. Elle ne se permit même pas le luxe d'envisager un seul instant que l'appareil pourrait ne pas fonctionner.

Chh-lac!

L'éclair soudain du flash fit un vide immédiat autour du bar, les Gremlins refluant, tombant les uns sur les autres sous la douleur. Kate mit à profit ces précieuses secondes de confusion pour se précipiter sur sa droite à l'extrémité du comptoir, où elle se heurta à un autre groupe de Gremlins furieux.

Une nouvelle explosion de lumière provoqua une

trouée de près de deux mètres devant elle. Elle plongea en avant, tentant d'ignorer les griffes, derrière elle, prêtes à la saisir. Furieuses maintenant, les créatures vertes poussaient des cris dont le chœur enveloppait Kate de sa haine. Tout en avançant par à-coups vers la porte de devant, elle se rendit compte qu'on ne ferait sûrement pas de prisonniers dans ce bref mais âpre conflit.

De nouveau bloquée par un autre barrage de corps brun-vert aux yeux vindicatifs, Kate, désormais proche de la sortie, appuya de nouveau sur le bouton.

Chh-lac!

Dieu merci, pensa-t-elle, ça marche.

Elle avança dans le no man's land provisoire, atteignant le hall en titubant. Une fraction de seconde plus tard, une nuée de Gremlins l'entouraient, hurlant et frappant de leurs griffes. Elle sentit, partout sur son corps, de douloureux coups d'épingle tandis qu'ils tentaient de mieux l'agripper. Une main contre le mur pour éviter de tomber, elle leva de nouveau l'appareil. Faites qu'il marche encore une fois! pria-t-elle, encore une seule fois.

L'appareil émit un clic qui ne fut suivi, cette fois, ni d'un éclair ni d'un hurlement de douleur et de rage de la part de l'ennemi, lequel ne reflua pas de terreur. Bien au contraire, ils déferlèrent autour d'elle comme des vagues venant se briser sur un rocher.

Kate lâcha l'appareil, s'entendit crier et ne put éviter de choir au milieu de la marée verte et griffue qui tentait de la submerger.

Dans sa chute, Kate vit un immense éclair illuminer le mur de l'entrée. Les petits gloussements de joie vengeresse se changèrent en cris de douleur et les Gremlins gagnèrent précipitamment une zone d'ombre, laissant Kate étendue sur le sol, les vêtements lacérés. Une tache de lumière trapézoïdale lui tombait sur le corps depuis les fenêtres de devant.

Un instant, l'esprit embrumé de Kate se demanda si sa chute n'avait pas provoqué le déclenchement du flash. Puis, en se remettant du choc de ces derniers instants, elle se rendit compte que la lumière émanait de l'extérieur, qu'une voiture braquait ses phares directement sur le bar. Ignorant combien de temps ces rayons salvateurs dureraient, elle se remit sur ses jambes le plus vite qu'elle put et se rua vers la porte.

Dehors, une silhouette qui venait de sortir de la voiture l'appela d'une voix familière.

– Billy! répondit Kate.

– Ça va? lui demanda-t-il en la serrant dans ses bras où elle s'était jetée en courant.

– Je... je crois. Mais ces choses... Combien y en a-t-il?

– Je ne sais pas. Elles sont partout. Je craignais qu'elles ne t'aient tuée, toi aussi.

– Moi aussi? Qui d'autre?

– Nous n'avons pas le temps d'en discuter ici, dit Billy. Il nous faut de l'aide. Je ne sais pas qui...

Et la fantasque VW se mit à tousser, le halètement du moteur ponctué de secousses et d'un bruit sourd provenant de l'arrière. Sautant dans la voiture, Billy écrasa l'accélérateur mais, dans sa hâte, il noya le moteur. La voiture émit un seul hoquet et cala.

– Pas maintenant! jura Billy.

Kate grimpa à côté de lui.

– Elle marche? demanda-t-elle. Je voudrais filer d'ici.

– Elle est capricieuse, répondit Billy, actionnant le démarreur.

Le moteur refusant de repartir aussitôt, il éteignit les phares et s'enfonça dans son siège.

– Qu'est-ce que tu fais? murmura Kate. Tu abandonnes?

– Non. Le carburateur est sans doute noyé, c'est tout. Le mieux est d'attendre une minute ou deux.

– Mais les phares...

– Si je les laisse allumés, ça va affaiblir la batte...

Une bouteille de bière s'écrasa sur le pare-brise, l'étoilant et terrorisant Kate et Billy.

– Voilà pourquoi je te parlais des phares, souffla Kate. Il n'y a que cela pour les éloigner.

Un nouvel objet heurta le pare-brise.

– Et si on filait en courant? suggéra Kate.

– Une seconde, dit Billy.

Actionnant de nouveau le démarreur, il le fit tourner près d'une minute, sans succès. Et pendant tout ce temps, une grêle de cendriers, de bouteilles et d'accessoires de billard s'abattait sur le capot ou frappait la carrosserie.

– Ouais, dit enfin Billy. Je crois que tu as raison.

Se retournant, il saisit le sac sur la banquette arrière d'un mouvement si brusque que Gizmo faillit dégringoler, sa chute n'étant freinée que par la courroie dans laquelle il se prit les pattes. Grognant en mogwai, il reflua à l'intérieur du sac pour n'en laisser dépasser que les yeux et le bout du nez.

Kate, qui ne reconnut pas Gizmo dans l'obscurité, recula, pensant à une infiltration de Gremlins dans la voiture.

– Ne t'en fais pas, dit Billy, ce n'est que Gizmo. Allons-y.

Sortant de la voiture, ils affrontèrent en courant le barrage d'objets divers lancés depuis la taverne, ne s'arrêtant qu'après avoir traversé la rue. Ils se regardèrent et se sourirent, remarquant au même instant qu'ils se trouvaient devant la banque dont la porte était ouverte.

– Non, mais tu imagines ça? s'exclama Billy. Ils sont même parvenus à pénétrer dans la banque en dehors des heures d'ouverture.

– Il vaudrait peut-être mieux aller voir, suggéra Kate.

Billy acquiesça. Ils entrèrent dans la banque et allumèrent, ce qui provoqua une débandade à la porte de derrière. Sous la lumière crue des tubes du plafond, on aurait dit qu'un typhon venait de balayer la banque saccagée : tous les guichets brisés, des débris de meubles jonchant le sol à proximité, les tiroirs à monnaie ouverts et des pièces et billets partout.

– Ils ont dû prendre cela pour du papier sans aucune utilité, dit Billy.

– Et pour être bien sûrs que ce serait sans utilité pour quiconque, ils ont déchiré tous les billets, remarqua Kate en ramassant des morceaux de dollars et en les laissant retomber sur le sol jonché de détritus. Eh bien, je crois que je vais démissionner, ajouta-t-elle après un coup d'œil circulaire sur le massacre monétaire. Jamais nous ne pourrons en faire le compte.

– Ouais...

Un faible gémissement se fit entendre; Billy et Kate échangèrent un regard inquiet.

– Qui est là? demanda une voix lointaine. J'entends quelqu'un. Puis-je vous être utile?

– On dirait Ger, observa Billy.

Kate acquiesça de la tête.

– La banque n'est pas encore ouverte aux opérations, mais si vous voulez entrer pour bavarder, ne vous gênez pas, annonça la voix de Gerald Hopkins avec une amabilité insolite.

– Il doit être dans la chambre forte, dit Kate.

Billy la prit par la main et, ensemble, ils passèrent

devant les bureaux de la direction. Au bout du couloir, une porte entrebâillée.

– Il y a quelqu'un? demanda Gerald, l'air affolé, psalmodiant presque sa question, comme drogué.

Billy poussa la porte et ils pénétrèrent précautionneusement dans la pièce.

Kate en eut le souffle coupé.

La confusion totale qui régnait dans le vestibule et la chambre forte ne constituait pas le plus gros élément de surprise et de terreur. Sur le sol gisait le corps inerte de Roland Corben, le visage reposé comme s'il faisait une petite sieste. Mais Kate et Billy surent aussitôt qu'il ne dormait pas.

– Pauvre M. Corben! souffla Kate.

Levant les yeux au même instant, ils aperçurent Gerald Hopkins, dans le fond, apparemment bouclé dans la salle des valeurs de la chambre forte. Agrippé aux barreaux d'acier comme un pensionnaire de pénitencier, il leur souriait. Il leur parla d'une voix pleine de déférence mais ferme :

– Je suis désolé, dit-il, vous êtes trop grands l'un et l'autre pour être clients de cette banque.

– Pardon? demanda Billy, stupéfait.

– La banque est réservée aux personnes de petite taille, expliqua Gerald, la main à hauteur de la ceinture pour indiquer la taille limite de la clientèle. (De la même voix étrange, il poursuivit :) Nous allons refaire toute la décoration, abaisser les guichets, réduire la dimension du mobilier... Nous ferons tout pour que les clients de petite taille se sentent parfaitement à l'aise, ici.

Il fit un geste qui se voulait grandiose, mais dans une sorte de ralenti, comme en état d'hypnose ou de rêve.

– Nous aurons là la première banque exclusivement réservée aux gens de petite taille, dit-il d'une voix douce. Et, voyez-vous, j'en suis le président.

Kate et Billy échangèrent un regard en coin.

– Si tu veux mon avis, je crois qu'il est complètement givré, murmura Kate.

– Peut-être bien, répondit Billy.

– Voilà bien longtemps qu'il manque, en ce bas monde, des installations adaptées aux gens de petite taille, psalmodiait Gerald. Et désormais, avec moi à leur tête, ce sera chose faite.

– Des gens de petite taille, dit Billy. Vous voulez dire les Gremlins?

– J'ignore comment on les appelle. Je sais seulement qu'ils parlent si vite et de si curieuse façon que M. Corben ne les a pas compris. C'est pourquoi ils...

A cet instant, il s'interrompit brutalement, les sourcils froncés.

– Ils quoi? le pressa Billy. Continuez.

– Peu importe, c'est trop désagréable. Je peux seulement vous dire que M. Corben n'était pas du tout d'accord avec les petits personnages. Certes, il est un peu vieux jeu et entêté. C'est pourquoi il n'a pas compris leurs besoins. Mais moi oui. C'est ainsi qu'ils m'ont nommé premier président de leur banque.

– C'est bien ce que je pensais, murmura Kate. Il est fêlé comme un cantaloup en promotion.

Gerald Hopkins fixait Billy d'un regard tout à la fois intense et vide.

– Je pourrais vous nommer chef caissier, si vous me promettez de vous montrer respectueux à l'égard des gens de petite taille. Votre nom m'échappe, mais votre visage ne m'est pas inconnu.

Et il rejeta la tête en arrière puis éclata d'un rire gloussant qui ressemblait sinistrement à celui des Gremlins.

– Oui, je veux bien vous embaucher... Salaire de début, bien entendu.

– Incroyable, souffla Kate en hochant la tête. Je

t'ai dit qu'il se produit toujours des choses affreuses à l'époque de Noël.

– Noël n'a rien à voir là-dedans, murmura Billy.

– Et maintenant, si vous voulez bien m'excuser, dit Gerald d'un ton plus officiel, j'ai beaucoup de travail. Les clients désirant investir dans la nouvelle banque ne vont pas tarder à arriver et je dois être prêt à les recevoir.

– Voulez-vous que nous essayions d'ouvrir la porte? demanda Billy.

– Non, c'est parfait ainsi. Je vous souhaite le bonjour.

Il sourit aimablement mais avec une certaine fermeté et retourna vers l'intérieur de la chambre forte. Tirant un siège devant le petit bureau, il se mit à écrire avec un instrument qui, s'il n'était pas imaginaire, demeura invisible pour Kate et Billy.

– Lorsque les Gremlins ont envahi la banque et attaqué M. Corben, je crois que ç'en a été trop pour lui, dit Billy. Il a dû perdre l'esprit. J'ai d'abord cru qu'il nous faisait un peu de cinéma, mais maintenant... Pauvre type!

– Ma foi, dit Kate en haussant les épaules, au moins a-t-il sa banque bien à lui, désormais. Cela semble l'avoir rendu heureux.

Kate et Billy quittèrent doucement la pièce tandis que Gerald continuait à travailler au bureau.

– Et maintenant? demanda Kate.

– Je n'en sais rien.

Un instant plus tard, devant l'entrée de la banque, ils contemplaient les rues désertes de Kingston Falls.

– Où sont tous les habitants, d'après toi? murmura Kate.

La ville ressemblait à un vieux décor de cinéma, sans aucun signe de vie qui troublât sa sinistre sérénité. Seules quelques lumières apparaissaient dans les maisons.

– Tout le monde doit se cacher au sous-sol ou au grenier en attendant des secours, suggéra Billy. A moins qu'ils n'aient sauté dans leurs voitures et filé. (Il regarda sa montre : quatre heures du matin.) Le jour ne va pas tarder à poindre, ajouta-t-il. Je me demande ce que vont faire les Gremlins lorsque le soleil va se lever.

– Probablement trouver un endroit sombre et ne pas bouger jusqu'à la nuit, dit Kate.

– Ouais.

– Je crois qu'on devrait trouver une radio et écouter ce qu'il se passe. S'ils n'ont pas détruit la station, nous pourrons peut-être apprendre quelque chose.

– Bonne idée, approuva Billy. Suppose que nous soyons les seuls à être demeurés en ville à la suite d'une décision des autorités de lâcher une bombe atomique sur tout le coin. Ce serait drôle, non?

– Follement.

– Je crois qu'il y a une radio dans le bureau de M. Corben.

– Oui.

Ils retournèrent à la banque et se frayèrent un chemin au milieu des détritus divers. On avait brisé le grand poste de M. Corben, sur son bureau, et mâché le fil jusqu'à ce qu'il n'en reste pas grand-chose mais ils trouvèrent, dans un tiroir, quelques-uns des petits postes à transistors qu'offrait la banque pour toute ouverture d'un nouveau compte. L'un des postes marchait encore.

« *... répétons, restez chez vous jusqu'à ce qu'on vous avise que tout est terminé. Le général de brigade David Greene qui commande les Marines de Phoenix (Arizona) est dans nos studios et a bien voulu consacrer quelques minutes de son précieux temps à nous exposer la nature de l'intervention de ses troupes qui ont pris position près de Kingston Falls. Mon général...*

« Merci, Harman. Tout d'abord, nous prions instamment tous les habitants de ne pas quitter leur domicile. Cela nous facilitera la tâche. Voyez-vous, nous ne savons pas exactement ce que sont ces petites créatures car nous arrivons à peine et nous ne disposons que des seuls rapports. Ce sont peut-être des gens déguisés ou une nouvelle forme de vie provenant d'une lointaine galaxie. Il s'agit peut-être là d'une hypothèse hardie, mais nous ne voulons rien négliger. C'est pourquoi nous ne pénétrons pas dans votre ville armés de lance-flammes, de mitrailleuses et de lance-roquettes. Nous ne voulons pas détruire d'édifices ni mettre des vies en danger et nous souhaitons prendre vivants ces animaux ou ces gens.

« Cela me paraît fort judicieux, mon général. Et quel est votre plan ?

« Eh bien, nous espérons repousser ces envahisseurs ou ces semeurs de troubles en dehors de tout lieu habité. Voyez-vous, plutôt que de compter sur notre armement, nous avons amené plusieurs citernes et pompes portatives et des lances de pompiers. Dans une trentaine de minutes, lorsque nos pompes seront approvisionnées, nous nous rendrons de maison en maison à la recherche de ces... choses. Lorsque nous les dénicherons, au lieu de leur tirer dessus ou de risquer des blessés parmi nos hommes, nous avons l'intention de braquer nos lances à incendie sur eux et de les arroser. Vous savez, on peut faire beaucoup avec un jet puissant braqué où il faut.

« Cela me semble un plan fantastique, mon général... »

– Fantastique ! éclata Billy. C'est une catastrophe ! S'ils arrivent avec leurs lances à incendie et se mettent à balancer de l'eau, nous aurons des millions de Gremlins au lieu de quelques centaines.

– Il nous faut donc aller à la rencontre de ces soldats et les dissuader, déclara calmement Kate.

– Tu as déjà essayé de faire revenir un général sur sa décision?

– Non, et toi?

– Non plus. Mais dans les films, ça ne marche jamais.

– Ça se passera peut-être autrement, cette fois-ci. Après tout, Billy, tu en sais plus que moi.

– Ouais, je sais. C'est *ma* faute. C'est moi qui suis responsable de tout ce gâchis.

– Ce n'est pas le moment de se préoccuper de cela. Si tu veux dissuader ces troupes d'utiliser de l'eau, il te faudrait peut-être un meilleur plan pour regrouper les Gremlins.

Billy soupira et hocha la tête, d'accord.

De nouveau, ils se retrouvaient dans l'entrée de la banque. Billy regarda à chaque bout de Main Street, se grattant pensivement la tête.

– Un instant, dit-il enfin. Où sont les Gremlins en fin de compte?

– Comme d'habitude, je suppose. Ils doivent aller de maison en maison.

– Mais rien ne bouge. Je ne vois rien, je n'entends rien. Et toi?

– Non, maintenant que tu le dis.

Billy descendit du trottoir et se dirigea d'un bon pas vers Chez Dorry, suivi de Kate.

– Où vas-tu? lui demanda-t-elle en le rattrapant. Tu ne retournes pas au bar, j'espère.

– Si.

– Pourquoi?

– Une idée.

Kate le suivit, l'anxiété se lisant sur son visage. Elle n'avait pas la moindre envie de retourner Chez Dorry si ces créatures s'y trouvaient encore. D'un autre côté, si Billy avait une idée pour se débarrasser des monstres verts, elle ne pouvait que se joindre à lui. Et malgré les dangers courus, elle se sentait toujours prête à relever le défi lorsqu'on mettait son courage à l'épreuve.

– Tu as une lampe-torche dans ta voiture?

– Bonne idée, dit Billy.

La VW en panne se trouvait toujours là, le long du trottoir, l'air plus mal en point que jamais sous les tas d'ordures et d'objets divers qui s'étaient abattus sur elle. Billy ouvrit la voiture et mit la main sur la lampe-torche dont la lumière lui parut bien jaunâtre.

– J'ai l'impression que les piles n'en ont plus que pour une minute, estima Kate.

– Ce sera peut-être suffisant.

Billy en tête, ils arrivèrent à l'entrée du bar. A chaque instant, Kate s'attendait à se trouver prise sous un barrage de projectiles ou assaillie par les Gremlins eux-mêmes, toutes griffes dehors. Elle doutait que la lampe de poche se révèle d'une grande utilité pour repousser une attaque des Gremlins, sa pâle lueur ne portant qu'à quelques dizaines de centimètres dans l'obscurité. Elle commença à se sentir un peu plus rassurée, notamment en pénétrant dans la salle principale puisqu'on ne l'attaquait pas. La lumière indirecte leur révéla un chaos et des dégâts fantastiques, mais pas un seul Gremlin.

Billy balaya la salle du regard, sifflant doucement devant cet étalage de vandalisme.

– Pauvre Dorry! dit-il tristement.

– Qu'est-ce que ça veut dire « Pauvre Dorry »? protesta Kate avec une pointe d'humour. Encore un peu et c'était « Pauvre de moi ». Mais, grâce à Dieu, je ne suis pas là gisant au milieu de ces détritus. Et grâce à toi, bien sûr, ajouta-t-elle vivement en lui serrant le bras.

Le visage de Billy refléta un mélange de plaisir et de légère gêne.

Ils demeurèrent un instant silencieux et Billy dit finalement :

– Et alors? Où crois-tu qu'ils sont passés?

– Ça me dépasse, dit Kate en haussant les épaules.

Ils ressortirent, demeurèrent un instant sur le trottoir, continuant à observer, perplexes, les alentours désertés de la grand-place de Kingston Falls.

Billy se demandait dans combien de temps arriveraient les Marines avec leurs lances à incendie. Peut-être fouillaïent-ils déjà maisons et bâtiments, au bout de la ville. Espérant toujours être le premier à localiser les Gremlins et à trouver ensuite un moyen de s'en débarrasser, il ferma les yeux, s'efforçant de réfléchir, réfléchir, réfléchir.

– Où irais-je si j'étais un Gremlin? demanda-t-il à haute voix.

– Un Gremlin qui craint la lumière vive, alors que le soleil ne va pas tarder à se lever, ajouta Kate.

– Très bien, dit-il, c'est important. A leur place, je crois que j'essaierais de trouver un immeuble, un grand bâtiment sans fenêtres où je pourrais me cacher... Vois-tu, ils ont tendance à demeurer groupés. Je parie que si l'on en trouvait un, les autres ne seraient pas loin.

– Donc, combien existe-t-il de bâtiments ou d'immeubles sans fenêtres? demanda Kate.

– Deux seulement. Et l'un et l'autre à l'extrémité du prochain pâté de maisons.

Billy se mit à courir puis fit demi-tour et sauta dans la VW, donnant un coup de démarreur pour le cas où le moteur voudrait bien partir.

Le moteur partit et Kate grimpa à côté de Billy.

Un instant plus tard, il ralentissait au croisement de Main Street et de Garfield Street. A un angle, sur la marquise du cinéma Colony, on annonçait toujours *Blanche-Neige et les Sept Nain* – toujours sans *s* à la fin. En face, se dressait le grand magasin Montgomery Ward dont une porte ouverte témoignait que, pendant la nuit, les Gremlins avaient réussi à y pénétrer.

Billy gara la voiture et descendit, sans trop savoir par quel bâtiment commencer. Puis il remarqua Gizmo qui, la tête complètement hors du sac, fronçait nerveusement le nez.

– Lequel, Giz? demanda Billy.

Impatient mais tout à fait éloquent, Gizmo fixait le cinéma.

– Eh bien, allons-y, dit Billy.

Il apparut bientôt évident que le nez de Gizmo ne l'avait pas trompé car en approchant du cinéma ils relevèrent, devant l'entrée, de nombreuses traces de pattes griffues. Et de nombreuses traces d'actes de vandalisme témoignaient également de la présence des diaboliques créatures : vitres brisées, portes ne tenant plus que par un seul gond, de guingois, murs lacérés.

– Je crois que c'est bien là, dit Kate en embrassant les dégâts du regard.

Gizmo agita les bras, posa une patte sur sa bouche et dressa l'oreille.

De l'intérieur de la salle arrivait un bruit continu de gloussements, cris et baragouins de conversation.

– Ils font assez de boucan pour être tous là, dit Billy, espérant ne pas se tromper.

– Bon, maintenant qu'on les a trouvés, qu'est-ce qu'on fait? demanda Kate.

– Je réfléchis.

Se frayant un chemin au milieu de débris de verre, de meubles renversés et de cendriers, ils avancèrent sans bruit dans le hall désert, au sol jonché de pop-corn écrasé et de papier d'emballage de confiseries déchiré.

– Ils mangent vraiment comme des cochons, observa Kate. Encore que ça ne doive pas être facile de manger du pop-corn avec des griffes aussi écartées que les leurs. J'ai aussi remarqué autre chose...

Kate ayant tendance à élever la voix, Billy lui jeta un regard de reproche.

– Excuse-moi, murmura-t-elle, je crois que la nervosité me fait bavarder à tort et à travers. J'ai la chair de poule à la seule pensée de voir encore ces monstres se précipiter sur moi.

– Je comprends ça, dit Billy, hochant la tête.

– Je ne dirai plus rien, promit-elle.

Blottis au fond du hall, ils écoutèrent un long moment les Gremlins jacasser. Kate se demanda s'ils se trouvaient plongés dans une discussion animée ou s'il s'agissait simplement d'une conversation à bâtons rompus. De son expérience récente, elle avait appris que les Gremlins étaient des créatures intelligentes, diaboliquement intelligentes. Etaient-ils conscients qu'avec l'approche de l'aube ils allaient se trouver dans une situation critique? Dans ce cas, préparaient-ils un plan d'action dans l'hypothèse où on les découvrirait et où on les attaquerait? A cet instant, Kate aurait volontiers donné un mois de son salaire pour comprendre ce qu'ils disaient, mais bien sûr ce n'était pas possible.

– Est-ce qu'on ne pourrait pas simplement cadenasser les portes ou les clouer pour boucler ces petits monstres? finit-elle par demander à Billy. Au moins jusqu'à ce que des secours arrivent?

– C'est une idée, mais je ne crois pas que ça marcherait, répondit-il. Certaines portes sont hors de leurs gonds, les vitres sont fêlées ou brisées. Si l'on essayait de faire ça, nous serions découverts avant d'avoir fini. Mais il existe une possibilité...

Billy, prenant soudain Kate par le bras, la conduisit à l'abri d'un distributeur automatique et posa un doigt sur ses lèvres.

On entendait un bruit de griffes avançant sur le sol carrelé du hall. Le bruit d'un seul Gremlin, remarqua Billy avec soulagement, espérant que les coups sourds de leurs battements de cœur n'arrivaient pas jusqu'au bout du hall.

Un instant plus tard, n'entendant plus de bruit de pas, Billy et Kate jetèrent un coup d'œil par-dessus le distributeur. Le Gremlin à la crinière blanche vidait ce qui restait de pop-corn dans le récipient de verre d'un autre distributeur, enfournant à grand bruit les grains dans sa bouche. Après un rot sonore, il retourna dans la salle, traînant les pattes.

– C'était Le Rayé, dit Billy. Le plus malin de tous et probablement leur chef, ou je me trompe fort.

– Et l'autre solution? demanda Kate.

– Les faire sauter, répondit Billy.

– Avec quoi? Aurais-tu, par hasard, quelques bâtons de dynamite dans ta voiture?

– J'ai peut-être mieux, dit Billy en hochant la tête. J'ai travaillé dans ce cinéma, en sortant du lycée. S'il a toujours les mêmes ennuis de chaudière, ça fera peut-être l'affaire.

– Je ne comprends pas.

– La chaudière faisait sans cesse des excès de pression, expliqua Billy. Mais le propriétaire n'avait pas les moyens de la faire changer. Il s'est contenté de faire poser une soupape de sûreté qu'il fallait vérifier au moins trois fois par jour pour s'assurer qu'elle marchait toujours. Il disait souvent que s'il arrivait quelque chose à cette soupape, on se retrouverait tous au paradis.

– Et si on ferme la soupape ou qu'on l'empêche de fonctionner?

– On obtient ce que le type disait, je crois: Boum!

– D'accord, mais il faudra combien de temps pour que ça explose? Quelques secondes? des minutes? plusieurs heures?

– Il ne l'a pas précisé.

– Dommage. C'est pourtant important, tu ne crois pas? S'il s'agit de secondes, on saute avec les Gremlins.

– Ouais, dit Billy, mais je crois que j'aurai le temps. Deux ou trois minutes, je pense. De toute façon, c'est mon affaire, pas la tienne.

– Qu'est-ce que ça veut dire?

– Qu'il n'y a aucune raison pour que nous descendions tous deux à la chaudière. En fait, nous ferions deux fois plus de bruit.

– Mais tu peux avoir besoin d'aide.

– Quoi, par exemple?

– Quelqu'un qui te tienne la lampe pendant que tu travailles. La lampe n'éclaire peut-être pas bien, mais il vaut mieux terminer cela rapidement que tâtonner dans l'obscurité.

– Ouais, reconnut Billy, mais...

– Pas de discussion, d'accord? Allons-y avant que je perde tout mon courage.

– D'accord. Prends Gizmo.

Il tendit le sac à Kate et passa devant elle jusqu'à la porte du sous-sol où se trouvait la chaudière.

Fermée.

– Est-ce que ça signifie qu'il nous faut renoncer à notre entreprise de démolition? demanda Kate d'une voix où espoir et déception se mêlaient.

– Non. Il existe un autre accès au sous-sol. Mais il nous faudra passer derrière le balcon.

– Oh! oh!

– On ne saurait mieux dire. Prête?

– Autant qu'on peut l'être.

Rasant le mur, Billy en tête, ils arrivèrent aux escaliers conduisant au balcon. En haut des marches, il posa la main sur le bras de Kate pour l'aviser qu'il lui faudrait baisser la tête pour passer derrière le balcon.

Les sièges se révélèrent moins hauts qu'il ne pensait dans son souvenir, de même que l'allée, derrière, se révéla moins large. Ce qui les contraignit donc à avancer quasiment avec la tête à hauteur des genoux, dans l'obscurité, marchant comme des canards. Devant eux et au-dessus, les Gremlins continuaient à jacasser. De temps à autre, un morceau de pop-corn ou une boîte de carton écrasée leur tombait sur les épaules ou heurtait le mur. Mais ils parvinrent enfin à l'autre extrémité du balcon et à la porte rouge sur laquelle on avait peint au pochoir, en lettres noires : RÉSERVÉ AU PERSONNEL.

Presque accroupi, Billy entrebâilla la porte et la tint ouverte pour laisser passer Kate. Puis il la suivit, poussant un profond soupir de soulagement maintenant qu'ils se trouvaient à une certaine distance des Gremlins.

Un étroit escalier en colimaçon s'enfonçait dans l'obscurité du sous-sol. Kate et Billy, mi-glissant, mi-dégringolant, arrivèrent au bas des marches de métal poussiéreuses, utilisant la lampe avec parcimonie pour économiser les piles déjà faibles. Et Billy reprit sa marche tâtonnante vers la salle de la chaudière.

– Allume, souffla-t-il. Je crois que la soupape devrait se trouver par là.

La pâle lumière qui balaya le plafond révéla tout un enchevêtrement de câbles électriques, de solives, de tuyaux, de matériaux isolants qui s'effritaient et, enfin, la soupape de sûreté dont Billy se souvenait parfaitement.

– Toujours là, dit-il en esquissant un sourire. (Avançant de quelques pas, jusqu'à la chaudière, son sourire s'élargit quand il lut l'indicateur de pression.) C'est vraiment haut, ajouta-t-il, même avec la soupape ouverte.

– Superbe! commenta ironiquement Kate. Ça va peut-être exploser si vite que nous n'aurons même pas le temps de retraverser le balcon.

– Ce ne sera pas utile. Nous sortirons du sous-sol par une petite porte qui ne s'ouvre que de l'intérieur. (Il saisit une clé sur la chaudière et retourna à la valve de sécurité.) On ne peut trop l'ouvrir, non plus, sans quoi la vapeur envahirait le sous-sol et la salle. Voyons maintenant ce que ça donne lorsqu'on la ferme complètement.

Jouant rapidement et efficacement de la clé tandis que Kate tenait la lampe, il serra la soupape jusqu'à ce qu'elle refuse de tourner d'un millimètre de plus.

– Tirons-nous d'ici, maintenant, dit-il.

Sans qu'il soit utile de la presser, Kate suivit, se cognant à plusieurs reprises la tête et les coudes tandis qu'ils sortaient précipitamment de la pièce au plafond bas, encombrée de caisses et de cageots. Au-dessus d'eux, un grondement continu, ponctué de temps à autre par des coups sourds, indiquait que les remuants Gremlins s'agitaient, se retournaient et jacassaient toujours sur leurs sièges.

Dans un renfoncement, Billy trouva la porte de métal étroite, aux coins rouillés. Il lui imprima une vigoureuse poussée.

– Non! cria-t-il, non!

– Elle n'est pas fermée? murmura Kate, terrorisée.

– Impossible.

Il donna un grand coup d'épaule dans la porte qui ne céda pas.

– Je crois... qu'elle est simplement coincée... dit-il, attaquant de nouveau la porte. Voilà longtemps... qu'on ne l'utilise plus...

– Tu es sûr qu'elle s'ouvre vers l'extérieur? demanda Kate.

Dans l'obscurité, on ne pouvait distinguer comment la porte était montée.

– Ouais, répondit-il. Je l'ai utilisée... une fois.

Cherchant quelque chose, n'importe quoi, qui pourrait l'aider, Kate tomba sur le froid d'un objet métallique.

– Essaie ça, dit-elle.

Billy saisit le levier avec un pâle sourire de remerciement, en glissa une extrémité dans le coin supérieur et poussa de toutes ses forces. La porte béa en rechignant, d'un peu plus d'un centimètre, peut-être. Encouragé mais s'épuisant rapidement, Billy glissa le levier plus bas et poussa de nouveau. Enfin, après une demi-douzaine de solides poussées, la porte céda dans un bruit de gonds rouillés.

Dehors, il faisait notablement plus clair que lorsqu'ils étaient entrés dans la salle, les premières lueurs de l'aube ayant fait disparaître la plupart des étoiles.

– Par ici, dit Billy, en prenant la main de Kate et en tournant à droite.

La barre de fer toujours à la main, il s'arrêta un instant pour la glisser dans les poignées des portes de sortie, derrière le cinéma. Puis il courut vers une petite ruelle en face.

– Suppose que ça ne... commença Kate.

Question étouffée par un craquement assourdi puis par un bruit sourd si violent qu'il sembla que toutes les machineries du monde tombaient en panne à la fois. Une fraction de seconde plus tard, une immense flamme traça un arc depuis le sous-sol jusqu'au toit, en un énorme coup de foudre à l'envers, provoquant de plus petites explosions d'un rouge cramoisi jaillissant vers l'extérieur. Trois grondements qui se succédèrent rapidement soufflèrent le mur du cinéma qui se fracassa aussitôt comme un vieux pétrolier frappé par une torpille. En un peu plus d'une minute à peine, tout l'édifice se changea en un brasier, un épais rideau de fumée et de poussière obscurcissant rapidement l'incendie.

– Ça a marché, dit Billy.

Kate, avec un léger sourire pour sa maîtrise de l'euphémisme, ne put que hocher la tête.

Leur allégresse initiale se trouva tempérée un moment plus tard lorsqu'ils aperçurent à travers les murs écroulés du cinéma, des formes de Gremlins se débattant dans leur agonie, macabres silhouettes dansantes se redressant un instant dans le brasier pour s'abattre de nouveau quelques secondes plus tard.

– Pourquoi a-t-il fallu que nous fassions cela? demanda Kate en détournant le regard.

Billy ne répondit pas. Il y réfléchirait sans doute plus tard, mais pour le moment il voulait s'assurer que le travail, pour déplaisant qu'il eût été, n'en était pas moins complètement achevé. De l'endroit où ils se trouvaient, dans la ruelle, ils pouvaient parfaitement surveiller les trois issues du cinéma. Kate baissait les yeux, Gizmo s'était blotti dans le sac pour éviter la lueur des flammes mais Billy conservait le regard rivé sur les trois sorties.

Quelques minutes s'écoulèrent. Le rugissement, tellement puissant au début qu'il paraissait émaner tout autant de derrière eux que de devant, se changea progressivement en un sifflement continu. Tout signe de vie disparut aussi de l'intérieur des décombres du cinéma.

– Je crois qu'on les a tous eus, dit enfin Billy.

Mais à peine avait-il prononcé ces mots qu'une unique silhouette passa en trébuchant l'entrée calcinée de ce qui restait du bâtiment et qui se consumait rapidement, demeura un instant immobile, comme sous le choc, puis secoua sa tête surmontée d'une crinière blanche et traversa pesamment la rue.

– Non, s'entendit murmurer Billy. Non... non... non...

19

– Eh bien, je voudrais bien voir qu'on m'empêche de rentrer chez moi, cria Rand Peltzer par-dessus son épaule, en sortant de la station-service ouverte toute la nuit pour regagner sa voiture.

Inutile de hurler après le pompiste, songea Rand, d'autant qu'il lui donnait un conseil amical, mais le père de Billy venait de passer une soirée harassante et il avait les nerfs à fleur de peau. La tension avait commencé au cours des réunions de ventes, lorsqu'il s'était préoccupé de savoir comment rentrer chez lui par ces routes enneigées. Préoccupation qui tourna à l'inquiétude lorsqu'il ne parvint pas à avoir Lynn au bout du fil, inquiétude qui se changea en quasi-panique en entendant le récit des événements bizarres de Kingston Falls et des environs. Peu après minuit, Rand avait décidé qu'il ne pouvait s'en tenir à sa décision première – et sans doute fort sage – de passer la nuit dans un motel tandis que les équipes des ponts et chaussées auraient tout le temps de dégager les routes. Il lui fallait savoir si sa famille était saine et sauve. Quelques minutes plus tard, tandis que les derniers vendeurs regagnaient qui sa chambre, qui le bar le plus proche, Rand avait sauté dans sa voiture pour rentrer chez lui.

Après un arrêt pour prendre de l'essence, au cours duquel on lui fit un récit détaillé des événements de Kingston Falls, lui communiquant la demande instante des autorités que les personnes étrangères à la ville évitent, si possible, de s'y rendre, Rand passa chez la mère de Lynn. Guère ravie d'être réveillée à une heure aussi indue, elle admit tout de même qu'il fallait ramener Barney chez lui. Lorsqu'il se rendit compte que sa belle-mère, qui s'était couchée tôt, ignorait tout des événements de Kingston Falls, Rand décida de ne pas l'inquiéter inutilement. Il s'excusa pour son intrusion tardive, emmena le chien et n'ajouta rien.

Barney assis à côté de lui, il se remit en route pour Kingston Falls, dans l'espoir d'y arriver vers deux heures du matin.

Le trajet paraissait interminable et Rand n'avait jamais aimé conduire dans la neige. En fait, il détestait cela et l'évitait autant que possible, même lorsque le ciel ne menaçait pas. Impensable, pour lui, de conduire seul, de nuit, dans de telles conditions, sauf dans un cas d'urgence comme celui-ci. Tout de même, après trente kilomètres de route nationale, il commença à se demander si sa décision était judicieuse. Devant lui, les panneaux de déviation fleurissaient, les uns après les autres, le détournant de sa destination à un point tel qu'il dut consulter sa carte à plusieurs reprises pour voir où il se trouvait. Deux fois, il avait pris une mauvaise direction à cause du manque de visibilité, une autre fois parce que le panneau était placé dans le mauvais sens et une quatrième fois du fait que la police militaire l'avait envoyé sur une route secondaire qu'il n'avait eu nulle intention d'emprunter. Et pendant ce voyage qui se faisait de plus en plus désespéré, sa radio diffusait une litanie de nouvelles qui ne contribuaient pas précisément à le rassurer. Mort de M. Futterman. Mort de Mme Deagle. Des magasins et des bureaux qu'il avait vus quelques jours plus tôt à peine, saccagés par des forces inconnues. Des rumeurs qui couraient de mise à sac de la ville et de gens attaqués par ces mystérieux envahisseurs, petits mais féroces. Toutes les communications coupées ou, au mieux, fonctionnant par intermittence. La plus grande partie de la population de la ville qui se terrait ou qui fuyait sur les routes comme dans un exode de réfugiés en temps de guerre. Les Marines qui arrivaient. Les continuels appels contribuaient davantage à accroître son malaise qu'à le rassurer. Tout cela paraissait si horriblement incroyable! Il ne lui vint absolument pas à l'idée que lui, Rand Peltzer, honnête citoyen, pouvait être responsable de cet enchaînement d'événements cahotiques.

Peu après quatre heures du matin, épuisé nerveusement par la frustration constante provoquée par les déviations dans la neige et par l'incertitude dans laquelle il se trouvait quant au sort de Lynn et de Billy, il quitta la nationale 46 pour remonter Main Street, arrivant à Kingston Falls par le sud et non par l'est, sa route normale. Droit devant lui, il aperçut une lueur orange et une fumée épaisse, spectacle rendu plus effrayant encore par l'absence de pompes à incendie, de sirènes, de badauds ou d'agents réglant la circulation. Pour autant qu'il pût en juger, il s'agissait d'un incendie, en pleine ville, qui finissait de brûler tandis que la population, les autorités et autres n'y prêtaient tout simplement aucune attention. Ou alors, pensa-t-il, peut-être n'y a-t-il plus de population...

– Non, pria-t-il, faites que tout se soit bien passé. Je vous en prie...

Il voulut y ajouter la promesse de s'amender si sa prière était exaucée, mais Rand ne voyait vraiment pas ce que Dieu pouvait désirer de lui.

– Je deviendrai meilleur, dit-il finalement. J'irai à l'église tous les dimanches.

L'incendie, remarqua-t-il en arrivant tout près,

avait pris au cinéma Colony dont il ne semblait rester que les quatre murs.

Ralentissant pour mieux voir les ruines calcinées de l'immeuble, Rand hocha la tête.

– Je ne comprends pas, murmura-t-il. Où sont passés les gens? Pas de pompiers, pas d'amateurs d'incendies, pas même un pillard. C'est fou, irréel.

Tandis qu'il marmottait, son regard fut attiré par un mouvement sur sa droite. Traversant la rue, juste devant lui, à quelques mètres de sa voiture, un...

Un quoi? Freinant encore pour arrêter la voiture, Rand ne put déterminer la nature de ce qu'il venait juste d'éviter. De la taille d'un chien, la chose se tenait sur deux pattes. Et la gueule entraperçue ne ressemblait à rien qu'il ait déjà vu en dehors des films d'horreur ou des déguisements de carnaval. Etait-ce là une de ces petites créatures dont on avait parlé à la radio?

Avant même qu'il puisse y jeter un nouveau coup d'œil, la chose avait disparu, filant devant la voiture, l'évitant de justesse et traversant lourdement le trottoir en direction du grand magasin Montgomery Ward. Dans la faible lueur du petit matin, Rand ne put apercevoir qu'un dos d'un brun verdâtre, hérissé d'une sorte de peau écailleuse comme celle d'un gros poisson ou d'un reptile. Avec un rapide coup d'œil par-dessus son épaule, la créature disparut dans le grand magasin par une entrée latérale ouverte.

Qu'est-ce qui se passe ici? se demanda Rand. Qu'est-ce que c'était que cette chose? Et pourquoi est-ce ouvert chez Montgomery Ward à cette heure?

Barney, réveillé par le brutal coup de frein, se mit à lancer des aboiements belliqueux en apercevant le Gremlin. Tentant désespérément de s'en approcher, ne fût-ce que de quelques centimètres, il bondit sur la banquette arrière et se mit à gratter la lunette de ses griffes.

– Calme-toi, fiston, lui dit calmement Rand. Quoi que ce soit, ce n'est pas notre boulot de le poursuivre.

La tête toujours tournée vers la gauche pour repérer l'étrange créature au cas où, par hasard, elle ressortirait du magasin, Rand entendit le bruit précipité des pas de deux personnes. Les bras lui en tombèrent lorsqu'il les reconnut, son visage exprimant à la fois la profonde surprise et la joie.

– Billy! cria-t-il.

Sautant de la voiture, il embrassa son fils tout en le bombardant de questions.

– Qu'est-ce qui se passe, ici? Ta mère va bien? Pourquoi cours-tu?

– Excuse-moi, papa, répondit Billy en se dégageant. Il faut qu'on attrape ce... Tu n'as pas vu passer un Gremlin?

– Un quoi?

Billy expliqua aussi rapidement que possible ce qu'il poursuivait, sans en exposer les raisons. Rand montra le grand magasin. Avec un signe de tête, Billy prit la main de Kate et allait partir en courant quand Rand, parvenant à lui saisir l'autre main, le força à se retourner.

– Une seconde! Ne te sauve pas! cria-t-il. Je voudrais savoir comment va ta mère.

– Bien, je pense, répondit Billy tout en se dirigeant vers la porte. Le téléphone est en panne mais elle s'est enfermée dans la maison. Excuse-moi, p'pa, mais il faut que j'attrape ce Gremlin.

– Pourquoi? Il a l'air dangereux.

– Il l'est.

– Alors, laisse faire la police.

– Pas le temps.

– Attends. Je vais te donner un coup de main.

Mais déjà Billy et Kate avaient disparu dans le magasin.

Un instant déconcerté et indécis, Rand demeura sur le trottoir à se gratter la tête. Il ne savait toujours pas ce qu'il se tramait exactement, mais à coup sûr il ne venait pas de passer toute la nuit à conduire simplement pour jouer les spectateurs. Si Billy avait des ennuis, c'étaient ses ennuis à lui aussi.

Et peut-être ceux de Barney, également, songea Rand en retournant rapidement à la voiture.

– Allez, viens, dit-il à l'impatient Barney, baissant le siège avant pour que le chien puisse sauter sur le trottoir. Allons aider Billy.

En claquant la portière avant de partir, Rand aperçut un objet sur la banquette arrière : sa Salle de Bains Portative. Cela fonctionnait parfaitement maintenant, il en était sûr, et plusieurs personnes, au congrès des vendeurs, avaient fait part de leur intérêt pour une commercialisation sur une grande échelle. Compte tenu de cela, et du fait qu'une des portières de sa voiture refusait toujours de se verrouiller, il prit une décision rapide.

– Il vaut peut-être mieux que j'emporte cela avec moi, dit-il en se penchant pour saisir l'appareil. Je serais vraiment désolé qu'on me vole cette merveille au moment où elle est sur le point de nous rapporter une fortune.

La Salle de Bains Portative dans les bras, pointée devant lui comme un fusil d'assaut, il se mit à courir à une vitesse surprenante vers le grand magasin Montgomery Ward tandis que, sur ses talons, Barney, l'œil flamboyant, la truffe au vent, paraissait avide de participer à la chasse.

Le général David Greene commençait à se sentir plus qu'agacé et déçu. Il était cinq heures bien sonnées et le ciel se faisait considérablement plus clair. Depuis près de deux heures, ses hommes allaient de maison en maison, d'immeuble en immeuble dans les quartiers nord de Kingston Falls, recherchant les petits monstres verts, avec un échec jusque-là total.

– Eh bien, qu'en pensez-vous, Medved? marmotta-t-il à son aide de camp qui ne le lâchait jamais de plus de cinquante centimètres.

Le commandant Josh Medved se garda bien de répondre immédiatement. Lorsque le général Greene vous demandait ce que vous en pensiez, cela signifiait qu'il allait vous dire ce qu'il en pensait, lui.

– Je vais vous dire ce que j'en pense, poursuivit Greene. Ou bien toute cette ville est complètement cinglée, ou les habitants sont de mèche avec les Gremlins.

– De mèche, mon général? demanda Medved, le front plissé.

Il voyait exactement ce que voulait dire le général – ce qui était à la portée du premier idiot venu – mais l'expérience lui avait appris que son supérieur plaçait la lenteur d'esprit au-dessus de toute autre qualité.

– Bien sûr, répondit Greene. Peut-être pas de gaieté de cœur, mais je crois que ces gens pourraient bien abriter ou cacher les Gremlins. Par crainte, probablement. On a vu ça au Vietnam, vous savez. Ces indigènes n'aidaient pas les Viets parce qu'ils les aimaient ou croyaient en ce qu'ils faisaient. Ils avaient simplement la trouille.

– Oui, mon général. C'est parfaitement plausible.

Un lieutenant s'approcha, jeta un coup d'œil circulaire pour voir si les caméras de l'équipe de télé qui les avait accompagnés tournaient. Effectivement, elles tournaient et il salua donc avec beaucoup d'élégance.

Greene lui rendit négligemment son salut et attendit.

– Deux choses, mon général, dit le lieutenant. Nous venons d'interroger les gens du pâté de maisons voisin qui ont prétendu avoir vu les Gremlins vers trois heures ou trois heures et demie. Tous les Gremlins se sont dirigés vers le sud, presque comme s'ils avaient un rendez-vous.

– Okay! Deuxième chose?

– Le sergent Williamson a appelé pour nous signaler l'incendie de tout un immeuble au carrefour Main et Garfield. Cela se trouve au sud, à l'autre bout de la ville. Les Gremlins sont peut-être dans le coup.

Le général Greene acquiesça du chef et le lieutenant disparut.

– Qu'en pensez-vous, Medved?

Le commandant Medved pinça les lèvres dans un air de méditation intense.

– Je vais vous dire ce que j'en pense, dit le général. Je crois que nous devrions cesser nos recherches par ici et foncer vers l'incendie, où se passent des choses.

– Excellente idée, mon général.

– Le Rayé n'aurait pu choisir meilleur endroit, soupira Billy.

Promenant son regard de droite et de gauche tout en essayant de s'accoutumer à l'obscurité, Kate comprit exactement ce qu'il voulait dire.

Montgomery Ward s'étendait sur près de deux hectares, tout en rez-de-chaussée, avec des allées paraissant interminables – certaines, selon une publicité du magasin, faisaient plus de quatre cents mètres – et tout encombrées d'étalages divers. L'éclairage, réduit au minimum, émanait à cette heure de petites veilleuses orangées à l'intersection des allées.

– Il pourrait rester caché là éternellement, dit Billy.

Kate leva les yeux au plafond et Billy, qui en saisit aussitôt la raison, en fit autant.

– Ouais, dit-il. Je me demande si nous pourrions trouver le coin d'où allumer les plafonniers.

– Pourquoi ne pas nous séparer? suggéra Kate. Tu continues à chercher Le Rayé et moi je tente de trouver le tableau de commande des lumières.

– D'accord. Je pense que le tableau doit se trouver quelque part près des bureaux. Tu connais le magasin?

– Oui.

– Parfait. Je crois me souvenir que tout est concentré dans un bureau – éclairage, sonorisation, système d'alarme et autres.

– D'accord. Si c'est là, je trouverai.

– Il vaudrait peut-être mieux que tu prennes Giz, dit Billy en lui tendant le sac. Il sera plus en sécurité avec toi et j'aurai davantage de liberté de mouvement.

Gizmo, glissant un œil hors du sac, sortit une patte implorante.

– Désolé, mon petit, lui dit Billy en souriant. Il vaut mieux que je joue ce coup-là tout seul.

Kate et Gizmo prirent la direction des bureaux. Billy, remarquant qu'il se trouvait au rayon des articles de sport, saisit une batte de base-ball sur l'étagère la plus proche, en apprécia le poids puis se mit à fouiller systématiquement les allées.

Seul dans la demi-obscurité de l'immense magasin, il se sentait soudain inquiet, plus encore que lorsque Gizmo et lui avaient traqué Le Rayé dans le bâtiment de l'Y.M.C.A. Cela semblait bien loin, maintenant, bien qu'il se fût écoulé, en fait, moins de douze heures. Ce bref laps de temps lui avait permis d'apprendre quelque chose d'essentiel à propos des Gremlins : leurs farces diaboliques pouvaient entraîner violence et mort. Il essaya bien de chasser cette déprimante pensée de son esprit en passant d'une allée à l'autre, mais elle ne le quittait pas. Ce serait tellement mieux, ne put-il s'empêcher de songer, si je découvrais Le Rayé avant qu'il me trouve, lui.

Ce qui semblait beaucoup plus improbable, lui souffla une autre partie de son esprit.

Ennuyé et distrait par toute cette gymnastique mentale, il s'efforça de se concentrer sur des méthodes positives de localisation de son adversaire gremlin au lieu de se borner à avancer au hasard en espérant tomber sur lui.

Qu'est-ce que je ferais si les rôles étaient inversés ? se demanda-t-il. La réponse paraissait aller de soi : créer une diversion pour pouvoir tendre un piège.

Tendre un piège avec quoi ?

Avec n'importe lequel des centaines d'articles, car le magasin regorgeait d'armes potentiellement mortelles, notamment pour quelqu'un craignant de tomber dans une embuscade. Cela bien assimilé, Billy entrevit la possibilité d'une attaque soudaine depuis n'importe quel endroit du magasin. Se souvenant du rayon des articles de sport, il se vit étalé pour le compte par une batte de base-ball identique à la sienne, abattu par un fusil, frappé par des poids, une raquette de tennis, une queue de billard ou encore étranglé par une corde à sauter. En passant devant le rayon des accessoires pour auto, il remarqua qu'il offrait un choix tout aussi juteux d'armes diverses, du démonte-pneu aux chaînes de neige en passant par des attaches pour caravanes, des amortisseurs ou des enjoliveurs. Le Centre d'entretien des pelouses et jardins pouvait dispenser une mort horrible grâce à ses fourches ou râteaux, tandis que Tout pour la Cuisine le menaçait de mutilation par une importante panoplie de couteaux de boucher ou de fourchettes à barbecue. Même au rayon des Vêtements pour dames, un assaillant adroit ou désespéré pouvait trouver de quoi en finir avec lui, à savoir : chaussures à hauts talons, ceintures, lourds sacs à main ou ceintures en métal.

Tu es en train de te laisser emporter un peu loin, se murmura-t-il.

Sur quoi il perçut une sorte de ronronnement bientôt suivi d'une voix métallique qui chantait et du ran-plan-plan d'un minuscule tambour. Un instant plus tard, une musique rock se mêla à la cacophonie. Avançant avec précaution, Billy jeta un coup d'œil, depuis le coin de l'allée, à ce qui apparaissait manifestement comme le rayon des jouets.

Le sol de tout le rayon grouillait littéralement de petits jouets mécaniques – robots, voitures qu'on remonte, animaux, poupées et personnages de dessins animés –, chacun d'eux chantant, parlant ou émettant son bruit particulier destiné à ravir les enfants. Maintenant, alors que tous fonctionnaient ensemble dans la pénombre, l'effet produit tenait davantage du sinistre que du charmant, mais il paraissait difficile de ne pas regarder le spectacle.

Bref, un moyen génial de distraire l'ennemi.

La distraction, songea Billy, immédiatement avant le...

Chlack!

...piège, compléta-t-il tandis qu'un trait argenté, aveuglant, lui passait sous les yeux et heurtait le mur derrière lui. Grimaçant de douleur, Billy porta la main à sa joue et la ramena humide de ce qu'il savait être du sang. Dérouté, il vira sur lui-même, devinant plus qu'il n'entendit l'arrivée d'un nouvel objet volant. Il parvint, juste à temps, à se jeter à terre, le deuxième objet passant à quelques centimètres au-dessus de sa tête.

Chlack!

Roulant derrière un étalage pour se protéger, allongé à plat ventre, il vit le second projectile frapper le mur et tomber sur le sol à côté du premier. Les deux objets faisaient partie d'une même famille de scies circulaires : une lame de quinze centimètres de diamètre, l'autre de vingt.

Et d'autres membres de la famille arrivaient...

Tout en gloussant furieusement, Le Rayé bondit de sa cachette pour déchaîner un barrage meurtrier de lames de scie prises sur un rayon, déchiquetant rapidement la caisse en carton derrière laquelle Billy s'abritait tant bien que mal et manquant de peu de le décapiter par quelques jets bien ajustés. Coincé dans un angle, Billy ne pouvait que détourner la grêle d'acier avec ce qu'il restait de la boîte-poubelle en carton. Une fois les lames de scie épuisées, Le Rayé poursuivit son attaque avec toute une variété de marteaux, clés, petites boîtes de peinture et à peu près tout ce qu'il lui tombait sous la griffe et dont il pouvait se saisir.

Billy se tassa, se blottit pour éviter un bédane et percuta un présentoir qui se renversa, lui tomba dessus, lui coinçant les jambes sous les étagères. Se protégeant toujours du pitoyable bouclier constitué par le morceau de carton en lambeaux, il gisait à plat ventre sur un tapis de jouets et d'accessoires divers.

Le Rayé décida d'en finir avec lui pendant que l'occasion se présentait. Cherchant autour de lui l'arme adéquate pour le coup de grâce, son regard s'alluma en tombant sur une grosse batterie à l'aspect merveilleusement mortel, mais tellement lourde que Le Rayé parvint à peine à la soulever. L'arête du cube monstrueux paraissait plus terrible encore au toucher qu'à l'œil. Il l'imaginait, broyant le crâne de son ennemi sans qu'il soit nécessaire qu'elle tombe de bien haut.

Le Rayé empoigna la batterie et la traîna vivement à quelques pas de son adversaire étendu, la souleva à hauteur de sa poitrine, la disposant de telle sorte qu'elle tombe juste sur le crâne de Billy. Mais soudain, mécontent de la faible hauteur de la chute et pour qu'elle gagne de sa vitesse mortelle, il décida de la soulever aussi haut que possible pour qu'elle l'écrase avec plus de force encore.

Billy se libérait du présentoir à l'instant même où Le Rayé levait la batterie au-dessus de sa tête. La crainte de voir échapper son gibier, ajoutée au poids du lourd objet et à la difficulté pour Le Rayé de l'empoigner mieux, provoquèrent un glissement de la batterie qui chut de son épaule et tomba pile sur le pied gauche du Rayé.

– Yyyeeeggggrrrrr!!!

Avec un hurlement de douleur, Le Rayé contempla la masse pulpeuse de chair décolorée et d'os brisés qui avait constitué son pied et s'enfuit en boitant.

Pendant un instant, Billy ne vit que du noir, la batterie ayant achevé sa chute à quelques centimètres de ses yeux.

Il se libéra des décombres, bondit sur ses pieds et s'élança à la poursuite du Rayé dans l'allée. A un carrefour, il s'arrêta et regarda dans les quatre directions possibles sans apercevoir le Gremlin.

– Bon sang! soupira-t-il. Où est-il passé? J'aimerais bien avoir de la lumière maintenant. Je me demande ce qu'il se passe.

Gizmo frissonna en entendant le bruit de la bataille à l'autre bout du magasin. On aurait dit qu'on se battait en duel avec des échelles ou qu'un mur s'écroulait. Le lourd silence qui s'ensuivit se révéla plus sinistre encore alors qu'il imaginait toutes sortes de choses horribles. Si Billy était sorti victorieux de cette bataille d'objets volants, n'aurait-il pas poussé des cris de joie? Ne les aurait-il pas appelés, Kate et lui? Si la lutte continuait ou, pire, si Billy gisait blessé ou mourant, Gizmo savait qu'on aurait besoin de lui. Kate, tandis qu'elle cherchait le tableau de commande des lumières, avait posé le sac sur une table juste à l'entrée des bureaux. Gizmo se savait en sécurité, là, mais son désir d'aider Billy l'emporta sur son instinct de conservation. Il rabattit le dessus du sac, en sortit en rampant et se plaqua au sol.

Incertain quant à l'endroit où il se trouvait, il avança un moment à pas feutrés, douloureusement conscient qu'il ne progressait pas vite. Encore un détail que Mogturmen, son créateur, avait négligé lors de la fabrication de l'espèce.

– Il doit exister un moyen plus rapide, murmura Gizmo. Il me faudrait des années pour traverser le magasin sur ces pattes-là.

Quelques instants plus tard, parmi tout un fatras d'objets divers, il trouva ce qu'il cherchait aux environs du rayon des jouets. Les roues du véhicule, coincé dans un coin, tournaient encore, inefficaces. Gizmo s'en approcha avec précaution, repéra le bouton MARCHE / ARRÊT et arrêta le moteur. Dégageant l'engin des boîtes écroulées au bout de l'allée, il le fit rouler jusqu'au milieu d'un carrefour et le pointa soigneusement dans la direction choisie.

– Parfait, dit-il fièrement. C'est une parfaite petite...

Aucun équivalent du mot *voiture* en langage mogwai ne lui venant à l'esprit, il haussa les épaules et sauta dans l'engin.

Le véhicule, très sportif, mesurant une soixantaine de centimètres, rose avec des filets rouges, une réplique fonctionnant sur piles de la Corvette Stingray, paraissait impatiemment attendre un essai sur route. Gizmo bascula le bouton MARCHE et fut presque projeté par-dessus bord sous la violence du démarrage.

Il s'installa de nouveau et reprit confiance au cours du long trajet dans l'allée. Mais il découvrit qu'il ne parvenait pas à virer aussi facilement qu'il l'espérait en arrivant à une intersection. Il en résulta une collision avec une pile de bidons d'huile dont la pyramide s'écroula une fraction de seconde après que la Stingray l'eut heurtée. Gizmo poussa un soupir de soulagement en entendant le bruit sourd des bidons tombant derrière lui. Il se jura, désormais, de prendre les virages plus posément.

Arrivant en vrombissant à l'extrémité d'une allée, il vira à gauche et fonça dans la suivante. Un fouillis de quincaillerie diverse le ralentit considérablement mais bientôt il reprenait de la vitesse.

Alors qu'il traversait le carrefour suivant, il aperçut une silhouette qui se mouvait dans l'allée, sur sa droite. Il fit une embardée et freina si brutalement que la voiture alla percuter toute une série d'outils de jardin bien alignés. La tête dans les épaules, il attendit patiemment que râteaux et binettes aient fini de s'écrouler autour de lui puis fonça de nouveau vers l'endroit où il avait aperçu la forme mystérieuse.

Le piège lui parut si parfait, et si simple à la fois, que Le Rayé en ressentait à peine la douleur de sa patte écrasée. Puisqu'il ne faisait appel à rien de complexe, son plan était quasiment infaillible. La machine la moins susceptible de tomber en panne est celle qui comporte le moins de pièces. De même pour une embuscade, la plus simple étant la meilleure.

Et le piège conçu par Le Rayé ne faisait appel à rien de plus compliqué qu'une pièce très longue et très étroite avec une unique entrée et sortie. Pas de coins ni de recoins pour se dissimuler, pas de placards où s'abriter. Baptisée Centre électronique, la salle ne consistait qu'en une simple exposition de plusieurs dizaines de postes de télé, de jeux vidéo et de stéréo, tous bien plaqués aux murs. Dans le jargon du vieux Far West, c'était là le canyon où, indubitablement, Billy avait rendez-vous avec son destin.

A l'entrée même de la pièce se trouvait un petit placard maintenant occupé par Le Rayé, qui tenait contre sa poitrine un arc et une poignée de flèches à pointes d'acier découverts au rayon des articles de sport après l'écrasement de sa patte. Jamais encore il n'avait utilisé cette arme mais il en saisissait le principe; l'arc et la flèche constituant l'arme primitive de base de nombreuses galaxies, il lui en restait donc une connaissance presque intuitive. Pour parfaitement maîtriser l'usage de l'arme, il ne lui fallait qu'un peu de pratique, dans laquelle il se lancerait dès que son jeune ennemi apparaîtrait au bout de la pièce. Là, selon son plan, Le Rayé sortirait de son placard et se mettrait à tirer. Sans aucune possibilité de s'abriter, Billy finirait par être touché par une ou plusieurs flèches, point final.

Et si le jeune homme décidait de jeter un coup d'œil dans le placard avant de s'aventurer au bout de la pièce? Ce n'en serait que mieux, songea Le Rayé. Dans ce cas, il recevrait une flèche à bout portant. Le Rayé n'y perdrait que la joie de prendre Billy pour cible pour s'entraîner, de le voir paniquer et supplier avant de succomber à un tir au but.

Le Rayé attendit patiemment mais bientôt il entendit des pas rapides dans l'allée, approchant de la pièce. Par l'entrebâillement de sa porte, il vit la silhouette hésiter un instant puis poursuivre sa route. Dans la demi-obscurité du magasin, Billy se trouverait tout près du mur du fond avant de se rendre compte que la pièce n'était qu'une impasse et alors, bien sûr, il serait trop tard.

Ouvrant un peu plus la porte, Le Rayé jeta un coup d'œil qui le ravit.

– Encore quelques pas, murmura-t-il.

Billy avança même un peu plus, intéressé par l'un des appareils fixés au mur, tout au bout.

Parfait, songea Le Rayé.

Il sortit doucement de son placard, encocha la première de ses flèches et visa une intersection imaginaire entre les épaules du jeune homme.

Kate se sentait si perdue qu'elle en pleurait presque.

Mais comment marchent ces trucs? se demanda-t-elle, criant presque.

Depuis plusieurs minutes, elle appuyait sur divers boutons du panneau de contrôle devant elle, avec un manque de succès total. Le système n'était pas à la portée du premier venu, songea-t-elle, irritée. Un peu comme la première machine de traitement de textes qu'elle avait essayé d'utiliser. Au lieu de lire, affichée en clair, la fonction de chaque bouton, l'opérateur devait apparemment taper un code d'accès suivi du ou des codes programmés pour chacune des fonctions à l'intérieur du magasin. Par chance, Kate avait trouvé le code d'accès noté sur un morceau de papier, mais il n'apparaissait pas si facile d'allumer les plafonniers. Le plus près qu'elle y fût parvenue, c'était lorsqu'elle avait tapé le code d'accès suivi, au hasard, des chiffres 2 et 6 qui avaient provoqué l'éclairage d'une guirlande de lumière montée en permanence pour Noël, près de l'entrée principale.

– Que diable, si en tapant vingt-six on obtient quelque chose, pourquoi ne pas essayer la suite?

Elle tapa donc le code d'accès puis un 2 et un 7.

Le Rayé tendit la corde de l'arc de toutes ses forces, vérifia de nouveau sa visée et se prépara à lâcher son premier trait.

– Votre attention, s'il vous plaît! annonça soudain une voix puissante.

Surpris au point d'en perdre son sang-froid, Le Rayé sursauta, lâchant la flèche qui alla frapper un écran de télévision à un pied au-dessus de la tête de Billy.

– Votre attention, je vous prie, poursuivit l'annonceur. Le magasin va fermer dans dix minutes. Voulez-vous terminer vos derniers achats pour que notre personnel puisse disposer du reste de sa soirée? Merci.

Surpris à la fois par l'annonce enregistrée et par la flèche qui avait brisé l'écran si près de lui, Billy se retourna vivement pour voir Le Rayé encocher une nouvelle flèche et le viser. Billy tenta d'esquiver par des pas de côté, se rendant compte qu'il était devenu la cible privilégiée d'un stand de tir. Le Rayé répondit par un gloussement mauvais, le suivit et lâcha une deuxième flèche qui traversa la veste de Billy à hauteur de l'encolure.

– Pas passé loin, grommela Billy. Il tire bien!

Déjà, une autre flèche était prête dans la patte du Gremlin. Billy se passa la langue sur les lèvres, chercha une issue autour de lui, ne vit rien. Dans l'immédiat, il ne pouvait que continuer à esquiver jusqu'à ce que Le Rayé soit à court de munitions. Ou alors foncer sur lui, ce qui ne paraissait guère judicieux et ferait de lui une cible plus facile à atteindre encore.

La troisième flèche arriva sur lui, plus rapide et plus précise que les autres. Tombant à genoux, Billy l'entendit siffler à son oreille une seconde avant qu'il touche le sol.

Le Rayé gloussa de nouveau et prit une autre flèche.

Tout en se relevant en hâte, Billy suivit des yeux le mouvement de la main du Gremlin et la vit saisir une flèche dans un tas qui devait encore en compter une vingtaine.

Aucune chance, songea pitoyablement Billy; avec tous ces projectiles qu'il lui reste, il m'aura à coup sûr.

Kate appuya sur le bouton ARRÊT au moment où se terminait l'annonce de la fermeture du magasin et le bouton ARRÊT s'alluma, attendant la suite.

– Les lumières du plafond, dit-elle, comme essayant de convaincre le pupitre de commandes de lui obéir. Au diable l'heure de fermeture. Je veux les lumières du plafond!

Appuyant furieusement sur les touches, elle continua sa séquence numérique, simplement parce qu'elle ne voyait pas quoi faire d'autre. Du 27 jusqu'au 46, il ne s'agissait que d'annonces analogues à celle de la fermeture du magasin, et de 47 à 69 des annonces banales de vente d'articles courants. Bien qu'elle sautât de l'une à l'autre aussitôt qu'il apparaissait que les lumières ne s'allumaient pas, Kate était excédée. Tout ce temps qu'elle perdait! Billy avait besoin de ces lumières et elle se révélait impuissante à les lui fournir. Tout cela par la faute de ce pupitre compliqué. Tandis que chaque nouveau nombre déclenchait une annonce sans intérêt, elle cognait furieusement sur le pupitre, enfonçait le bouton STOP et recommençait.

– Vas-y, ordonna-t-elle. Mais vas-y donc!

– Vente de sous-vêtements d'hommes *Fruit-of-the-Loom* pendant...

Ping.

– Ouverture d'un nouveau Montgomery Ward, le...

Clac.

– Vente de peinture satinée *Glidden Spread* au...

Floc.

– Des jeans pour jeunes, de...

Flac.

Dans une certaine mesure, la juxtaposition du son et du spectacle paraissait si bizarre qu'elle en était presque drôle. Il se trouvait là, lui, risquant sa vie, cible d'un vrai stand de tir, sous l'accompagnement sonore d'annonces de soldes ou autres coupées en plein milieu de phrase. Mais Billy ne riait pas. Ces messages, en quelque sorte, c'était *lui* – une voix étranglée par quelque invisible force au moment même où on commençait à la percevoir.

Floc!

Derrière lui, sur sa droite, un nouvel écran de télé pulvérisé par la flèche du Gremlin. Deux choses essentielles ne faisaient aucun doute : Le Rayé s'amusait comme un fou et il tirait remarquablement à l'arc. D'instinct, Billy sut qu'il jouait avec lui, brisant des écrans de télévision juste à côté de sa victime simplement pour le plaisir, histoire de s'amuser un peu avant de lui percer le dos ou la poitrine d'un ultime trait. Jusque-là, Le Rayé n'en était qu'à la moitié de sa provision de flèches, mais la situation empira pour Billy lorsque plusieurs projectiles, ricochant, retournèrent à l'envoyeur qui pouvait les utiliser de nouveau.

– Bâtons de ski et anoraks...

Délibérément, Le Rayé rompit sa cadence de six coups/minute pour grimacer à l'intention de Billy. L'arc toujours prêt, il montra d'abord Billy de sa main libre puis son propre cœur.

Message bien reçu pour Billy. Fini de rire, Le Rayé allait passer aux choses sérieuses. Respirant profondément, Billy, dansant sur la pointe des pieds, se préparait à un déplacement rapide.

Mais l'expérience des quelques minutes écoulées lui soufflait qu'il ne serait probablement pas assez rapide pour éviter une flèche visant directement le cœur.

Le Rayé, pendant ce temps, s'apprêtait à mettre fin au jeu dont il se lassait. Désormais habitué aux annonces intermittentes, il pouvait presque automatiquement en faire abstraction. Maintenant, il se préparait, se concentrant totalement sur sa visée.

– Bon sang de bonsoir, regarde-moi ça! Attaque aux pattes, Barney, et moi je le cogne avec ça!

Le Rayé, à peine conscient de ce bruit de fond, commença à lâcher son coup.

Ploc, ding.

La flèche, avec une mollesse déconcertante, frappa le plafond et ricocha sur le sol au moment où Rand Peltzer, à quelques centimètres du Gremlin, libérait un jet de crème à raser de la Salle de Bains Portative. Pareille à une tornade blanche, elle frappa Le Rayé en plein dans les yeux, le faisant hurler de douleur. Dans le même temps, Barney bondissait sur la créature, mordant et grognant.

Prenant conscience de ce qui se passait et du fait qu'une occasion de s'échapper lui était donnée, Billy se précipita, sa tentative d'évasion se changeant instantanément en ruée car Le Rayé se remit avec une stupéfiante rapidité de cette attaque sur deux fronts. Chassant Barney d'un coup de son lourd arc tout en se débarrassant la gueule de la crème à raser, le Gremlin, en moins d'une seconde, saisissait une flèche et la pointait sur la poitrine de Rand, à trois mètres de là.

Encore trop loin pour secourir son père, Billy ne put que s'élancer au moment où éclataient deux cris :

– Nooon!

– Yeeechhh!

Et Billy se rendit soudain compte que les lampes éclairant son allée étaient allumées et que le cri de douleur n'était pas poussé par son père mais par Le Rayé.

Le Gremlin, reculant toujours sous le choc, laissa tomber arc et flèche et se précipita dans une allée latérale, encore plongée dans l'obscurité. Barney allait le suivre quand Billy lui ordonna d'arrêter.

Transpirant abondamment, Rand hocha la tête et sourit en regardant la Salle de Bains Portative dans sa main.

– Ma foi, je crois que ça a tout de même servi à quelque chose, après tout, dit-il.

– Merci, p'pa, dit Billy.

Il allait repartir mais son père le suivit.

– Une minute. Cette chose est dangereuse. Pourquoi ne pas attendre la police?

– Pas le temps. (Montrant les bureaux du doigt, il souffla à son père, par-dessus son épaule :) Dis à Kate d'allumer les lumières, elle est dans les bureaux.

Puis il s'enfonça en courant dans l'obscurité derrière Le Rayé qui battait en retraite.

Lorsque les lumières s'allumèrent, Gizmo s'apprêtait à négocier un virage à gauche au voisinage de l'endroit d'où émanait le tintamarre. A demi aveuglé et tenaillé par la douleur, il perdit le contrôle de sa petite voiture qui fonça à toute allure dans un présentoir de cassettes de magnétophone. Roulé en boule sous le tableau de bord, Gizmo se demandait s'il devait sortir en pleine lumière et affronter la douleur qui en résulterait. S'il restait là, il serait sain et sauf jusqu'à ce qu'on le découvre. Mais, bien sûr, voilà qui n'aiderait pas Billy.

Dans ce cas, décida-t-il, plutôt le regretter après et tant pis pour la sécurité.

– Chanceux, mais idiot.

C'est ainsi que Kate jugea sa dernière intervention sur le pupitre de contrôle. Et maintenant, elle séchait.

Complètement désemparée par l'impressionnant ensemble d'annonces banales et par son incapacité à allumer les lumières, elle avait renoncé à son plan de séquences numériques et pianotait furieusement sur le clavier. Miraculeusement, ce geste désespéré, presque réflexe, se traduisit par l'éclairage d'une série de lampes, à peu près dix pour cent de la surface totale. Voilà pour la bonne nouvelle.

La mauvaise nouvelle, c'est qu'elle n'avait pas la moindre idée du nombre pianoté. Si l'allumage des lampes voisines se faisait au moyen d'un code proche de celui qu'elle avait utilisé, les deux chiffres utiles se trouvaient tout aussi perdus qu'auparavant.

– Lequel? murmura-t-elle, s'efforçant de se souvenir de la position de ses doigts. Quel nombre était-ce?

Vers la fin des quatre-vingt-dix, lui sembla-t-il. De nouveau, elle entra le code d'accès dans l'ordinateur, soupira et tapa 98.

– Mesdames et messieurs, nous voudrions vous parler maintenant de l'extrémité nord du magasin où l'on vient d'ouvrir pour la journée la fontaine commémorative de Carol B. Hebbel. Cette magnifique sculpture non figurative, œuvre de l'artiste Donald Budé, a été conçue de telle sorte que la combinaison des chutes d'eau et des lumières produise un effet spectaculaire maximal. Bien que relativement récente, la fontaine est désormais célèbre dans tout l'Etat comme un remarquable exemple des efforts conjugués de l'art et du commerce, œuvrant de concert pour votre plus grand plaisir lorsque vous faites vos achats.

Le sens de l'annonce ne frappa guère Billy avant qu'il entende le doux murmure de l'eau, dans le lointain. Puis, repassant l'annonce dans sa tête, il entendit les mots capitaux : fontaine... eau...

– Non! hurla-t-il de toute la puissance de ses poumons. (Il ne ralentit que pour crier de nouveau, tout en reculant de quelques pas :) Non! Fermez-la! Fermez la fontaine!

Kate se trouvait sans doute trop loin pour recevoir son message, mais si son père l'entendait, à quelques dizaines de mètres de là, peut-être pourrait-il le transmettre.

Pendant ce temps, Le Rayé, devant lui, poursuivait sa course de toute sa vitesse. Billy gagnait sur lui mais une petite voix intérieure lui soufflait que le mal était déjà fait. La fontaine coulait. Aucune possibilité de vider l'eau écoulée dont le murmure révélateur agissait comme le chant d'une sirène sur la créature qui s'en approchait rapidement.

Barney, bien en avant de Billy, suivait Le Rayé de près, lui mordant la queue et les pattes de derrière. Mais il ne s'agissait là que d'un harcèlement alors qu'il aurait fallu le stopper. Si Barney avait été entraîné comme chien de garde ou d'attaque, il aurait pu retenir le Gremlin. En fait, il ne parvenait qu'à l'agacer et à le distraire tout en se protégeant des griffes tranchantes de son ennemi.

On avait fait de la partie nord du magasin une sorte de serre, avec toutes sortes de fleurs le long des murs, coiffée d'une magnifique coupole, maintenant couverte d'une immense toile de bâche. Dans l'obscurité, les fleurs se mêlaient, formant un dais qui retombait, si bien qu'en passant l'entrée on avait l'impression de pénétrer dans une forêt tropicale.

Le Rayé tourna brutalement, arrivé à la porte, tout en flanquant à Barney une grande claque griffue qui envoya bouler le chien à quelques mètres de là. Il demeura à distance, aboyant furieusement. Débarrassé de son poursuivant à quatre pattes, Le Rayé fixa Billy avec un gloussement de triomphe et montra le mur d'eau qui chatoyait en cascadant de la bouche de la fontaine, au-dessus.

Billy, épuisé, les poumons en feu, se contraignit à continuer sa course... plus vite... plus vite...

Et soudain... il fut trop tard.

Lorsqu'il arriva à quelque sept mètres de lui, Le Rayé, ne prenant aucun risque, sauta sur le rebord de la fontaine, y vacilla un instant qui parut à Billy désespérément long puis exécuta un souple plongeon en arrière.

A cette vision, Billy sentit ses jambes se changer en spaghettis. Adossé contre le mur de l'entrée, il se laissa lentement glisser sur le sol. Il ferma les yeux, essayant de ne pas penser aux vingt-quatre heures écoulées, mais les bruits conjugués des gloussements du Gremlin et de l'eau qui cascadait l'empêchaient d'oublier... Quatre fois, il avait cru avoir résolu le problème... chez lui... à l'Y.M.C.A.... au cinéma... et ici maintenant... chaque fois il avait réussi... sauf en ce qui concernait Le Rayé.

Il respira profondément, souffla lentement. Déjà il pouvait entendre le faible bruit des cloques qui éclataient, des cloques qui commençaient à se former à la surface de la peau du Rayé, des cloques qui allaient devenir des nouveaux Gremlins.

Gizmo, toujours au volant de son modèle réduit de Stingray, passa l'entrée de la serre et vit aussitôt que se produisait le pire. Billy, assis, égaré... Le Rayé qui riait malgré la douleur du processus de reproduction... et rien à faire pour arranger les choses.

A moins que...

Promenant rapidement son regard du sol au plafond, Gizmo fit entendre un couinement optimiste, vira rapidement à droite avec sa voiture et accéléra à fond. Au moins Mogturmen n'avait-il pas raté son affaire en dotant sa créature d'un cerveau capable d'analyser rapidement une situation et d'en déduire une solution. C'est pourquoi la bâche, son système d'accrochage et ses cordes, qui ne représentaient pour Billy que des objets tout banals dans une vaste salle, fournirent une réponse à Gizmo le Mogwai. Dès qu'il les repéra, il sut qu'existait encore une chance de se sortir de ce mauvais pas.

Percutant presque le mur du fond, il sauta de la voiture et se précipita vers l'endroit où la corde était enroulée autour de son taquet d'accrochage en acier.

Inaccessible.

Gizmo, bredouillant en mogwai, poussa la Stingray sous le taquet d'accrochage et grimpa sur le capot. Aussi vite qu'il le put, avec ses pattes maladroites, il déroula la corde enroulée autour du mentonnet. La dernière boucle se défit avec une telle force que Gizmo sentit ses pattes de derrière décoller de la voiture et son corps projeté en l'air à une vitesse vertigineuse.

Il ferma les yeux et lâcha prise, s'écroulant sur le capot de la voiture puis sur le sol.

Au-dessus de lui, il vit les stores de toile qui commençaient à dégager les fenêtres, les longues bandes étroites glissant impeccablement dans les compartiments dissimulés sous les rebords. Et, dans le même temps, la lumière vive du soleil matinal inondait d'un blanc bleuâtre tout le tiers central de la serre.

Au milieu duquel se trouvait Le Rayé.

Amplifiée et concentrée par les vitres, la lumière

du soleil tomba sur le Gremlin prostré comme une poutre surchauffée, comme un poids brûlant dont il était impuissant à se libérer. Pas plus qu'il ne pouvait bouger son corps, affaibli par la lumière et l'effort de reproduction de nouveaux Gremlins. Bientôt, des sécrétions liquides tièdes commencèrent à suinter de ses pores, de ses yeux, du coin de sa gueule. Il tenta de crier mais ne parvint à émettre qu'un gémissement guttural. Prises au piège dans le bref instant de vulnérabilité précédant leur naissance, les cloques en cours de formation sur la peau du Rayé se mirent à gonfler, à se boursoufler, à se crevasser. La macabre combinaison de l'eau froide et de la chaleur dégagée par la violence de la mort du Gremlin provoqua une sorte de brume grisâtre qui s'éleva de la fontaine et se dispersa progressivement, point final de la nuit la plus terrible qu'ait connue l'histoire de Kingston Falls.

20

Le lendemain de Noël, la vie avait repris son cours à peu près normal chez les Peltzer et dans l'ensemble de Kingston Falls. Les envoyés des médias, venus des quatre coins de l'Etat, continuaient à fouiller les décombres – ceux des bâtiments et ceux des cerveaux –, essayant de découvrir les détails les plus macabres de l'événement, mais les gens de la ville, dans l'ensemble, paraissaient surtout désireux d'oublier ce qui s'était passé et de retrouver leur train-train quotidien.

Billy parvint à échapper aux chasseurs de sensationnel. Non pas parce qu'il fuyait la publicité ou la notoriété mais parce qu'il savait qu'au bout d'une série de questions bien précises apparaîtrait le rôle majeur joué par Gizmo dans cette histoire. Et cela, Billy voulait à tout prix l'éviter. Il pensait que la chose se révélerait difficile, sinon impossible, étant donné le nombre de gens qui le savaient impliqué dans cette affaire. Mais il apparut étonnamment facile de préserver son anonymat.

Pete Fountaine, la personne qui en savait le plus sur le rôle de Billy, fut si terrifié en apprenant la mort de Roy Hanson, tué par une créature inconnue dans son laboratoire, qu'il s'enfuit de chez lui, pensant que la police ferait un rapprochement entre le crime et lui. Kate, bien sûr, respecta le désir de Billy de rester dans l'ombre, tout comme ses parents. Le shérif Reilly et son adjoint Brent jugèrent préférable d'oublier qu'ils avaient négligé l'avertissement de Billy, mais acceptèrent une récompense décernée par l'Association nationale des chefs de police pour les éminents services rendus. Le général David Greene apparut plusieurs fois à la télévision, sur la chaîne locale et sur les chaînes nationales, pour expliquer comment, sans relâche, il avait traqué les Gremlins jusqu'à leur totale destruction.

Chacun y trouvant assez de gloire à son goût et nul ne souhaitant blâmer quiconque, Billy parvint à demeurer en dehors de tout cela. Le scandale s'apaisant lentement, il se prit à penser que l'invasion des Gremlins ne provoquerait plus aucune retombée. Ce qui se révéla exact jusqu'au soir du lendemain de Noël. Kate, Billy et ses parents venaient juste de finir de dîner lorsqu'on sonna à la porte d'entrée. Billy ouvrit la porte à un vieux monsieur de type oriental, l'air fâché mais maître de lui, comme un père qui doit punir son enfant. Le vent soufflait dans ses cheveux blancs rebelles, accentuant encore son aspect très Jugement dernier. Bien que Billy ne l'ait jamais vu, il sut aussitôt qui il était et la raison de sa visite.

– Oui? dit-il d'une voix craintive.

– Je suis venu pour Mogwai, dit le vieux Chinois.

Regardant par-dessus l'épaule de Billy, il aperçut Rand. Billy l'invita à entrer et le vieux monsieur pénétra dans la maison.

En entendant la voix du vieil homme, Gizmo, qui dorlotait sur le canapé son dos meurtri, dressa aussitôt les oreilles et se redressa brusquement. Gazouillant d'une voix excitée, il faillit choir du canapé dans sa hâte de se précipiter vers son ami; il couvrit la distance en quatre grands bonds.

Le vieux monsieur, soulevant la créature et enfonçant doucement son nez dans la douce fourrure, eut un léger sourire.

– Tu m'as manqué, mon ami, dit-il.

En les regardant là, tous les deux, Billy se sentit à la fois ému et envahi de tristesse. Il se rendait compte qu'ils étaient liés non seulement par une grande affection mais aussi par des années et des années de compréhension mutuelle et de bien-être partagé.

Rand, qui jugea utile de faire au moins valoir ses droits, sinon de les revendiquer, se dirigea vers le Chinois.

– Un instant, dit-il doucement. J'ai payé de mon bel et bon argent pour l'avoir et mon fils y est très attaché.

– Je n'ai pas accepté l'argent, dit le Chinois. C'est mon petit-fils le responsable. Ce qui lui a valu de demeurer un mois enfermé dans sa chambre. (Il porta la main à sa poche et en sortit une liasse de billets.) Voici votre argent, dit-il. Je n'en ai pas déduit les dépenses engagées pour vous retrouver ni le prix du voyage jusqu'ici, parce que vous n'avez pas bénéficié des intérêts que vous aurait rapportés la somme si vous l'aviez eue à votre disposition. Nous y avons perdu l'un et l'autre et nous sommes quittes. Tenez. Prenez, je vous prie.

Rand, dont le regard allait du Chinois à Billy, ignora le geste.

– Ce n'est pas aussi simple, dit-il.

– Laisse, papa, murmura Billy. C'est d'accord.

– Je vous avais prévenu, dit le Chinois à Rand. Mogwai exige qu'on fasse montre d'un sens des responsabilités tout particulier. Mais vous ne m'avez pas écouté.

– Eh bien, maintenant nous savons, dit Rand avec un haussement d'épaules. Nous nous montrerons plus circonspects, à l'avenir.

– Ça, c'est l'expérience, pas le sens des responsabilités, corrigea le Chinois. La responsabilité consiste à faire ce qu'il convient avant d'être puni, pas après.

– Ouais, marmotta Rand, eh bien...

– Un philosophe chinois a écrit, jadis : « Une société sans sens des responsabilités est une société sans espoir. » (Puis, regardant Billy, il ajouta :) Je suis désolé.

– Il va me manquer, à moi aussi, dit Billy avec un sourire triste. Mais c'est peut-être mieux ainsi. Je pourrai lui rendre visite, j'espère.

Le vieux Chinois acquiesça d'un signe de tête.

Gizmo, niché confortablement dans les bras du vieil homme, regarda Billy et se sentit envahi d'une terrible tristesse. Si seulement il pouvait exprimer par des mots humains ses sentiments, pour que son ami comprenne... Si seulement Mogturmen... Maudit soit Mogturmen! pensa-t-il, irrité. Je peux communiquer. Je le dois. Et je vais le faire. Je vais projeter des mots humains et ne pas me sentir gêné s'il n'en sort qu'un charabia. Du moins saurai-je que j'ai fait de mon mieux.

Fermant les yeux, il se concentra un long moment, profondément, fortement. Puis sa petite bouche s'ouvrit et des mots humains s'en échappèrent, teintés d'un accent mogwai mais néanmoins parfaitement intelligibles.

– Au revoir, Billy, dit Gizmo.

Billy et ses parents éclatèrent de rire et fondirent en larmes tout à la fois. Même Kate était manifestement émue, bien qu'elle n'eût que très peu connu Gizmo.

– Il a parlé! cria Billy en se précipitant sur Gizmo pour l'embrasser.

– Vous avez beaucoup fait, dit le Chinois. Nous ne vous oublierons jamais.

Billy hocha la tête, incapable d'articuler un mot, étouffé par une boule dans la gorge.

– Bonsoir, dit le Chinois.

Tandis qu'ils passaient la porte pour s'enfoncer dans la nuit noire, Gizmo leur fit un petit geste de la patte.

Billy lui retourna son geste d'adieu et referma vivement la porte. Il ne voulait pas les voir disparaître lentement dans l'obscurité, comme ils disparaissaient de sa vie.

Science-Fiction et Fantastique

ALDISS Brian W.
L'autre île du Dr Moreau (1292★★)
Qui poursuit aujourd'hui les expériences du Dr Moreau ? Inédit.

ANDERSON Poul
La reine de l'Air et des Ténèbres (1268★★)
Ce n'est qu'une légende indigène, pourtant certains l'auraient aperçue. Inédit.
La patrouille du temps (1409★★★)
L'épopée des hommes chargés de garder l'Histoire.

ANDREVON Jean-Pierre
Cauchemar... cauchemars ! (1281★★)
Répétitive et différente, la réalité, pire que le plus terrifiant des cauchemars. Inédit.
Le travail du furet à l'intérieur du poulailler (1549★★★)
Les furets détruisent les malades. Inédit.

ASIMOV Isaac
Les cavernes d'acier (404★★★)
Dans les cités souterraines du futur, le meurtrier reste semblable à lui-même.
Les robots (453★★★)
D'abord esclaves, ils deviennent maîtres.
Face aux feux du soleil (468★★)
Sur Solaria, les hommes ne se rencontrent jamais ; pourtant un meurtre vient d'y être commis.
Un défilé de robots (542★★★)
D'autres récits passionnants.
Cailloux dans le ciel (552★★★)
Un homme de notre temps est projeté dans l'empire galactique de Trantor.
La voie martienne (870★★★)
Une expédition désespérée.
Les robots de l'aube (2t. 1602 ★★★ et 1603★★★)
Ce roman conclut à la fois Les robots *et* Les cavernes d'acier.
Le voyage fantastique (1635★★★)
Une équipe chirurgicale miniaturisée opère dans le corps humain.

BAKER Scott
L'idiot-roi (1221★★★)
Diminué sur la Terre, il veut s'épanouir sur une nouvelle planète. Inédit.
Kyborash (1532★★★★)
Dans un monde archaïque, une histoire épique de possession et de vengeance. Inédit.

BESTER Alfred
Les clowns de l'Eden (1269★★★)
Un groupe d'immortels s'oppose à un ordinateur qui veut redessiner l'espèce humaine.

BRUNNER John
Tous à Zanzibar (2t. 1104 ★★★★ et 1105★★★★)
Surpopulation, violence, pollution : craintes d'aujourd'hui, réalités de demain.
Le troupeau aveugle (2t. 1233 ★★★ et 1234★★★)
L'enfer quotidien de demain.
Sur l'onde de choc (1368★★★★)
Un homme seul peut-il venir à bout d'une société informatisée ?
A l'ouest du temps (1517★★★★)
Est-elle folle ou vient-elle d'une région de l'univers située à l'ouest du temps ?

CHERRYH Carolyn J.
Chasseurs de mondes (1280★★★★)
C'était une race de prédateurs incapables de la moindre émotion. Inédit.
Les adieux du soleil (1354★★★)
L'agonie du soleil est le symbole du crépuscule de la civilisation sur Terre. Inédit.
Les seigneurs de l'Hydre (1420★★★)
Ils pourchassent les humains. Inédit.
Chanur (1475★★★★)
A bord d'un vaisseau extra-terrestre, une femme-chat découvre un humain. Inédit.
L'opéra de l'espace (1563★★★)
Chez les marginaux de l'espace, une aventure épique dont l'amour n'est pas absent. Inédit.
La pierre de rêve (1738★★★)
Qui la vole partage les rêves de qui la possédait. Inédit.

CLARKE Arthur C.
2001 – L'odyssée de l'espace (349★★)
Ce voyage fantastique aux confins du cosmos a suscité un film célèbre.
2010 – Odyssée 2 (1721★★★)
Enfin toutes les réponses.

CURVAL Philippe
L'homme à rebours (1020★★★)
La réalité s'est dissoute autour de Giarre : sans le savoir, il a commencé un voyage analogique. Inédit.
Cette chère humanité (1258★★★★)
L'appel désespéré du dernier montreur de rêves.

DEMUTH Michel
Les Galaxiales (996★★★)
La première Histoire du Futur écrite par un auteur français.
Les années métalliques (1317★★★★)
Les meilleures nouvelles de l'auteur.

DICK Philip K.
Loterie solaire (547★)
Un monde régi par le hasard et les jeux.
Dr Bloodmoney (563★★★)
La vie quotidienne post-atomique.
Simulacres (594★★★)
Le pouvoir est-il électronique ?
A rebrousse-temps (613★★★)
Les morts commencent à renaître.
Ubik (633★★★)
Le temps s'en allait en lambeaux. Une bouffée de 1939 dérivait en 1992.
Au bout du labyrinthe (774★★)
Est-ce la planète qui est folle ou la démence a-t-elle gagné tous les colons ?
Les clans de la lune alphane (879★★★)
Une colonie de malades mentaux.
L'œil dans le ciel (1209★★★)
Une réalité fissurée, un quotidien qui se craquelle : quel est ce monde délirant ?
L'homme doré (1291★★★)
L'essentiel de l'œuvre du nouvelliste.
Le dieu venu du Centaure (1379★★★)
Palmer Eldritch : on connaît ses yeux factices, son bras mécanique... qui est-il ?
Message de Frolix 8 (1708★★★)
Le génie était la norme, les drogues légales, l'alcool tabou.

DISCH Thomas
Génocides (1421★★)
Pour l'envahisseur, les hommes ne sont guère plus que des insectes.
Camp de concentration (1492★★)
La drogue provoque le génie, puis la mort.

DOUAY Dominique
L'échiquier de la création (708★★)
Les pions sont humains. Inédit.

FARMER Philip José
Les amants étrangers (537★★)
Un Terrien avec une femme non humaine.
Le soleil obscur (1257★★★★)
Sur la Terre condamnée, des voyageurs cherchent la vérité. Inédit.
Le Fleuve de l'éternité :
- Le monde du Fleuve (1575★★★)
- Le bateau fabuleux (1589★★★★)
Les morts ressuscitent le long des berges.

FORD John M.
Les fileurs d'anges (1393★★★★)
Un hors-la-loi de génie lutte contre un super réseau d'ordinateurs. Inédit.

FOSTER A.D.
Voir Cinéma p. 24

GIGILLAND Alexis A.
La révolution de Rossinante (1634★★★)
Un homme et un robot luttent pour sauver un monde de la faillite. Inédit.

HAMILTON Edmond
Les rois des étoiles (432★★★)
John Gordon a échangé son esprit contre celui d'un prince des étoiles.

HARNESS Charles
L'anneau de Ritornel (785★★★)
C'est dans l'Aire Nodale, au cœur de l'univers, que James Andrek trouvera son destin.

HARRISON Harry
Appsala (1150★★★)
Jason Dinalt tombe de Charybde en Scylla.

HERBERT Frank
La ruche d'Ellstrom (1139★★★★)
Ou l'enfer des hommes insectes.

HIGON Albert
Le jour des Voies (761★★)
Les Voies, annoncées par la nouvelle religion, conduisent-elles à un autre monde ?

KEYES Daniel
Des fleurs pour Algernon (427★★★)
Charlie est un simple d'esprit. Des savants vont le transformer en génie.

KING Stephen

Carrie (835★★★)
Ses pouvoirs supra-normaux lui font massacrer plus de 400 personnes.
Shining (1197★★★★)
La lutte hallucinante d'un enfant médium contre les forces maléfiques.
Danse macabre (1355★★★★)
Les meilleures nouvelles d'un des maîtres du fantastique moderne.
Cujo (1590★★★★)
Un monstre épouvantable les attend dans la chaleur du soleil.

KLEIN Gérard

Les seigneurs de la guerre (628★★)
Un homme seul face au Monstre, la plus terrible machine de guerre de notre temps.
La loi du talion (935★★★)
Elle seule régit ce monde où s'affrontent cinquante peuples stellaires.

KLOTZ et GOURMELIN

Les innommables (967★★★)
... ou la vie quotidienne de l'homme préhistorique. Illustrations de Gourmelin.

LEE Tanith

Vazkor (1616★★★)
Une geste épique et fantastique. Inédit
Cyrion (1649★★★★)
Légende, mythe ? Etait-il vivant ? Inédit.
La déesse voilée (1690★★★★)
Elle croit porter le malheur et la destruction avec elle. Inédit.

LEM Stanislas

Le congrès de futurologie (1739★★)
Un congrès fou qui débouche sur un monde hallucinant.

LEOURIER Christian

Ti-Harnog (1722★★★)
Un homme confronté à une civilisation inconnue. Inédit.

LEVIN Ira

Un bébé pour Rosemary (342★★★)
Satan s'empare des âmes et des corps.
Un bonheur insoutenable (434★★★)
Programmés dès leur naissance, les hommes subissent un bonheur insoutenable à force d'uniformité.

LONGYEAR Barry B.

Le cirque de Baraboo (1316★★★)
Pour survivre, le dernier cirque terrien s'exile dans les étoiles. Inédit.

LOVECRAFT Howard P.

L'affaire Charles Dexter Ward (410★★)
Echappé de Salem, le sorcier Joseph Curwen vient mourir à Providence en 1771. Mais est-il bien mort ?
Dagon (459★★★★)
Le retour du dieu païen Dagon, et de nombreux autres récits de terreur.

MacDONALD John D.

Le bal du cosmos (1162★★)
Traqué sur Terre, il se voit projeté dans un autre monde.

McINTYRE Vonda N.

La colère de Khan (Star Trek II) (1396★★★)
Le plus grand défi lancé à l'U.S. Enterprise.
Le serpent du rêve (1666★★★★)
Elle guérit au moyen d'un cobra, d'un crotale et d'un serpent du rêve. Inédit.

MARTIN George R.R.

Chanson pour Lya (1380★★★)
Trouver le bonheur dans la fusion totale avec un dieu extra-terrestre. Inédit

MATHESON Richard

La maison des damnés (612★★★★)
Des explorateurs de l'inconnu face à une maison maudite.

MERRITT Abraham

Les habitants du mirage (557★★★)
La lutte d'un homme contre le dieu-Kraken.
La nef d'Ishtar (574★★)
Il aime Sharane, née il y a 6 000 ans.
Le visage dans l'abîme (886★★★)
Dans une vallée secrète des Andes, une colonie atlante jouit de l'immortalité.

MONDOLONI Jacques
Je suis une herbe (1341★★★)
La flore, animée d'une intelligence collective, peut-elle détruire la civilisation humaine ? Inédit.

MOORE Catherine L.
Shambleau (415★★★)
Parmi les terribles légendes qui courent l'espace, l'une au moins est vraie.

MORRIS Janet E.
L'ère des Fornicatrices :
- **La Grande Fornicatrice de Silistra** (1245★★★)
- **L'ère des Fornicatrices** (1328★★★★)
- **Le vent du chaos** (1448★★★★)
- **Le trône de la chair** (1531★★★)

Estri vit toutes les aventures : un érotisme fantastique et des pouvoirs sans cesse menacés. Inédits.

OLIVER Chad
Les vents du temps (1116★★)
Ils étaient arrivés dans la préhistoire. Dans quelques millions d'années, ils pourraient retourner chez eux.

PELOT Pierre
Les barreaux de l'Eden (728★★)
Communiquer avec les morts est une consolation pour les travailleurs opprimés. Inédit.
Parabellum tango (1048★★★)
Un régime totalitaire peut-il être ébranlé par une chansonnette subversive ? Inédit.
Kid Jésus (1140★★★)
Il est toujours dangereux de prendre la tête d'une croisade. Inédit.
Nos armes sont de miel (1305★★★)
Après mille ans passés dans le non-temps, ils parviennent enfin au but. Inédit.

POHL Frederik
La grande porte (1691★★★★)
C'est la richesse ou un sort pire que la mort.

PRIEST Christopher
Le monde inverti (725★★★★)
Arrivé à l'âge de 1 000 km, Helward entre dans la guilde des Topographes du Futur.

RAY Jean
Malpertuis (1677★★)
Les dieux de l'Olympe sont-ils encore parmi nous ?

SADOUL Jacques
Les meilleurs récits de :
« Astounding Stories » (532★★)
« Unknown » (713★★)
« Famous Fantastic Mysteries » (731★★)
« Startling Stories » (784★★)
« Thrilling Wonder Stories » (822★★)
« Fantastic Adventures » (880★★)
« Weird Tales-3 » (923★★)
Ces anthologies présentent la quintessence des revues de S-F qui, de 1910 à 1955, ont permis le succès de ce genre aux Etats-Unis.

SILVERBERG Robert
L'homme dans le labyrinthe (495★★★)
Depuis 9 ans, Muller vivait au cœur d'un labyrinthe parsemé de pièges mortels.
Les ailes de la nuit (585★★)
L'humanité conquise se découvre des pouvoirs psychologiques nouveaux.
L'oreille interne (1193★★★)
Télépathe, il sent son pouvoir décliner.
L'homme stochastique (1329★★★)
Carjaval connaissait tout de l'avenir, même sa propre mort.
Les chants de l'été (1392★★★)
Silverberg est un maître de la nouvelle.
Les chemins de l'espace (1434★★★)
La superstition religieuse ouvre-t-elle la route des étoiles ? Inédit.
Les déportés du cambrien (1650★★)
La préhistoire : une terrible prison pour détenus politiques.

SIMAK Clifford D.
Demain les chiens (373★★★)
Les hommes ont-ils réellement existé ? se demandent les chiens le soir à la veillée.
Dans le torrent des siècles (500★★★)
Comment tuer un homme qui est déjà mort ?
Le pêcheur (609★★★)
Il sait projeter son esprit dans l'espace ; un jour il ramène une entité extraterrestre.
Chaîne autour du soleil (814★★★)
La Terre est-elle unique ou n'y a-t-il pas une succession de terres autour du soleil ?
Projet Vatican XVII (1367★★★★)
Curieuse entreprise pour des robots sans âme : créer un pape aussi électronique qu'infaillible. Inédit.
La planète aux embûches (1588★★★)
Des hommes et un robot projetés sur une planète meurtrière.

SPIELBERG Steven

Rencontres du troisième type (947★★)
Le premier contact avec des visiteurs venus des étoiles.

SPRAGUE de CAMP et CARTER

Conan le barbare (1449★★★)
L'épopée sauvage de Conan le Commérien face aux adorateurs du Serpent.

STEINER Kurt

Les enfants de l'Histoire (701★)
L'irrésistible ascension d'un dictateur persuadé d'œuvrer pour la liberté.

Ortog et les ténèbres (1222★★)
La science permet-elle de défier la mort ?

STURGEON Theodore

Les plus qu'humains (355★★★)
Ces enfants étranges ne seraient-ils pas les pionniers de l'humanité de demain ?

Cristal qui songe (369★★★)
Fuyant des parents indignes, Horty trouve refuge dans un cirque fantastique.

Killdozer – le viol cosmique (407★★★)
Des extra-terrestres à l'assaut des hommes et de leurs machines.

Les talents de Xanadu (829★★★)
Visitez le monde le plus parfait de la galaxie.

TEVIS Walter

L'oiseau d'Amérique (1246★★★★)
Un homme, une femme, un robot.

TOLKIEN J.R.R.

Le Silmarillion
(2t. 1037 ★★★ et 1038★★★)
L'histoire des joyaux qui rendent fou.

VANCE Jack

Cugel l'astucieux (707★★)
... et les enchantements du magicien rieur.

Cugel saga (1665★★★★)
De nouveaux tours du magicien rieur. Inédit.

Cycle de Tschaï :
1 - Le Chasch (721★★★)
2 - Le Wankh (722★★★)
3 - Le Dirdir (723★★★)
4 - Le Pnüme (724★★★)
Exilé sur la planète Tschaï, Adam échappe à bien des dangers.

Un monde magique (836★★)
Sur la Terre moribonde la science abandonne.

Marune : Alastor 933 (1435★★)
On lui a tout volé, jusqu'à son identité.

Trullion : Alastor 2262 (1476★★)
Des intrigues se nouent dans l'amas stellaire.

Wyst : Alastor 1716 (1516★★★)
Une société vouée au plaisir et à la frivolité.

VAN VOGT A.E.

Le monde des Ã (362★★★)
Les joueurs du Ã (397★★★)
La fin du Ã (1601★★★)
Gosseyn n'existe plus : il lui faut reconquérir son identité, dans ce siècle lointain.

La faune de l'espace (392★★★)
Au cœur d'un désert d'étoiles, le vaisseau spatial rencontre des êtres fabuleux.

Les armureries d'Isher (439★★★)
Lorsque McAllister entra dans la boutique d'armes, il se trouva dans le futur.

Les fabricants d'armes (440★★★)
La Guilde a condamné à mort Robert Hedrock, mais il est immortel.

Le livre de Ptath (463★★)
Après sa mort, le capitaine Peter Holroid se réveille dans le corps du dieu Ptath.

La guerre contre le Rull (475★★★)
Seul Trevor peut sauver l'humanité du Rull.

Ténèbres sur Diamondia (515★★★)
Il était le colonel Morton, mais aussi des milliers d'autres, y compris 400 prostituées.

Créateur d'univers (529★★★)
La jeune femme qu'il avait tuée l'année précédente l'invita à prendre un verre.

Le Silkie (855★★)
Surhomme ou démon électronique ?

Rencontre cosmique (975★★★)
Celle d'un vaisseau corsaire de 1704 et d'un astronef du futur.

Le colosse anarchique (1172★★★)
Pour jouer, il doit détruire la race humaine.

Les opérateurs humains (1447★★★)
Un recueil des meilleures nouvelles.

La machine ultime (1548★★★)
Un super ordinateur sonde les âmes. Inédit.

VARLEY John

Le Canal Ophite (1463★★★)
Peut-on tuer une femme si ses clones sont là pour la remplacer ?.

VINGE Joan D.

La reine des neiges (1707★★★★★)
Même la mort ne l'empêchera pas de se survivre. Inédit.

WINTREBERT Joëlle

Les maîtres-feu (1408★★★)
L'odyssée d'une adolescente et d'un saurien intelligent. Inédit.

Chromoville (1576★★★)
Une féroce guerre de castes. Inédit.

XXX

Univers 1980 (1093★★★)
Univers 1981 (1208★★★★)
Univers 1982 (1340★★★★)
Univers 1983 (1401★★★★)
Univers 1984 (1617★★★★)
La série d'anthologies présentant les aspects les plus fascinants de la S-F moderne.

ZELAZNY Roger

L'île des morts (509★★)
Une rose pour l'ecclésiaste (1126★★★)

Achevé d'imprimer sur les presses de l'imprimerie Brodard et Taupin
58, rue Jean Bleuzen, Vanves. Usine de La Flèche,
le 26 octobre 1984
6961-5 Dépôt légal octobre 1984. ISBN : 2 - 277 - 21741 - 7
Imprimé en France

Editions J'ai Lu
27, rue Cassette, 75006 Paris
diffusion France et étranger : Flammarion